The 5th Edition Advanced Level

THE ACTUAL PRACTICE

for Applied Property Appraisal

PLUS Previous Tests

감정평가실무연습

김사왕, 김승연, 황현아 편저

會經社

제5판

머 리 말

부동산 시장과 정책의 변화는 감정평가업계에 새로운 패러다임을 요구하게 되었습니다. 이러한 시대적 요청은 선진화된 평가기법의 도입, 업무영역의 확대, 객관화된 산출근거의 적시 등 평가업무에 새로운 움직임을 불러일으키게 되었고, 감정평가실무 과목의 출제경향도 이러한 움직임에 맞추어 변화되고 있습니다.

최근 감정평가실무 문제를 살펴보건 데 ① 순수 이론을 지양한 실제 현업에서 쟁점이 되었던 논점, ② 시대적 요청에 따른 선진 평가기법과 관련된 논점, ③ "공익사업을 위한 토지 등의 취득 및 보상에 관한 법률" 등 관계법령에 개정 취지와 그 적용과 관련된 논점, ④ 순수 계산 능력보다는 자료의 활용과 문제분석을 중시하는 논점 등이 새로운 출제경향으로 고착화되고 있습니다.

반면, 출제자의 의도와 최근 현업의 경향에 비춰 정답이 있음에도 불구하고 일부 수험가의 예시답안은 나름의 논리만으로 접근되어 수험생이 정확한 내용을 숙지하는데 혼란을 주고 있습니다. 또, 감정평가실무 과목도 감정평가이론 및 법규와 마찬가지로 논리적 흐름의 목차 표현과 적절한 서술이 필요함에도 불구하고 단순 계산위주의 답안만을 연습하는 수험 경향에 안타까움을 느끼고 있습니다. 그럼에도 필자의 게으름과 역량의 부족으로 매번 최고 수준의 수험서임을 자부할 수 없는 교재를 발간하고 있는 점에 자성하면서도 『PLUS 기출 감정평가실무연습』은 수험의 올바른 방향성을 제시할 수 있기를 바래봅니다.

금번 『PLUS 기출 감정평가실무연습』의 개정 과정에서 많은 시간 도움을 주신 모든 분들에게 감사의 말씀을 전하며, 여러분들의 건승을 기원합니다.

2021년 11월

편저자 씀

이 책의

차 례

Chapter 01 기출문제편

Chapter 01

기출문제편

제01회 감정평가사 2차 국가자격시험문제

교 시	시 간	시 험 과 목
1교시	100분	1 감정평가실무

수험번호		성 명	

※ 공통유의사항

1. 각 문제는 해답 산정시 산식과 도출과정을 반드시 기재할 것
2. 단가는 유효숫자 셋째자리까지 표시, 지가변동률은 백분율로서 소수점 이하 넷째자리에서 반올림하여 셋째자리까지 표시할 것

【문제 1】 감정평가사 홍길동씨는 ○○시에 소재하는 토지의 감정평가 의뢰를 받고, 예비조사 및 실지조사를 한 후 다음과 같이 자료를 정리하였다. 주어진 자료에 의하여

1. 원가법에 의한 토지가격
2. 거래사례비교법에 의한 토지가격
3. 수익환원법에 의한 토지가격
4. 공시가격에 의한 토지가격을 m²당 단가로 구하되 각 평가방식에 적용한 자료 선택의 주안점과 산출과정을 산식으로 표시하고 가격결정에 관한 의견을 기술한 후 평가가액을 구하라. (45점)

가. 평가대상 토지 자료

① 토지의 공부자료 및 의뢰내용

소재지	지번	지목	면적(m²)	용도지역	가격시점
○○시	××	임야	5,000	주거지역	1990.9.2

② 대상토지의 현지답사 내용

대상토지는 도심지로부터 10km떨어진 시 외곽지대의 택지개발 가능한 남향 완경사지로서 밭으로 개간하여 사용 중이며 세로에 접하고 있음.

나. 평가기초자료

① 지가상승률

연도별	1986	1987	1988	1989	1990.1.1 ~ 1990.9.2
상승률(%)	10.95	14.60	21.96	29.20	8.00

(※주) ① 연도별 상승률은 매년 1.1~12.31까지임.
② 지가상승률 계산은 일단위로 계산할 것

② 용도지역별 토지가격 비준표

용도지역	상업지역	주거지역	공업지역	녹지지역
평 점	100	50	30	20

③ 이용상태별 토지가격 비준표

이용상태	대	전	답	임야
평 점	100	60	55	20

④ 토지의 경사지 방향에 따른 우열 비교

경사방향	평지	남향	동향	서향	북향
평 점	100	100	90	80	70

⑤ 접면 도로조건에 따른 토지효용성 비교

도로조건	대로	중로	소로	세로(농로포함)
평 점	120	100	90	80

(주※) 위 표는 중로의 효용성을 100으로 기준한 경우임.

⑥ 도심지로부터의 거리

시 외곽지대의 토지가격은 동일 및 유사토지인 경우 도심지로부터 매 1km 떨어질 때마다 5%씩 지가가 낮게 형성되고 있음.

⑦ 1990. 1. 1자 대상토지 주변의 주거지역내 공시지가 내용

소재지	지 목		면적(㎡)	공시지가(원)	접면도로	도심지와거리(㎞)	경사방향
	공부	실제					
1	대	대	300	210,000	중로	8	평탄
2	전	전	1,200	28,000	소로	8	서향
3	답	답	1,500	25,000	소로	9	북향
4	임야	임야	6,000	10,000	세로	9	동향

다. 사례자료

<자료 1>

5년 전에 대상토지보다 도심지에 2km 더 가까운 주거지역내 토지를 평탄하게 택지 조성하여 분양하였는 바, 마지막으로 1989. 6. 15자에 소로에 접한 나대지 200㎡를 9,600,000원에 매매함.

<자료 2>

대상 부동산을 택지 조성하여 분양할 경우

㈎ 허가조건 및 공사비 산정자료

① 획지로 분할하기 위한 도로면적 : 750㎡

② 토지형질변경시 공공용지로 기부체납할 토지면적 : 515㎡

③ 단지설계비용 : 1,000원/㎡

④ 측량 및 분할비용 : 200,000원/필지

⑤ 토목공사비용 : 9,000원/㎡

㈏ 획지분할의 기준 및 분양예상가격 산정자료

① 1개 획지의 최소면적은 100m^2 이상이어야 한다.

② 1개 획지의 면적이 200m^2를 초과하거나 미달한 경우의 획지는 정상분양가격의 20%를 할인하여 분양가격으로 한다.

<자료 3>

도심지로부터 9㎞ 떨어진 대상토지 주변의 주거지역내 동향 경사지대인 계단식 답 3,000m^2를 1988.3.2자에 51,000,000원에 매매함.
동 부동산은 농로가 개설되어 있으며 공인중개사의 의견에 따르면 매매당시 특별히 개재된 사항이 없다고 함.

<자료 4>

대상토지에 인접한 진입로(중로)변의 주거지역내 평탄한 대지면적 700m^2 지상에 3년 전에 지은 지상건물 연면적 500m^2를 1989.9.2자에 연간사용료 35,000,000원을 일시불로 임대함.

<자료 5>

<자료 4>의 부동산에 대한 조사내용과 관계자료는 다음과 같다.

① 건물의 내용년수 : 50년

② 건물의 신축당시 건축비용 : 300,000원/m^2

③ 건물공사비의 증가율 : 연 8%

④ 토지의 환원이율 : 6%

⑤ 건물의 상각전 환원이율 : 20%

⑥ 임대료 상승률 : 연 10%

⑦ 환원이율과 기대이율은 같은 것으로 한다.

【문제 2】 가구제조회사인 주식회가 갑을이 대단위 택지개발사업지구에 편입되어 보상을 하게 되었는바 다음 자료를 참고하여 주식회사 갑을의 제5기(1989.9.1~1990.8.31) 손익계산서를 작성한 후 주식회사 갑을에게 지급할 폐업의 경우 보상액과 휴업의 경우 보상액을 각각 구하라(가격시점은 1990.8.31이고 보상액의 산출은 경상이익을 기준으로 하되 매각차손 및 이전비 산출은 기계장치에 한함). (25점)

<자료 1>

주식회사 갑을의 제5기(1989.9.1~1990.8.31) 잔액시산표는 다음과 같다.

<잔액시산표>

차변	금액	대변	금액
현금과 예금	417,000	지급어음	300,000
받을어음	500,000	외상매입금	380,000
외상 매출금	1,000,000	가수금	95,000
가지급금	160,000	예수금	88,000
제품	480,000	사채	1,000,000
재공품	350,000	대손충당금	20,000
이월재료	400,000	건물감가상각충당금	110,000
재료매입	1,400,000	기계감가상각충당금	400,000
건물	1,000,000	가구비품감가상각충담금	80,000
기계장치	3,000,000	자본금	4,000,000
가구비품	200,000	이익준비금	100,000
임금	440,000	임의적립금	250,000
전력비	150,000	이월이익잉여금	60,000
보험료	18,000	매출	3,000,000
급료	120,000	수입이자	2,000
여비 교통비	30,000	수입수수료	65,000
광고 선전비	70,000	잡이익	50,000
교재비	45,000		
사채이자	90,000		
자손실	130,000		
	10,000,000원		10,000,000원

<자료 2>

주식회가 갑을의 제5기 기말 정리사항은 다음과 같다.

① 감가상각

가. 건물에 대하여는 잔존가액을 취득원가의 10%, 내용년수를 40년으로 하고 정액법에 의하여 계산한다.

나. 기구비품과 기계장치에 대하여 연 10%의 정률법에 의하여 계산한다.

② 전력료 30,000원, 임금 60,000원, 사채이자 50,000원은 미지급금

③ 외상매출금 및 받을어음 잔액에 대하여 3%의 대손충당금을 설정함.

④ 당기분 법인세는 197,960원이고 제조경비와 일반관리비는 다음과 같이 배분한다.

비 목	제 조 부	영 업 부
건물감각상각비, 보험료	60%	40%
기계장치감가상각비, 전력료, 임금	100%	–
기구비품감가상각비	20%	80%
광고선전비, 교재비	–	100%
급료	30%	70%
여비교통비	50%	50%

⑤ 기말재고액 : 재료재고 525,000, 재공품 222,900, 제품재고 724,500

<자료 3>

① 주식회사 갑을의 기계장치명세는 다음과 같으며 현가는 가격시점 현재의 정상 가격임.

기 계 명	자 중 (自重)	현 가
각끌기	300kg	119,000
삼각벨트센더	500kg	118,000
평벨트센더	300kg	112,000
보링기	950kg	338,000
루터기	900kg	220,000
면치기	450kg	215,000
골드프레스	3,000kg	1,150,000
데우시	200kg	68,000
계	6,600kg	2,340,000원

② 기계장치의 설치 및 해체품 조견표

(단위 : 원/톤)

기계종류	해체조립비	운반비	합계
간단한 기계	100,000	40,000	140,000
공작 · 목공기계	130,000	40,000	170,000

※ 운반거리 30km 기준임.

<자료 4>

소득 표준율은 다음과 같다.

분류	품목예시	최저율	기본율	최고율
가구 및 목재 장치물	나무의자, 책상, 가정용가구	9.2%	12%	16.4%

【문제 3】 토지, 건물로 구성된 임대부동산의 수익가격을 유사부동산의 임대사례로부터 구하려 한다. 다음 제시된 임대사례의 자료를 활용하여 대상부동산의 수익가격을 토지, 건물일체로 하여 구하라. (20점)

<평가대상 부동산>

(1) 건물 : 철근 콘크리트조 슬라브지붕 8층 사무실 건물 1동, 건축연면적 7,400㎡

(2) 부지면적 : 1,200㎡

(3) 가격시점 : 1990년 11월 1일

<자료 1> 임대사례

① 건물 : 철근 콘크리트조, 슬라브지붕, 8층사무실 건물 1동 건축연면적 6,600㎡

② 부지면적 : 1,100m^2

③ 임료의 수준 : 가격시점 현재 사례부동산의 임대수지를 분석한 결과 연 467,672,000원의 순이익(상각 후)을 내고 있으며, 이 임료수준은 일반적이고 표준적인 것으로 인정됨.

<자료 2> 대상부동산과 사례부동산과의 비교

(1990년 11월 1일 현재)

구분		대상부동산	사례부동산
토지의 개별요인		100	108
토지의 지역요인		100	98
건물의 준공일자		1987.11	1989.11
가격시점 현재 잔존 내용년수	건물본체	47년	49년
	부대설비	12년	14년
건물의 재조달원가를 구하는 경우의 개별요인 비교치 (면적요인 제외)		98	100
부지와 건물과의 관계		최유효이용	최유효이용

(※주) 건물의 현존가치는 건물의 총수익을 발생시키는데 영향이 있는 것으로 상정한다.

<자료 3> 기타사항

① 대상 및 사례건물의 본체부분과 부대설비부분의 재조달원가 비율은 70 : 30이다.

② 대상 및 사례부동산 공히 토지에 귀속하는 순수익과 건물에 귀속하는 순수익(상각후)의 비율은 4 : 6이다.

③ 토지와 건물의 종합환원이율(상각후)은 16%를 적용한다.

【문제 4】 보통상업지역 내에 일면이 가로에 접하고 있는 다음과 같은 삼각지가 있다. 아래 자료를 이용하여 대상획지의 단가를 구하라. (10점)

<자료>

① 정면 노선가 : 1,000,000원

② 최소각이 대각인 경우의 각도 보정률 : 0.93

③ 면적 보정률 : 0.9

④ 30m 깊이 가격체감률 : 0.93

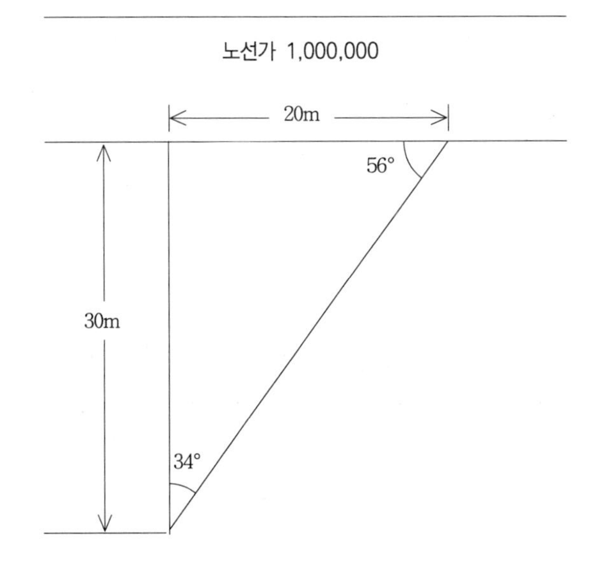

제02회 감정평가사 2차 국가자격시험문제

교 시	시 간	시 험 과 목
1교시	100분	① 감정평가실무

수험번호		성 명	

※ 공통유의사항

1. 각 문제는 해답 산정시 산식과 도출과정을 반드시 기재할 것
2. 단가는 유효숫자 셋째자리까지 표시, 지가변동률은 백분율로서 소수점 이하 넷째자리에서 반올림하여 셋째자리까지 표시할 것

【문제 1】 감정평가사 K씨는 S시로부터 공익사업용지에 편입되는 다음의 부동산에 대한 보상평가를 의뢰받았다. 주어진 자료를 활용하여 보상가액을 평가하라. (50점)

<자료 1> 대상물건에 대한 자료

① 토지 : S시 A동 100번지, 850㎡

② 건물 : 위 지상 철근콘크리트조 슬라브지붕 5층건 1동

연면적 : 3,650㎡

내역 : 1층~5층 : (각 650㎡), 지하층 : 400㎡

③ 기계목록

품명	형식 및 자중	수량
인쇄기	MF 400(3도) 자중 5톤	2대

④ 평가목적 : 보상

⑤ 가격시점 : 1991.2.15

⑥ 건물이용상황 : 1~2층 : 상업용

3~5층 : 업무용

지하층 : 인쇄소

⑦ 도시계획관계 : 상업지역에 속하고 중로에 접하며 도시계획도로에 전부 저촉됨.

⑧ 기타사항

- 본건 토지·건물은 최유효이용상태임
- 본건의 평가에서는 토지·건물 및 기계만을 평가하며 인쇄소의 수익감소액은 평가하지 않고 시설이전비만 산정함.
- 인쇄소의 기타 부대시설과 재고자산 등은 평가에서 고려치 않음.

<자료 2> 공시지가자료

기호	소재지 지 번	면적 (㎡)	공부 지목	실제 지목	도로 교통	이용상황	용도지역	공시지가 (원/㎡)
1	S시A동 170	300	대	대	소로	상업용건부지	주거지역	1,000,000
2	S시B동 50	900	잡종지	대	중로	상업용건부지	상업지역	1,500,000
3	S시A동 2	800	대	대	대로	상업용건부지	상업지역	2,000,000
4	S시B동 30	1,800	대	잡종지	소로	테니스장	상업지역	1,300,000
5	S시A동 10	400	대	대	중로	상업용건부지	주거지역	1,600,000

(※주) 공시지가 표준지 ①, ②, ③, ⑤는 실지조사한 바, 10%의 건부감가요인이 있는 것으로 판단됨.

- 공시지가 기준일은 1991.1.1임.
- 공시지가표준지는 소재지를 고려치 않고 유사한 표준지를 활용할 것.

<자료 3> 매매사례

(사례 1)

① 토지 : S시 A동 150번지, 대 780m²

② 건물 : 위 지상

철근콘크리트조 슬라브지붕 4층건 사무실, 연건평 : 3,100m²

1층~4층 : 각 620m² 지하층 : 620m²

③ 매매가격 : 2,900,000,000원

④ 매매시점 : 1990.8.1

⑤ 도시계획관계 : 상업지역에 속하며 대로에 접함.

⑥ 기타사항 : 본건 토지건물은 최유효이용상태이며, 거래는 정상적으로 이루어짐.

(사례 2)

① 토지 : S시 C동 20번지, 대 800m²

② 건물 : 위 지상

세멘브릭조 스레트지붕 1층건 점포, 면적 : 200m²

③ 매매가격 : 860,000,000원

④ 매매시점 : 1991.1.1

⑤ 도시계획관계 : 상업지역에 속하며 중로에 접함.

⑥ 기타사항

- 본건 지상건물은 노후한 구식건물로 철거를 전제로 매입한 후 매입자는 매입 직후 철거 완료하였음.
- 본건은 인근의 표준획지보다 고가로 매매된 것으로 파악되며 표준획지의 정상 가격은 1,000,000원/m²인 것으로 조사됨.

<자료 4> 임대사례

① 토지 : S시 B동 90번지, 대 860m²

② 건물 : 위 지상 철근콘크리트조 슬라브지붕 4층건 사무실

면적 : 2,400m²(각층 600m²)

③ 임대시점 및 기간 : 1991.1.1부터 2년

④ 임대내역

임대수입	지출경비(1년간)
• 보증금 : 3,200,000,000원 • 지불임료 : 월 20,000,000원	• 유지관리비 : 연 지불임료의 5% • 제세공과금 : 80,000,000원 • 결손준비금 : 지불임료 5개월분 • 공실 등의 손실상당액 : 지불임료 2개월분 • 종합토지세 : 20,000,000원

(※주) 보증금 중 3,150,000,000원은 예금적 성격의 일시금이고, 50,000,000원은 선불적 성격의 일시금(권리금)임.

⑤ 임대건물은 상업지역에 속하며 중로에 접함.

⑥ 대상부동산은 최유효상태이며 임대사정은 정상적인 것으로 판단됨.

<자료 5> 건설사례

① 소재지 : S시 A동 25번지, 대 900㎡

② 건물 : 위 지상 철근콘크리트조 슬라브지붕 4층건 사무실,
연면적 : 3,600㎡, 1층~4층 : 각 720㎡ 지하층 : 720㎡

③ 건축공사비 : 450,000원/㎡
이 건축비는 연건평에 대한 평균단가이며 표준적인 것으로 판단됨.

④ 철거비 및 폐재가격
<자료 3>의 (사례 2) 토지위에 소재하는 점포건물의 철거비는 2,000,000원이며 잔재가격은 200,000원임.

<자료 6> 토지조성사례

① 소재지 : S시 A동 300번지, 대 1,000㎡

② 조성전 토지매입가격 : 1,000,000원/㎡

③ 조성공사비 : 360,000,000원

④ 공사비 지급조건 : 2회에 걸쳐 다음과 같이 균등지급함

1988년 1월 1일 : 180,000,000원

1989년 1월 1일 : 180,000,000원

⑤ 수급인의 이윤 : 조성공사비의 10%

⑥ 시점

- 조성전 토지매입시점 : 1987.1.1
- 공사착공시점 : 1988.1.1
- 공사준공시점 : 1990.1.1

⑦ 기타사항

- 본건은 현소유자가 조성한 토지로 기타 고려할 사항은 없으며 공사준공시점에서 가격시점까지는 지가변동률을 적용하여 토지가격을 산정키로 함.
- 조성토지는 대로에 접함.

<자료 7>

① 지역요인 및 개별요인자료

- A동은 B동보다 지역적으로 5% 우세함
- A동과 C동의 지역요인비교치는 공시지가표준지 ③과 ⑤의 공시지가 가격수준과 유사함.

② 토지의 개별요인 비교치(도로교통 제외)

대상토지	공시지가 ①	공시지가 ②	공시지가 ③	공시지가 ④	공시지가 ⑤	매매사례 ①	임대사례	조성사례
98	105	103	105	97	96	106	100	100

- 도로교통 비교치는 대로 : 130, 중로 105, 소로 : 85임.
- 거래사례토지②는 토지의 일부가 30도 정도의 경사지로써 표준적 획지와 비교할 때 경사지 부분 200m²는 55% 평지부분은 5%의 감가요인이 있음.

③ 재조달원가를 구하는 경우의 건물개별요인 비교치

대상건물	매매사례①	임대사례	건설사례
98	95	105	100

<자료 8> 지가·건축비·임료 및 생산자 물가지수

① 지가변동률

(단위 : %)

1990년 1/4분기		1990년 2/4분기		1990년 3/4분기		1990년 4/4분기	
대	잡종지	대	잡종지	대	잡종지	대	잡종지
2.8	2.5	3.2	3.0	2.2	2.4	2.5	2.3

(※주) 1991.1.1 이후는 1990년 4/4분기 지가변동률을 적용함.

② 건축비·임료 및 생산자물가지수

시점	건축비지수	임료지수	생산자물가지수
1987.8.1	120	123	105
1988.10.1	125	126	107
1989.7.1	129	128	109
1990.1.1	130	129	110
1990.8.1	132	130	110
1991.1.1	134	131	111
1991.2.15	135	132	112

(※주) 공시지가의 시점수정에서는 지가변동률과 생산자물가상승률의 산술평균치를 적용하고 그 이외의 시점수정에서는 지가변동률만 적용할 것

<자료 9> 건물 관련자료

구분		대상건물	매매사례①	임대사례	건설사례
준공시점		1987.9.1	1988.10.1	1990.8.1	1989.7.1
가격시점현재 잔존내용년수	주체부분	57년	58년	60년	59년
	부대설비부분	12년	13년	15년	14년

(※주) • 주체부분과 부대설비부분의 가액비율은 80 : 20 임.
• 감가수정은 만년감가로 하며 잔가율은 0임.

<자료 10> 각종 이율

① 환원이율
- 토지의 환원이율 : 12%
- 건물의 상각후 환원이율 : 15%

② 수익가격 산정시 적용하는 금리 및 원가법에서 적용하는 금리 연 10%

<자료 11>

① 기계이전비 산출자료
- 인쇄기 설치비의 산출품셈 및 노임단가

(자중 t기준)

직종	공량	노임단가
기계설치공	2.5인	32,000원
비계공	1.8인	29,000원
용접공	0.6인	30,000원
특별인부	2인	27,000원
기타비용	상기공사비의 10%	

- 기초공사비용 : 기계대당 800,000원
- 해체비는 설치비의 50%를 적용함(단, 기초공사의 해체비는 고려치 않음).

② 운반비자료

- 이전거리 : 10㎞기준함.
- 차량소요대수 : 10t 화물차 2대
- 화물차 운반비 : 차량 1대기준 80,000원
- 상하차비 : 차량 1대기준 150,000원
- 기계의 신품가격 : 기계대당 120,000,000원
- 감가수정자료 : 기계의 경과년수는 3년이며 연간감가율은 0.206임.

【문제 2】 주식평가방법을 설명하고 다음의 비상장 주식을 주어진 자료에 따라 평가하라. (25점)

<자료 1>

가격시점 : 1990.12.31.

<자료 2>

평가목적 : 일반거래

<자료 3> 평가대상주식내용

종목	수권주식수	발행주식수	1주의 금액	평가의뢰주식수
○○주식회사 비상장주식	500,000주	400,000주	5,000원	300,000주

<자료 4>

제시된 주식회사의 제10개(1990.1.1~1990.12.31) 대차대조표(1990.12.31 현재)는 다음과 같음.

<대차대조표>

(단위 : 천원)

차변		대변	
과목	금액	과목	금액
현금과 예금	655,000	외상매입금	300,000
유가증권	50,000	지급어음	700,000
외상매출금	800,000	차입금	1,500,000
받을어음	1,000,000	미지급비용	130,000
재고자산	200,000	대손충당금	20,000
선급비용	95,000	건물감가상각충당금	100,000
부도어음	100,000	기계장치감가상각충당금	1,600,000
토지	500,000	퇴직급여충당금	150,000
건물	700,000	자본금	2,000,000
기계장치	3,400,000	이익준비금	500,000
		당기말미처분이익잉여금	500,000
	7,500,000원		7,500,000원

<자료 5> 수정사항

① 유가증권은 40,000,000원으로 평가함.

② 매출채권잔액에 대하여 2%의 대손충당금을 설정함.

③ 재고자산은 220,000,000원으로 평가함.

④ 부도어음은 회수불가능한 채권임.

⑤ 토지는 1,100,000,000원으로 평가함.

⑥ 건물은 800,000,000원으로 평가함.

⑦ 기계장치는 1,650,000,000원으로 평가함.

⑧ 가격시점현재 회사내규인 퇴직급여규정에 따라 계산된 퇴직급여충당금 요설정액은 250,000,000원임(재고자산중 제품과 재공품잔액은 없음).

⑨ 보험료 미경과분 1,000,000원을 계상함.

⑩ 급료미지급액 45,000,000원을 계상함.

【문제 3】 다음 자료를 활용하여 K아파트 3층 1호의 임료를 비교방식 및 원가방식으로 평가하라. (20점)

<자료 1>

① 토지 : K시 M동 10번지, 대 800㎡중 35㎡(대지권)

② 건물 : 위지상

철근콘크리트 슬라브지붕 5층건 아파트

연면적 : 1,790㎡

전유면적 : 1층 282㎡, 2층 292㎡, 3층 292㎡

4층 292㎡, 5층 292㎡

내 3층 1호 전유면적 73㎡

③ 전체 부동산가격 : 2,300,000,000원

④ 가격시점 : 1991.9.1

⑤ 평가목적 : 임대차

⑥ 도시계획관계 : 도시계획상 주거지역, 아파트지구에 속함.

⑦ 3층 호별 전유면적

(단위 : ㎡)

1호	2호	3호	4호
73	83	73	63

<자료 2> 임대사례 자료

① 소재지 : K시 N동 20번지, 대지 820㎡ 중 33㎡(대지권)

② 건물 : 위 지상 철근콘크리트조 슬라브지붕 5층건 아파트

연면적 : 2,050㎡, 전유면적 : 1층~5층 각 330㎡

내 4층 4호 전유면적 82.5㎡

③ 임대시점 : 1990.10.1

④ 임대조건 : 임대료는 표준적인 것으로 판단되며 정상임대 되었음.

⑤ 임대내역 : 월 임대료는 필요제경비 포함 600,000원임.

<자료 3> 요인 비교자료 등

① 지역 및 개별요인 : 대상부동산은 사례부동산보다 12% 열세임.
② 층별·호별 비교 : <자료 4>의 분양가격수준에 의함.
③ 시점수정 : 임대시점의 임료지수는 115, 가격시점의 임료지수는 120임.

<자료 4> 적산임료 자료

① 인근 유사아파트 최근 분양사례(대상물건의 평가에 적용해도 무방함)

• 층별 분양가격

층별	1층	2층	3층	4층	5층
분양가격(원/㎡)	1,420,000	1,580,000	1,500,000	1,460,000	1,400,000

• 호별 분양가격(3층 기준)

호별	1호	2호	3호	4호
분양가격(원/㎡)	1,480,000	1,550,000	1,520,000	1,450,000

② 인근 유사아파트의 임료수준

아파트명	아파트가격(원)	실질임료(원)	필요제경비(원)
K	150,000,000	9,000,000	600,000
S	80,000,000	4,800,000	400,000
Z	100,000,000	6,000,000	500,000

③ 대상부동산의 필요제경비는 연간 550,000원임.

【문제 4】 공시지가 표준지의 선정원칙과 표준지의 평가기준을 약술하라. (5점)

제03회 감정평가사 2차 국가자격시험문제

교 시	시 간	시 험 과 목
1교시	100분	① 감정평가실무

수험번호		성 명	

※ 공통유의사항
1. 각 문제는 해답 산정시 산식과 도출과정을 반드시 기재할 것
2. 단가는 유효숫자 셋째자리까지 표시, 지가변동률은 백분율로서 소수점 이하 넷째자리에서 반올림하여 셋째자리까지 표시할 것

【문제 1】 감정평가사 K씨는 H토지개발공사로부터 택지개발예정지구로 지정고시된 지역의 토지 및 지장물에 대한 보상평가액 산정을 의뢰받았다. 다음에 제시하는 자료를 활용하여 공익사업을 위한 토지 등의 취득 및 보상에 관한 법률과 부동산가격공시 및 감정평가에 관한 법령의 제규정을 참작하여 평가액을 상정하라. (40점)

1. 의뢰물건

지구 전체의 평가를 의뢰받았으나 다음에 제시하는 토지, 물건만 평가할 것

가. 토지조서

일련번호	소재지	지번	지목	편입면적(㎡)	실제이용상황
1	A시 갑구 ××동	248-1	전	1,125	전(보통작물)
2		250	전	1,460	전(보통작물)
3		251	전	1,855	답(수도작)
4		253	대	360	대(단독주택)
5		255	대	400	대(단독주택)

나. 물건조서

일련번호	소재지 지번	물건의 종류	구조 및 규격	수량(면적)	실제이용상황
1	A시갑구××동 255	주택	시멘벽돌조 슬라브즙 1층건(주택)	75㎡	주거용

2. 평가조건

가. 가격시점 : 1992.5.1

나. 개발이익에 유념하여 적절한 보상액을 산정할 것

<자료 1> 공시지가 표준지

일련번호	소재지	면적(㎡)	지 목		이용상황	용도지역	도로교통	형상 및 지세	공시지가		
			공부	실제					1990년	1991년	1992년
-318	A시 갑구 ××동 245	380	대	대	단독주택	자연녹지	중로한면	장방형 평지	48,000	53,000	82,000
-319	249	1,480	전	전	전 (보통작물)	자연녹지	세로(불)	부정형 평지	28,000	30,000	45,000

<자료 2> 제시도면(일부)

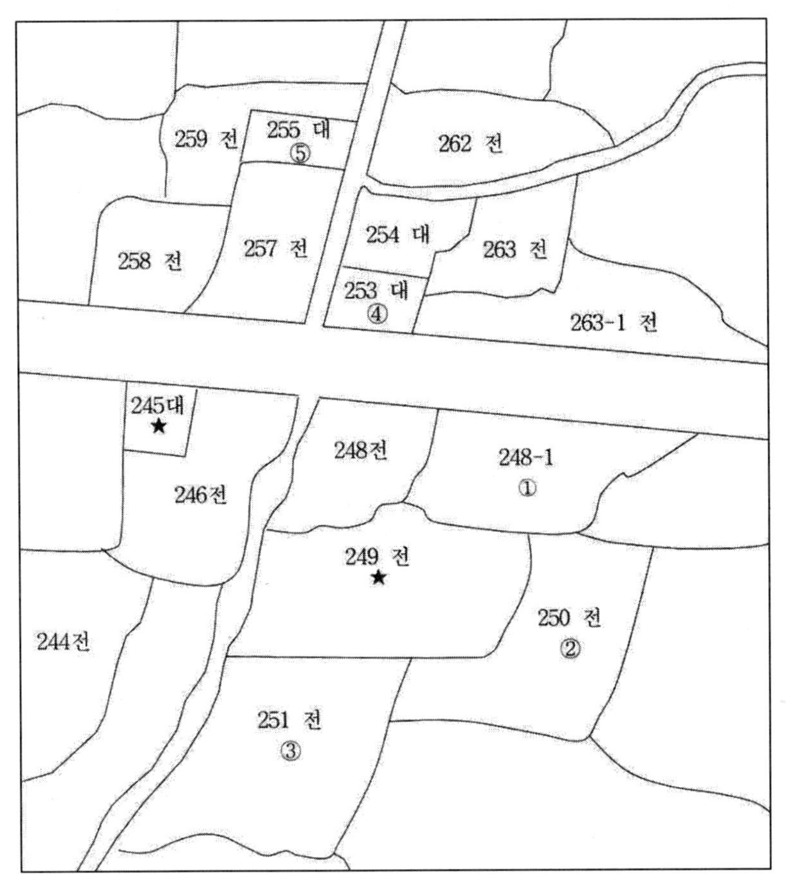

★ : 공시지가 표준지

- 당해 지역을 동서로 비스듬히 관통하는 도로는 국도이다.
- 본건 지역은 A시의 변두리에 소재하는 근교 농경지대로 전작을 주로 하며 농경지와 농가가 혼재되어 있다.

• 본건 지역의 위치를 개략적으로 표시하면 다음과 같다.

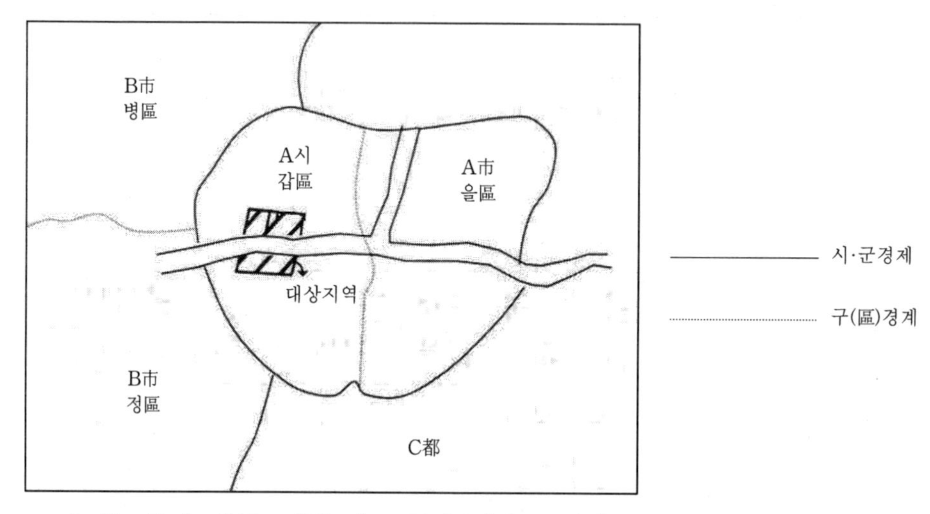

※ A시는 B시 병구, 정구 및 C군과 접하고 있다.

<자료 3> 지가변동률

행정구역	분기별 (용도지역)	녹지지역	주거지역	대 (주거용)	대 (상업용)
A시	1991 1/4	3.65	4.12	3.74	3.90
	2/4	2.89	3.12	4.36	5.41
	3/4	5.17	5.35	6.32	6.50
	4/4	6.35	5.49	5.52	5.78
	누계	19.28	19.32	21.38	23.38
	1992 1/4	5.89	5.35	5.82	6.03
갑구	1991 1/4	3.71	3.90	3.84	3.76
	2/4	3.01	3.08	4.15	5.18
	3/4	6.80	7.02	8.35	9.01
	4/4	8.10	8.63	7.28	7.92
	누계	23.33	24.51	25.71	28.39
	1992 1/4	8.50	7.99	8.35	7.8
을구	(생 략)				
B시	1991 1/4	2.75	3.98	3.90	4.12
	2/4	3.59	4.32	4.13	4.80
	3/4	3.52	3.19	3.45	5.10
	4/4	3.43	2.98	3.13	3.82
	누계	13.96	15.26	15.42	14.35
	1992 1/4	3.52	3.29	3.72	3.65
병구	1991 1/4	3.10	4.18	3.87	3.95
	2/4	2.95	3.50	4.10	4.46
	3/4	3.41	2.98	3.58	5.35
	4/4	3.63	3.76	3.02	3.73
	누계	13.74	15.21	15.38	18.66
	1992 1/4	3.58	4.06	3.65	4.10
정구	1991 1/4	2.65	3.87	3.56	3.85
	2/4	3.32	4.20	3.97	4.92
	3/4	3.63	3.63	3.02	4.90
	4/4	3.18	4.05	2.97	3.52
	누계	13.40	16.70	14.21	18.32
	1992 1/4	3.63	3.89	3.72	3.50
무구	(생 략)				
C군	1991 1/4	2.96	3.53	3.35	3.68
	2/4	3.32	4.15	3.86	4.06
	3/4	2.87	3.03	3.33	4.87
	4/4	4.12	3.18	3.15	3.69
	누계	13.93	14.62	14.40	17.31
	1992 1/4	3.52	3.75	4.01	3.63

<자료 4> 토지가격 비교표

지목	전	답	임야	대	잡종지
전	1.00	0.97	0.32	1.77	1.71
답	1.03	1.00	0.33	1.82	1.76
임야	3.13	3.03	1.00	5.53	5.34
대	0.56	0.55	0.18	1.00	0.96
잡종지	0.59	0.57	0.19	1.04	1.00

<자료 5> 건물의 평가에 관한 자료

1. 준공년도 : 1989.7.1.

2. 대상건물의 준공당시 건축비 : 420,000원/㎡ (표준적인 것으로 인정됨)

3. 건축비지수

기준일 / 지수	1987.8.1	1988.8.1	1989.8.1	1990.8.1	1991.8.1
건축비지수	100	118	142	152	172

4. 이전비 산정에 관한 자료
   가. 해체 및 철거비 : 건물가격의 15%
   나. 운반비 : 4,500,000원
   다. 재축비 : 건물가격의 65%
   라. 보충자재비 : 8,500,000원

5. 내용년수 : 50년

6. 잔가율 : 10%

7. 경과년수는 만년으로 계산할 것

<자료 6> 공시지가 표준지와 평가대상토지의 개별요인 비교표

1. 대지

공시지가(일련번호-318)	대상토지(토지조서 ④)	대상토지(토지조서 ⑤)
100	105	98

2. 농경지

공시지가(일련번호-319)	대상토지(토지조서 ①)	대상토지(토지조서 ②)	대상토지(토지조서 ③)
100	113	96	99

<자료 7> 기타 참고자료

1. 본건 평가대상지역은 국토의 계획 및 이용에 관한 법률상 자연녹지지역이며 그 외 다른 공법상의 제한은 없다.

2. A시의 갑·을구는 자치구가 아니고 B시의 모든 구는 자치구이다.

3. 지장물인 주택은 이전이 가능하며 이전으로 인하여 종래의 목적대로 사용이 가능하다.

4. 지가변동률 자료 및 건축비지수 자료중 미제시부분은 직전기간의 것을 활용하라.

5. 본건 평가대상지역은 1991.7.8자로 택지개발예정지구로 지정 고시되었다.

6. 인접한 B시 및 C군은 당해사업과 관계가 없다.

7. 인접 시·군·구의 지가변동률을 이용할 필요가 있을 경우에는 본건 대상토지가 속한 행정구역과 경계하고 있는 모든 시·군·구의 자료를 이용하되 산술평균치로 하라.

【문제 2】 다음에 제시하는 자료를 활용하여 대상부동산의 가격을 구하라. (20점)
(가격시점 : 1992.6.1.)

<자료 1> 대상부동산

1. 소재지 : A시 B동 50

2. 지목·면적 : 대(나지), 320m^2

3. 용도지역 : 상업지역

4. 상업용 건물의 부지로 이용하는 것이 적정할 것으로 판단됨.

<자료 2> 거래사례자료

구분 사례	소재지	유형	용도지역	거래시점	면적구조	거래가격	평가에 고려할사항
사례1	A시 B동 72	나지	상업 지역	1988.7.1	대 : 300m^2	220,000,000	• 친족간의 거래 • 시가보다 다소 저가로 거래
사례2	A시 C동 285	토지 건물	상업 지역	1989.5.1	대 : 350m^2 건물 : 철근콘크리트 슬라브즙 3층(사무실) 연면적 : 720m^2	300,000,000	• 정상적인 거래로 판단됨 • 건물준공시점 : 1986.5.1 • 내용년수 : 50년 • 준공당시 건축비 : 140,000,000원/m^2 • 경과년수는 만년으로 계산할 것
사례3	A시 D동 86	토지 건물	주거 지역	1991.6.1	대 : 250m^2 건물 : 목조와즙 1층(주택) 연면적 : 90m^2	55,000,000	• 건물준공시점 : 1990.5.1 • 내용년수 : 50년 • 준공당시 건축비 : 225,000,000원/m^2

<자료 3> 임대사례자료

1. 소재지

   A시 C동 58

2. 부동산의 내용

   가. 토지 : 대 330㎡

   나. 건물

   - 구조 : 철근콘크리트조 슬라브즙 3층(사무실)
   - 건축연면적 : 680㎡
   - 내용년수 : 50년
   - 준공시점 : 1988.6.1
   - 준공당시의 재조달원가 : 180,000원/㎡

   다. 최유효이용 상태임.

3. 임대상황

   사례부동산은 준공이후 가격시점까지 보통·일반적 이용방법으로, 계속적으로 임대되어 왔으며 지난 1년간의 임대수지내용은 다음과 같다.

   가. 임대보증금 : 110,000,000원

   나. 지불임료(월) : 4,500,000원

   다. 필요제경비

   유지관리비 : 3,800,000원

   제세공과금 : 3,600,000원

   손해보험료 : 650,000원

   결손준비비 : 480,000원

   공실 등의 손실상당액 : 900,000원

   계 : 9,430,000원

<자료 4> 지가지수 및 건축비지수

구분 \ 기준일	1986.5.1	1987.5.1	1988.5.1	1989.5.1	1990.5.1	1991.5.1	1992.5.1
지가지수	93	100	116	125	137	148	163
건축비지수	91	100	105	120	140	155	182

<자료 5> 지역요인 비교치

B동	C동	D동
100	105	98

<자료 6> 토지의 개별요인 비교치

대상물건	거래사례①	거래사례②	거래사례③	임대사례
100	105	98	60	110

<자료 7> 기타 참고자료

1. 토지의 환원이율 : 12%

2. 건물의 상각후 세공제전 환원이율 : 15%

3. 임대보증금 운용이율 : 10%(년)

4. 건물의 잔가율 : 10%

5. <자료 4>를 활용함에 있어서 자료가 없는 부분은 직전기간의 변동추세를 활용하라.

6. C동, D동은 B동의 동일수급권내 유사지역이다.

7. 비준가격 산정을 위한 거래사례자료는 가장 유사성있는 사례 한가지만 선택하여 활용하라.

【문제 3】 개인영업인 ○○상사의 제3기(1991.1.1~1991.12.31) 잔액시산표와 결산정리사항 등 다음 자료를 참고하여 손익계산서를 작성한 후 휴업에 대한 손실보상액을 공익사업을 위한 토지 등의 취득 및 보상에 관한 법률에 따라 평가하라. (20점)

<자료 1> 잔액시산표

과목	금액	과목	금액
현금과 예금	4,000,000	외상매입금	6,150,000
유가증권	4,305,000	미지급금	1,800,000
상품	3,000,000	감가상각충당금	950,000
가지급금	150,000	출자금	10,000,000
전화가입권	500,000	매출	60,000,000
임차보증금	5,000,000	수입이자	1,100,000
영업시설	5,000,000		
상품매입	50,000,000		
급료	5,500,000		
여비교통비	100,000		
통신비	295,000		
수도광열비	500,000		
지급임차료	1,200,000		
접대비	250,000		
유가증권처분손실	200,000		
합계	80,000,000원	합계	80,000,000원

<자료 2> 결산정리사항

1. 기말상품재고액 : 5,000,000원

2. 가지급금 중 100,000원은 여비교통비이고 5,000원은 접대비임.

3. 급료 1개월분 500,000원이 미지급임.

4. 영업시설 감가상각내용 : 연상각률 10%의 정률법으로 계산

<자료 3> 기타사항

1. 가격시점 : 1991.12.31
2. 휴업기간 : 3개월
3. 사업시행자가 종업원에게 휴직보상을 하지 아니하였으며 휴업기간중 급료는 60% 만 지급함.
4. 휴업과 관계없이 지급되는 고정적 비용 : 임차료
5. 영업시설의 해체비 : 500,000원
   - 영업시설의 설치비 : 2,000,000원
   - 영업시설의 운반비 : 200,000원
   - 상품의 운반비 : 100,000원
6. 상품의 이전에 따른 감손상당액 : 기말상품가액의 2%
7. 제조부문통인부 정부노임단가 : 12,600원/일　월노동일수 : 25일
8. 1기와 2기의 소득은 모두 당기 소득보다 낮았음.
9. 소득은 영업이익과 같은 것으로 간주함.

【문제 4】 감정평가사 ○○은 한국㈜로부터 수입기계 machining center의 평가의뢰를 받고 다음과 같은 자료를 수집하였다. 1992년 8월 23일을 가격시점으로 한 평가액을 구하시오. (10점)

<자료 1> 수입면장 내용요약

- 신고일자 : 1989.5.10
- 도입가격 : CIF 미국 $782,799
- 공급자, 환적국 : UK(영국)
- 관세근거 번호 : 8457-10-000
- 총중량 : 75t
- 제작년도 : 1989년

<자료 2> 도입부대비용에 대한 자료

1. 관세율 다음 관세율표 참조
2. L/C 개설비 등 통상의 부대비용 : 통상 도입가격의 3%
3. 설치비 : 동종기계의 통상적인 기계설치비는 TON당 150,000원임.

<관세율표(발췌)>

분류번호			품목	세율					
				기본(잠정)					협정
				1989	1990~91	1992	1993	1994 이후	
8457			금속가공용의 머시닝 센터, 유니트 콘스트럭션 머시인(싱글스테이션의 것에 한한다.) 및 멀티스테이션의 트랜스퍼 머시인…	15	13	11	9	8	5
10	00	00	머시닝 센터						
20	00	00	유니트, 콘스트럭션머시인 (싱글스테이션)						
30	00	00	멀티스테이션용의 트랜스퍼머시인						

<자료 3> 외화 환산율표

국명 \ 구분	해당통화당 미국 "달러"		미국달러당 해당통화		해당통화당 한국 "원"	
	1992.8	1989.5	1992.8	1989.5	1992.8	1989.5
미국$	1	1	1	1	791.2	719.2
영국£	1.9322	1.9343	0.5175	0.5169	1,528.83	1,391.18
일본¥	0.7849 (100엔당)	0.7432 (100엔당)	127.38	134.54	621.09 (100엔당)	534.56 (100엔당)
서독DM	0.6784	0.6691	1.4739	1.4943	536.78	481.27

<자료 4> 일반기계가격보정지수(※국가별 물가변동 등에 따른 보정치)

국가별 \ 제작년도별	1992.8	1990	1989	1988	1987	1986
미국	1.0000	1.0264	1.0644	1.0914	1.1075	1.1240
영국	1.0000	1.0625	1.1213	1.1740	1.2236	1.2750
일본	1.0000	1.0135	1.0228	0.9977	0.9603	0.8970
독일	1.0000	1.0418	1.0743	1.1005	1.1324	1.1710

<자료 5> 감가수정에 관한 자료

- 내용년수 : 20년
- 매년감가율 : 10.9 %
- 내용년수 만료시 잔가율 : 10%
- 감가수정은 만년감가에 의하고 1년 미만은 무시함.
- $0.891^3 = 0.707$

<자료 6> 기타 참고사항

1. 본 기계는 한국㈜ 공장에 설치되어 정상 가동 중에 있음.
2. 본 건 감정목적은 채권자인 C은행에 공장저당권설정에 의한 담보제공을 위한 것임.

【문제 5】 시가지 부동산을 평가함에 있어서 토지이용계획확인서와 이에 첨부된 지적도에 의하여 확인할 수 있는 사항을 구체적으로 열거하고 감정평가실무에서 이들을 어떻게 활용하여야 하는지에 대하여 약술하라. (10점)

제04회 감정평가사 2차 국가자격시험문제

교 시	시 간	시 험 과 목
1교시	100분	1 감정평가실무

수험번호		성 명	

※ 공통유의사항
1. 각 문제는 해답 산정시 산식과 도출과정을 반드시 기재할 것
2. 단가는 유효숫자 셋째자리까지 표시, 지가변동률은 백분율로서 소수점 이하 넷째자리에서 반올림하여 셋째자리까지 표시할 것

【문제 1】 감정평가사 H씨는 건물로 구성된 복합부동산에 대한 평가의뢰를 받고 예비조사 및 실지조사를 행한 결과를 다음과 같이 요약하였다. 이 자료를 활용하여 물음에 답하시오. 단, 본 자료에 제시되지 않은 사항은 각자가 합리적이라고 판단되는 기준하에 그 이유를 적고 활용하시오. (35점)

가. 감정가격 산출에 관한 의견, 자료의 분석내용 등 기본적 처리방침을 밝힐 것

나. 감정평가액을 산출함.

<자료 1> 평가의뢰서 요약

가. 대상물건

① 토지 : A시 B구 C동 107-36, 250㎡(토지대장상의 면적)

② 건물 : 위 지상

연와조 슬라브지붕 2층건, 주택 1층 : 120㎡

2층 : 100㎡

지하층 : 50㎡

나. 평가목적 : 담보(금융기관 제출용)

다. 평가조건(구하는 가격의 종류) : 정상가격

라. 가격시점 : 1993년 8월 22일

마. 평가의뢰인 : 홍길동

<자료 2> 대상토지 관련 공부의 내용 및 확인사항

가. 토지대장

소재지	지번	지목	면적	소유자	기타사항
A시 B구 C동	107-36	잡종지	250㎡	김막동	

나. 토지등기부등본

소재지	지번	지목	면적	소유자	기타사항
A시 B구 C동	107-36	임야	260㎡	김막동	

다. 토지이용계획확인서

소재지	지번	국토이용	도시계획사항
A시 B구 C동	107-36	도시지역	일반주거지역, 풍치지구, 주차장정비지구, 4m도시계획도로에 일부가 저촉됨

라. 지적도

소재지	지번	토지의 형태	기타사항
A시 B구 C동	107-36	사부정	

마. 건축물 관리대장

소재지	지번	용도	구조	면적	소유자	이동사항
A시 B구 C동	107-36	주택	연와조 슬라브지붕 2층건	1층 : 120㎡ 2층 : 100㎡ 지하층 : 50㎡	김막동	1988년 2월 22일 신축

바. 건물 등기부등본

갑구(소유권)			
순위번호	사항란	순위번호	사항란
1번	보존 접수 1990년 8월 22일 제 54339호 소유자 김막동 서울특별시 강동구 상일동 121		
1번 부기1	1번등기명의인 표시변경 접수 1992년 5월 3일 제 36472호 원인 1992년 2월 7일 전거 서울특별시 강남구 역삼동 730		

<자료 3> 실지 조사내용

가. 본건 토지의 현황은 최유효사용인 단독주택 부지임.

나. 4m계획도로에 일부 약 20㎡가 저촉하나 도시계획선은 정원을 통과하고 있어 건물에는 영향이 없음.

다. 건물의 제반상태를 검토한 바 지하부분은 지상부분 건축비의 1/2수준으로 판단되며, 경년감가 이외의 감가요인은 없음.

라. 건물의 물리적 내용년수는 60년이나 경제적 내용년수는 50년이며, 내용년수 만료 후의 잔가율은 10% 정도로 판단됨.

<자료 4> 인근의 공시지가 표준지

(1993년 1월 1일자)

일련번호	소재지	면적(㎡)	지목		이용상황	용도지역	주위환경	형상	공시지가(원/㎡)
			공부	실제					
㉮	A시 B구 C동	250	잡종지	잡종지	나대지	일반주거지역	기존 주택지대	정방형	908,000
㉯	A시 B구 C동	220	대	대	단독주택	일반주거지역	기존 주택지대	가로장방형	1,200,000
㉰	A시 B구 C동	230	잡종지	대	나대지	관리지역	주택 및 상가지대	세로장방형	1,510,000
㉱	A시 B구 C동	280	임야	잡종지	나대지	일반주거지역	기존 주택지대	제형	1,000,000
㉲	A시 B구 C동	500	대	대	나대지	일반주거지역	기존 주택지대	자루형	1,150,000

※ 지리적 위치, 도로교통, 지세등 제반요인은 대상물건과 유사함.

<자료 5> 토지가격 비준표 및 지가변동률

가. 토지가격 비준표(A시 B구, 주거지역)

토지용도		주거용	상업용	업무용
	주거용	1.00	1.43	1.20
	상업용	0.70	1.00	0.84
	업무용	0.83	1.19	1.00

- 주거용 : 공업용, 주거나대지 포함.
- 업무용 : 주상복합 포함.

형상		정형	비정형
	정형	1.00	0.80
	비정형	1.25	1.00

- 정형 : 정방형, 가로장방형, 세로장방형, 제형포함.
- 비정형 : 삼각형, 역삼각형, 부정형, 자루형 포함.

나. 지가변동률

1993.1.1부터 가격시점사이 인근의 지가는 5% 하락하였다.

<자료 6> 건설사례

건설사례 수집을 위하여 인근지역 다수의 주택건설업자로부터 조사한 바 대상물건과 시공재료, 구조등 제반 물적사항이 유사한 단독주택의 가격시점 현재 신축가격은 평당 2,000,000원으로 파악되었음.

【문제 2】 어떤 구분소유권 부동산의 지가배분가격을 평가하고자 다음과 같은 자료를 수집하였다. 다음 문제에 대하여 답하시오. (30점)

가. 층별 효용비율과 지가효용비율의 차이점 및 양자의 산출절차를 설명함.

나. 다음 자료를 가지고 각 층의 층별효용비율과 대상부동산의 3층 및 6층에 대한 지가배분 가격을 구함(가격시점 : 1993년 8월, 최하가격 단위 : 천원).

<자료 1> 대상부동산에 관한 자료

가. 대상부동상 : 서울 강남구 ○○동 ○○번지 소재 8층 아파트 철근콘크리트조, 슬라브지붕(1개층에 3세대식 구성된 1개동)

나. 대상부동산이 전체면적 및 가격(가격시점 현재)

구분	가격 (원/m²)	면적(m²)
토지	450,000	1,600.20
건물	342,000	4,083.68

토지의 가격은 시가, 건물가격은 재조달원가임

다. 대상 아파트의 건축면적

면적 \ 층별	1층	2층	3층	4층	5층	6층	7층	8층	계
총바닥면적(㎡)	656.04	641.64	641.64	641.64	485.16	485.16	485.16	47.24	4,083.68
전유면적(㎡)	455.68	508.96	508.96	508.96	381.92	381.92	381.92	–	3,128.32
공용면적(㎡)	200.36	132.68	132.69	132.68	103.24	103.24	103.24	47.24	955.36

※ 전유면적에 대한 토지 귀속분 층별효용비율의 적수 합계는 1,066.71로 계산되었음.

라. 대상부동산에 관한 자료는 주거용 아파트로 각층별 시공상태, 사용자재는 동일하며, 건물자체에 대한 투자비(건축비)의 격차는 없는 것으로 판단됨.

<자료 2> 인근유사아파트의 층별분양가격

층별	1층	2층	3층	4층	5층	6층	7층	8층
가격(천원)	146,535	148,155	150,000	151,290	152,085	153,180	152,085	–

※ 분양가격은 3층을 기준(100)으로 하였고, 최근에 조사된 자료임.

【문제 3】 주택 재개발사업지구로 고시된 T시 D지역을 아파트 단지로 개발키 위하여 부지매입평가를 의뢰 받았다. 다음 물음에 답하시오. (25점)

가. 제시된 사업계획서 및 주어진 자료를 기초로 하여 D지역내 1필지인 다음 토지가격을 원가방식(개발방식)으로 구함.

나. 공시지가 표준지가 속해있는 C지역과 대상지 소재 지역은 동일 수급권내 유사지역으로서 양지역의 지역요인 비교치를 산정함

<자료 1> 평가대상토지

가. 소재지 : T시 K동(D지역) 250번지

나. 지목 : 대지

다. 면적 : 400㎡

라. 용도지역 : 일반주거지역

<자료 2> 사업계획서 개요

가. 사업지구 토지면적 : 38,000㎡

나. 아파트 건축규모 및 세대수

임대·분양구분	평형	세대수	건축층수
영구임대용	A형(13평형)	200	13층
분양용	B형(36평형)	210	15층
분양용	C형(48평형)	190	19층

다. 사업착수일 : 1993.8.31.

<자료 3> 유사지역(C지역)공시지가

(1993.1.1 기준)

일련번호	소재지	면적	지목	용도지역	공시지가
-180	T시 M동 244	380㎡	대	일반주거지역	1,000,000원/㎡

㈜ D지역 내에는 공시지가 표준지가 없음.

<자료 4> 지가변동률

(단위 : %)

기 간	용도지역(주거지역)
1993.1/4분기(1993.1.1～3.31)	3.74
1993.2/4분기(1993.4.1～6.31)	-4.30

㈜ 1. 아직 고시되지 않은 기간중의 지가변동률은 직전분기의 지가변동률을 활용할 것(소수점 셋째자리에서 반올림).

2. 생산자물가상승률은 채택하지 아니함.

<자료 5> 건축비 상한가격

형별	면적구분	층별	건축비(원/㎡)
A형	전용면적 60㎡(18평) 이하	15층 이하	1,310,000
		16층 이상	1,470,000
B형	전용면적 60㎡(18평) 이상 85㎡(25.7평) 이하	15층 이하	1,350,000
		16층 이상	1,520,000
C형	전용면적 85㎡(25.7평) 초과	15층 이하	1,390,000
		16층 이상	1,570,000

<자료 6> 가격시점 현재 유사지역(A지역)아파트 가격수준

형별	하한가	상한가
13평형	65,000,000	75,000,000
36평형	216,000,000	230,000,000
48평형	312,000,000	350,000,000

<자료 7> 개별요인 비교

평가대상 토지는 공시지가 표준지에 비하여 20%열세

<자료 8> 기타 참고사항(유의사항)

가. 가격시점은 사업착수일인 1993.8.31로 한다.

나. 주택재개발사업지역의 불량주택 등을 철거하고 부지 조성공사를 완료하면 당지역의 토지는 15% 정도의 가격상승요인이 발생할 것을 감안할 것

다. 아파트분양 예정가격은 동일수급권내 유사지역의 기존 아파트 시세 하한가의 70%선에서 책정되도록 유의하고 가격시점 2년경과 후(1995.8.31이후) 아파트를 분양할 예정이며 앞으로 3년 정도는 아파트가격의 등락이 거의 없을 것으로 전망됨.

라. 영구임대 아파트는 주택재개발사업 조합의 부담으로 건축완료후 T시에 건물부분만 기부채납 예정임
마. 대지조성 공사비는 전문기관의 연구결과 ㎡당 200,000원으로 책정되었음.
바. 아파트 건축비는 상한가격을 적용할 것.
사. 사업지구 내에 밀집하여 있는 지장물 이전 보상비는 사업지구 토지가격 총액의 10%수준임.
아. 사업기간 내에 사용한 공사비 등 제비용의 금리는 사업지구 토지가격 총액의 2년분 이자 상당액으로 책정하였음. 금리는 정기예금 1년 만기 연 10%로 할 것.
자. 평가대상 필지의 단가는 사업지역 토지의 평균단가와 같음.
차. 단가는 천원단위에서 반올림하여 산정할 것.

【문제 4】 임대용 부동산의 감정평가를 실시함에 있어서 순수익 산정시 유의해야 할 사항을 약술하시오. (10점)

제05회 감정평가사 2차 국가자격시험문제

교 시	시 간	시 험 과 목
1교시	100분	① 감정평가실무

수험번호		성 명	

※ 공통유의사항
1. 각 문제는 해답 산정시 산식과 도출과정을 반드시 기재할 것
2. 단가는 유효숫자 셋째자리까지 표시, 지가변동률은 백분율로서 소수점 이하 넷째자리에서 반올림하여 셋째자리까지 표시할 것

【문제 1】 감정평가사 S는 다음 부동산에 대한 감정평가 의뢰를 받고 현장조사를 거쳐 다음과 같은 자료를 수집하였다. 동 자료를 활용하여 1994.7.5자 대상부동산의 감정평가액을 구하되 천단위 미만은 절사하시오. (40점)

[평가의뢰 부동산의 개요]

가. 소재지 : A시 B동 20번

나. 토지
① 지목 : 대
② 면적 : 200㎡
③ 도로조건 : 소로한면에 접함
④ 도시계획관계 : 일반주거지역, 주차장정비지구

다. 건물(위지상 소재)

① 구조 : 철근콘크리트조 슬라브지붕, 지하1층, 지상5층

② 용도 : 근린생활시설

③ 연면적 : 600㎡

<자료 1> 공시지가 자료

(공시지가기준일 : : 1994.1.1)

기호	소재지	면적(㎡)	지목	이용상황	용도지역	도로교통	공시지가(원㎡)
1	A시B동100	305	대	단독주택	전용주거	소로한면	900,000
2	A시C동 30	200	대	주상복합	일반주거	소로각지	1,316,000

※ 기호1 공시지가는 전체면적중 30.5㎡, 기호2는 40㎡가 도시계획도로에 저촉됨.

※ 도시계획도로에 저촉되는 부분은 정상가격대비 30% 감가하여 평가한 것으로 조사됨.

<자료 2> 거래사례자료

가. 소재지 : A시 B동 10번지

나. 거래내용

① "갑"지 소유자가 주상복합용 건물을 신축키 위해 같은 일반주거지역내에 인접한 "을"지를 1994.1.1자에 정상가격보다 고가로 구입한 사례로써 매매당사자간에는 경제적 합리성이 인정되는 것으로 조사됨.

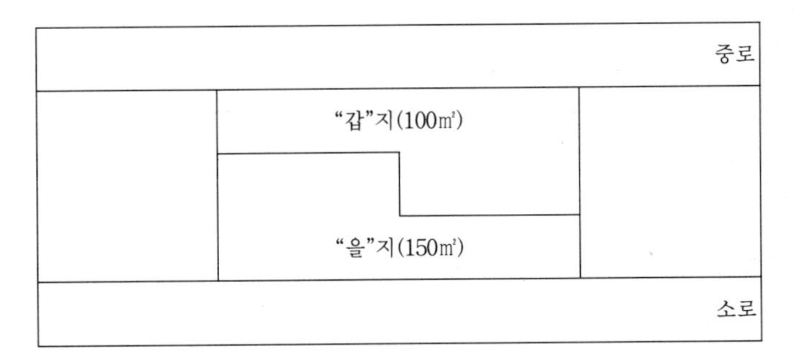

② “갑”지 소유자는 획지병합에 의한 가치증분을 다음과 같이 평점기준(정상가격비)하에 필지별 총액비를 기준으로 배분하여 추정하였음.

획지	“갑”지	“을”지	“갑+을”지
평점	102	80	103

※ 총액비에 의한 배분율은 평점적수를 이용할 것

③ 거래대금은 3억원이고 대금지불 조건은 다음과 같은 분할납부 조건임.

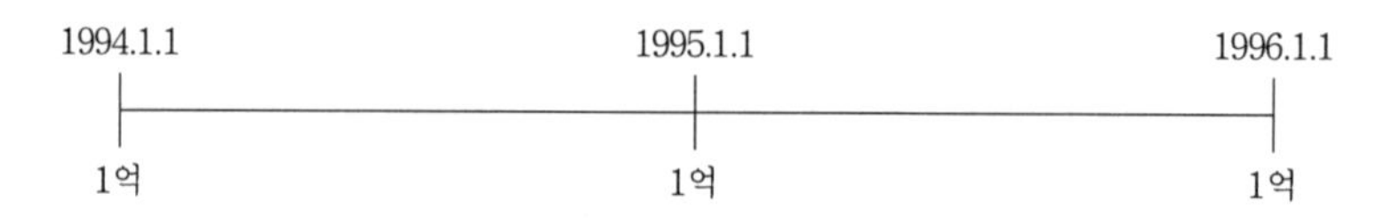

④ “을”지 지상에는 연면적 100㎡의 노후한 창고가 소재하나 철거비는 “갑”지 소유자와 “을”지 소유자가 반반씩 부담키로 함. 단 철거비는 20,000원/㎡이 소요되며 철거 후 잔존가치는 없음.

<자료 3> 대상건물에 대한 자료.

가. 대상건물은 1990.7.4자로 신축된 건물로써 공사비 내역은 다음과 같으며 이는 객관적이고 표준적인 공사비로 판단됨.

구분	공사비구성비	잔존내용년수	단가	비고
주체설비	70%	46년	360,000원/㎡	최종잔가율은 공히 0%임
부대설비	30%	11년	180,000원/㎡	

※ 잔존내용년수는 수선보수후 가격시점에서의 유효잔존내용년수임.

나. 대상건물의 현황

① 건물 내외벽의 타일보수공사가 필요한 것으로 판단되며, 이에 소요되는 비용은 4,000,000원으로 조사됨.

② 당해 건물의 지상5층에는 화장실이 설치되어 있지 않아 정상임료보다 낮은 가격에 임대되고 있다. 현재 화장실을 설치할 충분한 공간이 있으며, 가격시점 현재

건물 신축시 화장실 설치비용은 800,000원이 소요되나 현재 상태에서 이를 설치할 경우 1,200,000원이 소요되는 것으로 조사됨.

③ 당해 건물은 승강기가 설치되지 않아서 승강기가 설치된 동종유사건물보다 연간 2,000,000원의 임료(상각전) 손실을 보고 있음. 단 가격시점 현재 승강기 설치비용은 10,000,000원이 소요됨.

④ 당해 건물은 각층별 층고를 동종유사건물보다 높게 설계함으로써 준공당시 추가공사비가 12,000,000원이 더 소요되었으며 이것으로 인해 1,000,000원의 화재보험료 및 재산세 추가부담이 발생하나 이로 인한 임료상승효과는 없는 것으로 조사됨.

다. 평가조건

상기 ③항의 승강기 미설치로 인한 발생감가액 및 ④항의 보험료 등의 추가 부담에 따른 발생감가액 등은 건물의 상각전 환원이율을 이용하여 구함.

<자료 4> 지가변동률 및 건축비변동률 자료

가. 지가변동률은 1994.1.1부터 가격시점까지 2%가 하락한 것으로 조사됨.

나. 건축비는 준공시점 이후 가격시점까지 연간 5%씩 상승한 것으로 조사됨.

<자료 5> 지역요인 및 개별요인 자료

가. A동은 B동보다 5%우세하나 C동보다는 10% 열세임.

나. 전면도로조건을 제외한 개별적 요인은 공시지가 표준지, 거래사례 및 대상지 간에 차이가 없는 것으로 판단됨.

다. 중로한면은 소로각지보다는 5% 우세하나 소로한면보다는 10% 우세함

<자료 6> 환원이율 등에 관한 자료

가. A시 B동의 신축건물의 임대사례를 조사한 결과 다음과 같은 사례를 얻었다. 이들 사례의 임대료는 적정시장임료로 판단됨

사례	부동산가격	상각전순수익	비고
1	500,000,000	70,000,000	
2	400,000,000	64,000,000	

나. 토지의 환원이율 및 연간 투자할인율은 12%로 조사됨.

【문제 2】 감정평가사 P는 ○○토지수용위원회로부터 도시철도사업에 따른 지하철 존속시까지 지하사용료에 대한 평가의뢰를 받고 예비조사 및 실지조사를 행한 결과 다음과 같은 자료를 수집하였다. 이 자료를 활용하여 다음의 물음에 답하시오. (30점)

가. 구분지상권 평가를 위한 토지의 기초가격을 구하시오.
나. 구분지상권 설정을 위한 영구사용 보상평가액을 구하시오.

<자료 1> 평가의뢰서 요약

가. 대상물건

① 토지 : A시 B구 C동 143-1 대 117.4㎡중 66.3㎡

② 건물 : 위 지상 연와조 슬라브지붕 1층 82.3㎡ 음식점 영업

※ 본 건물은 노후정도 및 관리상태 등으로 보아 관행상 토지부분의 가격만으로 거래가 예상됨

나. 평가목적

지하 영구사용에 따른 보상

다. 평가조건

부동산가격공시 및 감정평가에 관한 법률, 공익사업을 위한 토지 등의 취득 및 보상에 관한 법률, 보상평가관행 및 제시자료를 참고하여 평가하되 금액은 천원 단위 미만에서 절사하시오.

라. 가격시점 : 1993.12.5

마. 감정평가 의뢰일 : 1994.3.10

바. 사업인정일 : 1992.12.31.

<자료 2> 공시지가표준지 및 대상부동산 등의 위치도

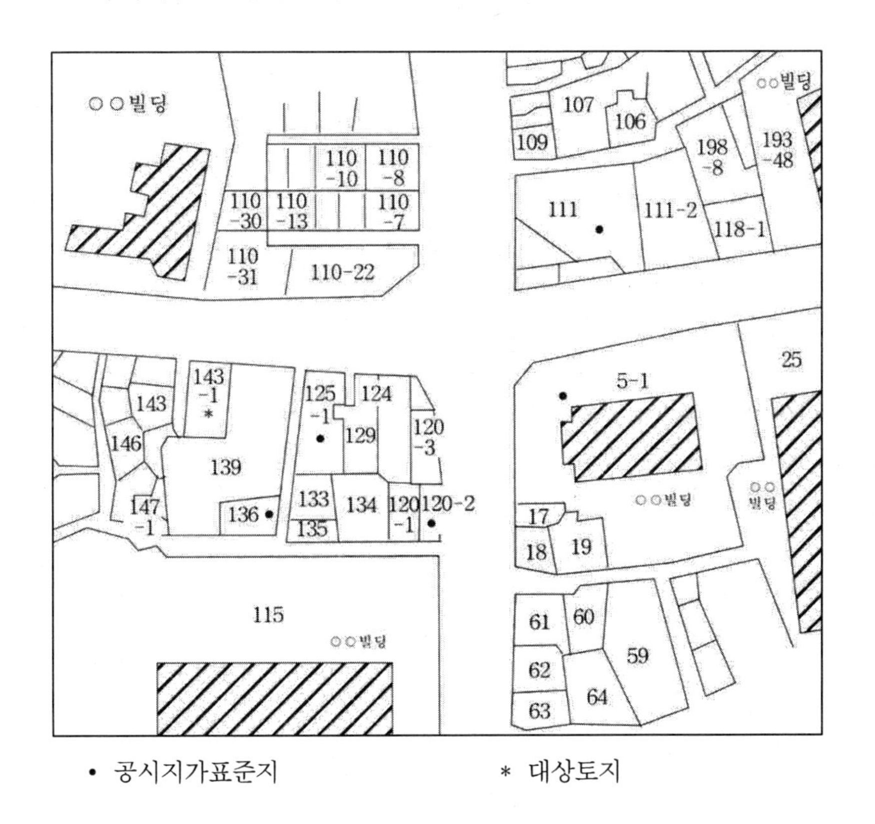

• 공시지가표준지 * 대상토지

<자료 3> 대상토지의 도시계획 사실관계 확인

가. 용도지역 : 일반상업지역

나. 용도지구 : 주차장정비지구

다. 도시계획시설 : 고속철도 일부 저촉

<자료 4> 인근지역 공시지가 표준지

기호	소재지	지목	이용상황	용도지역	도로교통	형상 및 지세	공시지가(원/㎡)		
							1992.1.1	1993.1.1	1994.1.1
1	A시B구C동 5-1	대	업무용	일반상업	광대소각	부정형 평지	7,500,000	8,000,000	7,800,000
2	A시B구C동 111	대	업무용	일반상업	광대소각	부정형 평지	6,000,000	6,000,000	5,950,,000
3	A시B구C동 120-2	대	상업용	일반상업	광대한면	장방형 평지	9,000,000	9,500,000	9,000,000
4	A시B구C동125-1	대	상업용	일반상업	중로한면	장방형 평지	7,000,000	8,000,000	6,900,000
5	A시B구C동136	대	상업용	일반상업	세로(분)	장방형 평지	3,300,000	3,300,000	3,200,000

<자료 5> 지가변동률

구분	주거지역	상업지역	대(주거용)	대(상업용)
A시 B구 1992 1/4	0.08	0.32	-0.66	0.37
2/4	-0.20	-0.02	-0.52	0.00
3/4	-1.15	-1.62	-1.76	-1.52
4/4	-1.06	-1.52	-1.53	-1.42
누계	-2.32	-2.83	-4.40	-2.56
1993 1/4	0.00	0.00	0.00	0.00
2/4	-2.20	-1.86	-2.24	-1.85
3/4	-2.74	-2.86	-2.76	-2.78
4/4	-1.15	-1.08	-1.00	-1.08
누계	-5.97	-5.70	-5.89	-5.61
1994.1/4	-0.24	-0.08	-0.14	-0.13

<자료 6> 지역요인 및 개별요인 비교

대상토지와 공시지가 표준지는 인근지역에 소재하므로 지역요인은 같고, 가로조건, 접근성, 형상 등을 감안할 때 대상토지는 공시지가 기호1보다 15%열세, 기호2보다 10%우세, 기호3보다 25%열세, 기호4보다 5%열세, 기호5보다 20%우세함.

<자료 7> 최유효층수 판단

대상토지가 속한 지역은 A시 B구 중심지역으로서 지상건물은 5층 이하의 점포건물과 18층 규모의 업무용 빌딩이 혼재하고 있으나, 인근토지의 이용상황, 토지가격 수준, 성숙도, 잠재력, 관련법규 등을 살펴보건데 18층 업무용 빌딩으로 이용하는 것이 최유효이용으로 판단됨.

<자료 8> 구분지상권의 입면적 범위

보호층은 구조물 상·하단에서 각 5.0m, 최소 여유폭은 구조물 좌, 우단에서 각 0.5m이고 지표면에서 보호층 상단까지의 깊이는 10.0m임.

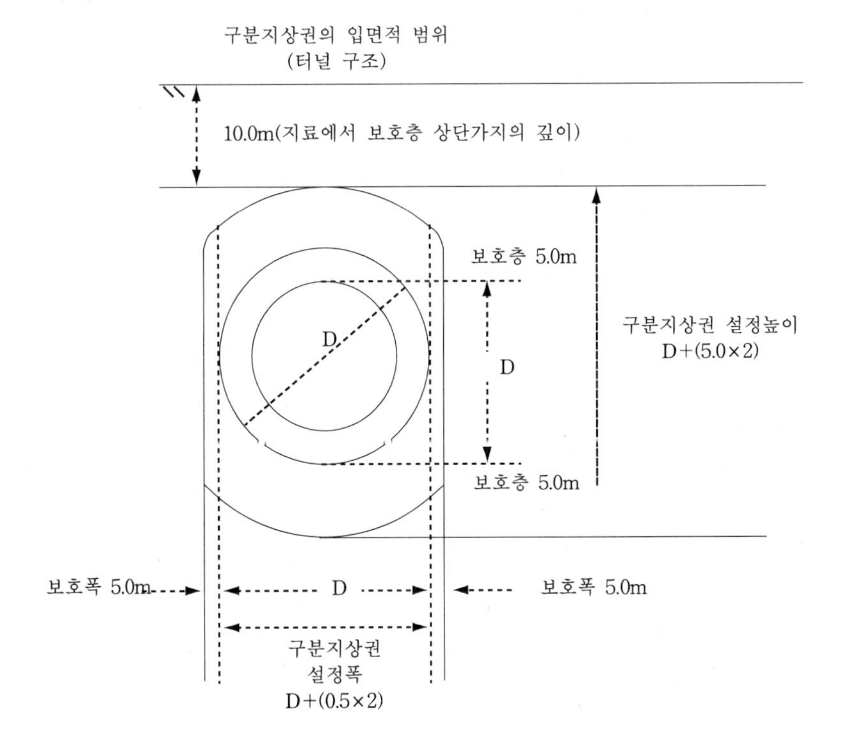

<자료 9> 건축가능층수

당해 지역의 지질은 풍화토임. 풍화토(PD-2)패턴

토피(m) / 건축부분	10	15	20	25
지상	12	15	18	22
지하	1	2	2	3

<자료 10> 입체이용률 배분표

구분	건물 등 이용률	지하이용률	기타이용률	기타이용률의 상하배분비율
고층시가지	0.8	(　　)	0.05	1 : 1－2 : 1
중층시가지	0.75	0.10	(　　)	1 : 1－3 : 1

※ 이용저해심도가 높은 터널 토피 20m 이하의 경우에는 기타 이용률의 상하 배분비율은 최고치를 적용함.

※ 지하이용률 및 기타 이용률이 표기되지 않은 곳은 별도 계산하여 적용함.

<자료 11> 층별효용비율표

층별	지하2	지하1	지상1	2	3	4	5-20
고층 및 중층시가지	35	44	100	58	46	40	각 35

※ 이 표의 지수는 건물가격의 입체분포와 토지가격의 입체분포가 동일한 것으로 전제하였음

<자료 12> 심도별 지하이용효율표

한계심도(m)	40	35	30
감률(%) / 토피심도(m)	P	P	P
0~5 미만	1.000	1.000	1.000
5~10 미만	0.875	0.875	0.833
10~15 미만	0.750	0.714	0.667
15~20 미만	0.625	0.571	0.500

※ P : 심도별 지하이용효율

【문제 3】 매년 10,000,000원의 임료수입이 기대되는 토지를 5년 후 가격시점의 수익가격기준으로 매각하고자 한다. 5년 후 토지가격은 10% 상승한다고 하고 당해 부동산에 적용할 적정투자할인율을 12%로 할 때 5년 후 매각 예상금액은 얼마가 되어야 하는가? (10점)

【문제 4】 공원구역안의 토지 보상평가에 대하여 설명하시오. (10점)

【문제 5】 부동산 컨설팅을 감정평가와 관련지어 설명하시오. (10점)

제06회 감정평가사 2차 국가자격시험문제

교 시	시 간	시 험 과 목
1교시	100분	① 감정평가실무

수험번호		성 명	

※ 공통유의사항

1. 각 문제는 해답 산정시 산식과 도출과정을 반드시 기재할 것
2. 단가는 유효숫자 셋째자리까지 표시, 지가변동률은 백분율로서 소수점 이하 넷째자리에서 반올림하여 셋째자리까지 표시할 것

【문제 1】 감정평가사 A씨는 H시청으로부터 아파트 분양가 결정을 위한 택지평가 의뢰를 받고 예비조사와 실지조사를 통하여 다음과 같은 자료를 수집하였다. 이 자료를 활용하여 물음에 답하시오. (35점)

가. 본 평가에 참고하여야 할 자료를 열거하고 설명하시오.

나. 감정평가액을 구하시오.

다. 감정평가액의 적정여부를 검증하시오.

라. 감정평가서를 작성하시오.
<자료 12> 양식을 활용하시오. (다만, 산출근거 및 그 결정에 관한 의견 기재는 생략함.)

<자료 1> 평가의뢰내용등

1. 대상물건

① 토지

기호	소재지	지번	지목	면적(㎡)	비고
1	A시 M구 B동	253	답	4,120	
2	A시 M구 B동	255-4	답	4,800	
3	A시 M구 B동	255-5	전	4,550	
4	A시 M구 B동	256-9	전	4,600	
5	A시 M구 B동	340-3	임	2,560	
6	A시 M구 B동	339-14	전	3,200	
7	A시 M구 B동	254-1	전	3,420	
8	A시 M구 B동	1119	도	850	

② 부대공사 : 1식

2. D건설주식회사는 조성중인 아파트부지에 대하여 1994년 7월 20일자로 H시청에 택지가격평가를 신청하였으며 H시청 시장은 동일자로 감정의뢰서를 발송하였다.

3. 감정평가사 A씨는 1994년 7월 23일자로 감정의뢰서를 접수하고 7월 25일~7월 26일까지 2일간에 걸쳐 실지조사를 하고 7월 29일에 매매사례수집등 가격조사를 완료하여 7월 30일 감정평가서를 작성 완료하였다.

4. 도시계획사항 : 도시계획상 일반주거지역에 속하며 일부는 미개설된 도시계획도로에 저촉함.

5. 대상업체 : D건설주식회사 대표 김 기 동

6. 공부서류로는 토지대장등본과 감정의뢰목록을 접수하였다.

<자료 2> 공시지가 자료

(1994.1.1)

일련번호	소재지	지번	면적(m^2)	지목		이용상황	용도지역	도로교통	형상및지세	공시지가(원/m^2)
				공부	실제					
-210	A시 M구 B동	253-5	4,200	답	답	수도작	일반주거지역	중로한면	부정형 평지	240,000
-225	A시 M구 B동	340-12	300	대	대	단독주택	일반주거지역	중로한면	부정형 평지	750,000
-352	A시 M구 C동	210-5	12,000	대	대	아파트	일반주거지역	중로한면	부정형 평지	500,000
-450	A시 D구 E동	11-5	18,000	대	대	아파트	일반주거지역	중로각지	부정형 평지	650,000
-510	A시 M구 G동	119-5	25,000	대	대	아파트	일반주거지역	중로한면	부정형 고지	540,000
-520	A시 M구 G동	125-6	19,500	대	공장용지	공업용	일반주거지역	소로한면	부정형 평지	350,000

<자료 3> 매매사례

1. 토지 : ① A시 D구 C동 120번지 대 540m^2
   ② A시 D구 C동 121번지 전 3,850m^2
   ③ A시 D구 C동 122번지 전 2,950m^2
   ④ A시 D구 C동 123번지 답 4,520m^2
   ⑤ A시 D구 C동 124번지 대 420m^2

2. 매매일자 : 1993년 1월 1일
   현소유자가 일단의 택지로 활용하기 위하여 매입한 관계로 필지별로 매입일자가 다소 상이하나 편의상 상기일자로 함.

3. 매매가격 : 기호① 토지에 대한 매매가격 ₩378,000,000원만 확인되었음.

4. 도시계획사항 : 도시계획상 일반주거지역에 속함.

5. 기타사항
   1) 본건토지는 일단의 아파트 부지로 개발하기 위하여 매입하였음.

   2) 기호②와 기호③은 기호① 토지가격의 90%수준, 기호④는 기호① 토지가격의 85%수준으로 매입하였으며 기호⑤는 30%정도 고가로 매입하였음.

   3) 기호⑤를 제외한 토지매입가격은 적정함.

<자료 4> 감정의뢰 목록내용

(면적단위 : ㎡)

기호	소재지	지번	지목	공부면적	매입면적	단지내 면적	기부채납 면적	상가부지
1	A시M구 B동	253	답	4,120	4,120	1,100	1,250	
		255-4	답	4,800	4,800	4,800		
		255-5	전	4,550	4,550	4,550		
		256-9	전	4,600	4,600	4,600		
		340-3	임	2,560	2,560	2,560		
		339-14	전	3,200	3,200	3,200		420
		254-1	전	3,420	3,420	1,800	850	250
		1119	도	850	850	850		
계				28,100				

<자료 5> 지역요인 및 개별요인

1. 지역요인
   ① B동은 C동보다 지역적으로 15% 우세하며, M구 B동은 D구 E동보다 10% 열세함.
   ② M구 B동은 지역적으로 D구 C동보다 25% 열세임.

2. 개별요인

① 개별요인

공시지가 번호	대상토지				비고
	가로조건	접근조건	환경조건	행정적조건	
-210	100	105	110	100	공시지가 표준지 100
-225	100	105	100	110	
-352	100	95	98	120	
-450	103	97	103	105	
-510	100	102	98	110	
-520	95	107	106	105	

② 대상물건은 매매사례보다 개별적으로 46% 우세함.

<자료 6> 지가변동률

구분		용도지역별					지목별				
		주거	상업	공업	녹지	비도시	전	답	주거용대	임야	공장용지
A시 M구	1993 누계	-7.65	-7.18	-7.04	-7.21	-7.12	-6.53	-7.16	-7.25	-9.14	-6.69
	1994										
	1/4	0.12	0.08	0.15	0.20	0.10	0.15	0.14	0.35	0.25	0.04
	2/4	0.10	0.05	0.12	0.15	0.15	0.13	0.12	0.27	0.21	0.03

<자료 7> 사업계획내용

1. 철근콘크리트조 슬라브지붕 14층~22층 아파트 8동, 복리시설 및 상가
2. 평형별 현황

평형	세대수	층수	공급면적(㎡)	전유면적(㎡)
23평형	340	14	77.69	58.89
29평형	140	20	96.42	74.40
34평형	180	22	114.06	84.96

3. 건폐율 : 18.79%
4. 용적률 : 270%

<자료 8> 표준건축비

구분	층별	건축비상한가격(원/평)	지하주차장 설치비용(원/평)
전용면적 60㎡ 이하	15층 이하	1,460,000	
전용면적 60㎡ 초과	15층 이하	1,500,000	
전용면적 85㎡ 이하	16층 이상	1,690,000	1,010,000
전용면적 85㎡ 초과	16층 이상	1,740,000	1,060,000

<자료 9> 아파트 분양사례

A시 M구 인근지역 및 유사지역에서 분양되는 아파트의 최근 분양가격은 평당 2,200,000~2,600,000원 수준임.

<자료 10> 기타사항

1. 기부채납토지는 도시계획도로에 저촉된 부분으로서 도로개설후 기부채납할 것임.
2. 상가건물은 철근콘크리트조 슬라브지붕 3층 연면적 1,689㎡로서 D건설주식회사에서 일반분양할 것임.
3. 지목상 도로인 1119번지는 사업계획 승인시 폐도조건부로 승인 받았으며, 조성후 매입키로 하였음.
4. 도시계획도로에 저촉되는 토지는 일반적인 평가방법으로 평가할 것임.

<자료 11> 부대공사비에 관한 자료

1. 부대공사에 대한 공사비자료를 검토하였으나 신빙성이 없어 1993.1.20에 조성완료한 인근 유사아파트 부지의 부대공사비 45,000원/㎡을 현실화하여 적용키로 함.
2. 부대공사비에 대한 전년대비 상승률은 12%임.

<자료 12> 감정평가서 양식

(토지) 평가서

<table>
<tr><td colspan="2">감정평가사</td><td colspan="5"></td></tr>
<tr><td colspan="2">평가가액</td><td colspan="5"></td></tr>
<tr><td colspan="2">평가의뢰인</td><td colspan="2"></td><td>평가목적</td><td colspan="2"></td></tr>
<tr><td colspan="2">채무자</td><td colspan="2"></td><td>제출처</td><td colspan="2"></td></tr>
<tr><td colspan="2">소유자
(대상업체명)</td><td></td><td></td><td>평가조건</td><td colspan="2"></td></tr>
<tr><td colspan="2" rowspan="2">목록표시근거</td><td colspan="2" rowspan="2"></td><td>가격시점</td><td>조사기간</td><td>작성일자</td></tr>
<tr><td></td><td></td><td></td></tr>
<tr><td colspan="2">공부(의뢰)</td><td colspan="2">사정</td><td colspan="3">평가가액</td></tr>
<tr><td>종별</td><td>면적 또는 수량</td><td>종별</td><td>면적또는 수량</td><td>단가</td><td colspan="2">금액</td></tr>
<tr><td></td><td></td><td></td><td></td><td></td><td></td><td></td></tr>
</table>

토지평가 명세서

<table>
<tr><td rowspan="2">일련 번호</td><td rowspan="2">소재지</td><td rowspan="2">지번</td><td rowspan="2">지목 용도</td><td rowspan="2">구조</td><td colspan="2">면적</td><td colspan="2">평가가격</td><td>비고</td></tr>
<tr><td>공부</td><td>사정</td><td>단가</td><td>금액</td><td></td></tr>
<tr><td></td><td></td><td></td><td></td><td></td><td></td><td></td><td></td><td></td><td></td></tr>
</table>

【문제 2】 감정평가사 B씨는 K부동산개발회사가 건립예정중인 어느 쇼핑센터의 개발비용과 수익가격의 추계를 의뢰 받았다. B씨는 동일한 시장지역내의 유사부동산으로부터 다음과 같은 비용자료와 수익자료를 획득할 수 있었다. 주어진 자료를 활용하여 대상부동산의 개발비용과 수익가격을 구하시오. 그리고 분석결과를 토대로 하여, 이 개발사업이 경제적 타당성이 있는 지를 판단하시오. (30점)

<자료 1>

1. 대상부동산과 비교부동산은 모두 단층건물로서 건물모양, 사용자재, 설계기준 등 여러 가지 면에서 유사성이 매우 크다.
2. 비교부동산의 부지면적, 건물면적, 건물비용 등은 아래 표에서 보는 바와 같다. 건물비용과 부대시설비는 기간초(기간 0)를 기준으로 수정된 것이다. 대상부동산과 비교부동산들의 부지면적 중 건물면적을 제외한 나머지 면적은 아스팔트로 포장되어 주차장등 부대시설로 사용된다. 비교부동산의 건물비용에는 적정개발이윤, 간접비용, 수수료 등이 포함되어 있다.

(단위 : 천원)

	부지면적	건물면적	건물비용	주차장 등 부대시설비
비교부동산 1	4500㎡	2,500㎡	2,450,000	117,300
비교부동산 2	3,250㎡	1,800㎡	1,845,000	92,000
비교부동산 3	3,740㎡	2,100㎡	2,100,000	100,000

3. 건립예정인 대상건물의 접면너비는 65m이고 깊이는 35m이다. 대상부동산의 부지면적은 4,000㎡, 예상부지가격은 50억원이다.

<자료 2>

유사부동산에 대한 수익자료를 분석한 결과, 다음과 같은 사항을 확인할 수 있었다. 이같은 자료는 유사부동산의 전형적인 것으로서 대상부동산의 수익가격 추계에 충분히 적용할 수 있는 것으로 판단되었다.

1. 임대가능면적 : 건물면적의 60%

2. 임대가능면적의 m^2당 전형적인 시장임대료는 연간 100만원이며 매년 5%씩 상승할 것으로 예상된다. 임대료는 매년말에 일시불로 지불된다. 임차자는 기간초에 m^2당 10만원의 임대보증금을 지불하고, 지불된 보증금은 기간말에 돌려받는다.

3. 공실로 인한 손실, 대손 및 영업경비는 가능총수익의 40%인데, 매년 6%씩 상승할 것으로 예상된다. 매년의 영업소득세는 과세대상소득의 20%이다. 매년의 과세대상소득은 순수익에서 감가상각비를 공제한 액수가 된다.

4. 대상건물의 경제적 내용년수는 20년이다. 세제상 건물부분에 대한 감가상각분만 공제대상이 된다. 감가상각은 직선법을 사용하라.

5. 유사부동산의 전형적 예상보유기간은 5년이다. 따라서 대상부동산은 5년후에 매도된다고 가정되며 임대보증금도 그때 돌려준다고 가정된다. 예상매도가격을 그때 예상되는 순수익에 10%의 자본환원율을 적용하여 구하라.

6. 매도경비는 없다고 가정하고, 예상매도가격에서 장부가격을 뺀 매도이익의 30%는 세제상 공제대상이 된다. 양도소득세를 위시한 각종 세금은 과세대상 소득의 40%이다. 대상부동산의 장부가격은 전체가격에서 건물의 감가상각비를 제한 금액인 것으로 가정하라.

<기타사항>

1. 현재시점은 기간0이며 기간말은 5년 후(기간 5)이다. 매년 현금수지를 나타내는 표를 작성하되, 계산과정은 첫해와 기간말의 경우만 예시해도 무방함.
2. 대상부동산에 대한 투자자의 전형적인 요구수익률은 12%이다. 보증금 운용율도 12%이다.
3. 참고 $(1.12)^{-1}=0.89286$　$(1.12)^{-2}=0.79719$　$(1.12)^{-3}=0.71178$
   $(1.12)^{-4}=0.63552$　$(1.12)^{-5}=0.56743$
4. 매년의 현금수지는 천자리에서 반올림할 것
   예) 5,849.2만원 = 5,849만원

【문제 3】 감정평가사 H씨는 기계기구에 대한 평가의뢰를 접수하고 자료를 수집하였다. 감정평가액을 구하시오. (15점)

<자료 1> 평가의뢰 내용

1. 평가의뢰 목록

기호	품명	규격	수량	비고
1	EPOXY COATING M/C	800	1	
2	EXTRUDER	CM - 50HP	1	
3	전기시설	154KV CAP 35,000KVA	1	

2. 감정목적 : 담보

3. 가격시점 : 1995.6.20

4. 감정의뢰인 : H산업㈜

5. 기타사항
   ① H산업㈜는 자동차부품 제조업체로서 제반시설을 구비하고 정상가동 중임.
   ② 토지, 건물을 수반하지 않은 기계시설 일부만의 평가이나 사업체로 평가해 줄 것을 요청받았음.

<자료 2>

수입면장(사본)

신고자상호 ○○관세사무소　　제출번호 1-1305-010426

수입자상호 H산업㈜　　부호 815516

납세의무자 주소·상호·성명 A자C동 121번지 H산업㈜　　사업자등록번호 123-80-06835

무역대리점 H산업㈜　　부호 80173

공급자 KOKUDAI CO, LTD JP

신고번호(세관-과-일련번호) 131-11 306031		신고구분 A	검사구분 A	검사구분 B
거래구분 11	종류 K		결제방법 S	
승인번호 1-3300-250-ND0153		입항일자 1991.08.17		
환적국 JAPAN	JP	국내도착항 부산항		
적출국 JAPAN	JP	선(기)명, 국정 CHUN		
B/L AWB 번호 24E182AA/08/YH		운송형태 선박-벌크		
정치확인번호 11362-01101 H산업기경장치장		조사란		

품명 및 규칙	세부부호/※품목번호 과세가격(CIF)		세종	세율	감면율	세액		
품명 Epoxy Coating Machine with standard Accessories (Model : 800) 1 SETFOBJPY46,000,000	8479,89-9050		관	13%	40%	38,559,040		관세법 28조
			내					※내국세세종
	₩296,608,000		교					
	순수량 5,397	단위 kg	부	10%		33,516,704		
	수량 1	단위 NO	가산비용		공제비용	평가방법	원산지	조사란
품명 Extruder with standard Accessories 1 SETFOBJPY54,000,000	8477,20-10000		관	11%	분납	38,301,120		관세법 36조
			내					※내국세세종
	₩348,192,000		교					
	순수량 5,397	단위 kg	부	10%		38,649,312		
	수량 1	단위 NO	가산비용		공제비용	평가방법	원산지	조사란
품명 Automatic Machine with standard Accessories 1 SETFOBJPY9,500,000	9031,80-9090		관	11%		6,738,160		관세법 36조
			내					※내국세세종
	₩61,256,000		교					
	순수량 1,020	단위 kg	부	10%		6,799,416		
	수량 1	단위 NO	가산비용		공제비용	평가방법	원산지	조사란

보세운송방법	총중량	단위	납부서번호	환율	신고가격합계	
3	D		207451	₩786	(1매 3란)	₩706,056,000 $897,900

<자료 3> 부대비용에 관한 자료

1. 관세

<관세율표>

품목번호				품명	세율			
					기본(잠정)	양허(1995)		탄력
						WTO	기타	
8477				고무나 플라스틱의 가공 또는 이들 재료로 제조하는 기계	8%			
	10			사출성형기				
	20			압출기				
		10	00	고무공업용의 것		18.6%		
		20	00	플라스틱 공업용		18.6%		
8479	89	90		기타	8%			
			10	프레스 또는 압출기		18.6%		
			30	아일레팅기		18.6%		
			50	코팅머신(도표기)				
			70	냉방기		18.6%		
9031	90	90		기타	8%			

2. L/C 개설료등 통상의 부대비용 : 도입가격의 3%

3. 설치비 : 기호(1)은 도입가격의 1.5%, 기호(2)는 TON당 200,000원임.

<자료 4> 외화환산율

연도	국명	해당통화당 미 $	미 $당 해당통화	해당통화국 한국₩
1991.09	미국	1	1	720
	일본	1.1983 (100엔당)	80	869 (100엔당)
1995.06	미국	1	1	760
	일본	1.2043 (100엔당)	80	919.06 (100엔당)

<자료 5> 기계보정지수

구분	연도 / 국명	1993.2	1992	1991	1990
일반기계	미국	1	1.0024	1.0892	1.1168
	일본	1	0.9988	1.0045	0.9799
전기기계	미국	1	1.0167	1.0593	1.0772
	일본	1	0.9511	0.9203	0.8778

<자료 6> 기타자료

1. 기계 기호(2)는 관세 분할 납부 품목으로서 수입당시의 관세를 1991.10.1 1차 납부를 시작으로 5년간 균등하게 상환하도록 되었으며 가격시점 이전분은 완납하였음.
2. 연간 감가율 : 기호(1), (2)는 0.142, 기호(3)은 0.109
3. 내용년수만료시 잔가율 : 10%
4. 전기시설은 시설 배치 도면과 실지조사를 통하여 기존부분과 증설부분을 확인하였으며 기존부분은 25,000KVA이고, 증설부분은 10,000KVA임.
5. 전기시설 중 기존부분은 1989.1.10, 증설부분은 1993.1.20에 각각 준공하였음.
6. 전기시설에 대한 최근 공사비는 기존부분은 구형 시설로서 KVA당 80,000이며 신규시설은 KVA당 100,000로 조사되며 적정함.

【문제 4】 표준지 공시지가 평가방법과 개별공시지가 산정방법의 차이점을 설명하시오. (10점)

【문제 5】 공익사업을 위한 토지 등의 취득 및 보상에 관한 법률상 환매토지의 환매금액 결정방법을 약술하시오. (10점)

제07회 감정평가사 2차 국가자격시험문제

교 시	시 간	시 험 과 목
1교시	100분	① 감정평가실무

수험번호		성 명	

※ 공통유의사항
1. 각 문제는 해답 산정시 산식과 도출과정을 반드시 기재할 것
2. 단가는 유효숫자 셋째자리까지 표시, 지가변동률은 백분율로서 소수점 이하 넷째자리에서 반올림하여 셋째자리까지 표시할 것

【문제 1】 건설교통부장관은 공유수면 매립에 의하여 새로이 조성완료된 K시 병동 제3공업단지내 625번지에 대하여 1996년 1월 1일자로 공시지가를 고시하고자 한다.
다음에 주어진 자료를 활용하여 신규 표준지 K시 병동 625번지의 공시지가를 결정하되, 자료선택의 사유와 가격 산출과정을 명기하고 주어진 서식에 따라 평가보고서를 작성하시오. (40점)

※ 평가보고서 서식

소재지	면적(m^2)	지목		이용상황	용도지역	도로교통	형상지세	공시지가(m^2)
		공부	실제					

<자료 1> 대상토지에 대한 자료

① 소재지 : K시 병동 625번지

② 지목 : 잡종지

③ 면적 : 9,000m^2

④ 이용상황 : 콘테이너 적치장이용

⑤ 용도지역 : 미지정

⑥ 도로교통 : 중로각지

⑦ 형상 : 가장형·평지

⑧ 지역개황 : 다음의 <평가대상토지 소재지역 개황도> 참조

<평가대상토지 소재지역 개황도>

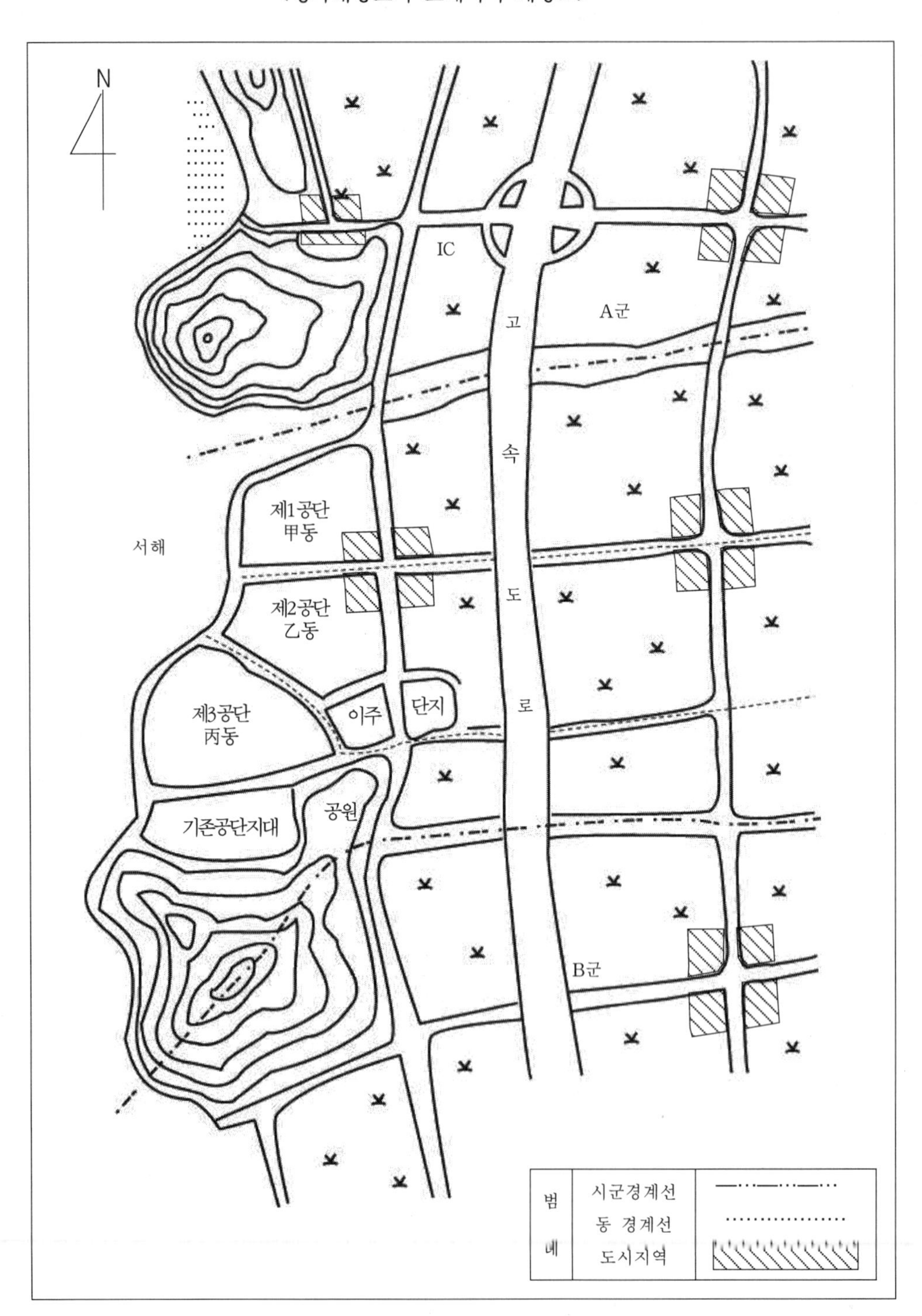

<자료 2> 가격산정 참고자료

※ 유의사항 : 공시지가 표준지·거래사례·수익사례·원가사례를 선택하여 토지가격을 산정할 때에는 다음 자료를 기준으로 요인을 비교할 것. 단, 격차율은 기준율을 적용키로 하며 이용상황 비교는 실제지목 비교격차를 적용할 것.

① 면적비교 격차율

구분	~300			301~800			801~3,000			3,001~12,000			그 이상		
	최저	기준	최고	최저	기준	최고	최저	기준	최고	최저	기준	최고	최저	기준	최고
~300	1	1	1	0.96	0.98	0.99	0.95	0.97	0.98	0.91	0.96	0.98	0.93	0.95	0.97
301~800	1.00	1.02	1.03	1	1	1	0.97	0.99	1.00	0.96	0.98	0.99	0.95	0.97	0.98
801~3,000	1.01	1.03	1.05	1.00	1.01	1.02	1	1	1	0.97	0.99	1.00	0.96	0.98	0.99
3,001~12,000	1.02	1.04	1.05	1.00	1.02	1.03	0.99	1.01	1.02	1	1	1	0.95	0.99	1.00
그 이상	1.03	1.05	1.06	1.01	1.03	1.04	1.00	1.02	1.03	0.99	1.01	1.02	1	1	1

② 실제지목비교 격차율

구분	대			공장용지			임야		
	최저	기준	최고	최저	기준	최고	최저	기준	최고
대	1	1	1	0.7	0.8	0.9	0.6	0.7	0.8
공장용지	1.23	1.25	1.26	1	1	1	0.86	0.88	0.89
임야	1.41	1.43	1.45	1.12	1.14	1.16	1	1	1

③ 용도지역비교 격차율

구분	주거지역			상업지역			공업지역			미지정		
	최저	기준	최고	최저	기준	최고	최저	기준	최고	최저	기준	최고
주거지역	1	1	1	1.49	1.51	1.53	0.73	0.75	0.77	0.68	0.70	0.72
상업지역	0.64	0.66	0.68	1	1	1	0.48	0.50	0.52	0.45	0.46	0.47
공업지역	1.32	1.33	1.35	2.00	2.01	2.03	1	1	1	0.92	0.93	0.95
미지정	1.41	1.43	1.45	2.14	2.16	2.18	1.05	1.07	1.09	1	1	1

④ 도로교통 격차율(각지는 5% 가산할 것)

구분	세로			소로			중로			광대		
	최저	기준	최고	최저	기준	최고	최저	기준	최고	최저	기준	최고
세로	1	1	1	1.03	1.05	1.07	1.12	1.14	1.16	1.20	1.22	1.24
소로	0.93	0.95	0.97	1	1	1	1.07	1.09	1.11	1.14	1.16	1.18
중로	0.85	0.88	0.89	0.90	0.92	0.94	1	1	1	1.05	1.07	1.09
광대	0.80	0.82	0.84	0.84	0.86	0.88	0.92	0.94	0.96	1	1	1

⑤ 형상·지세 격차율

- 토지형상은 정방형>가장형>세장형>제형>부정형 순으로 우세하며, 정방형을 100으로 할 때 형상순별로 5% 차이가 있음.
- 지세는 평지>완경사>저지의 순으로 우세하며, 평지를 100으로 할 때 지세순별로 5%의 차이가 있음.

⑥ 지가지수(1994년 1월 1일=100 기준)

기간	1991	1992	1993	1994				1995			
	1.1	1.1	1.1	1.1	4.1	7.1	10.1	1.1	4.1	7.1	10.1
지수	96	98	100	100	102	105	108	111	113	115	118

(※주) 1995년 10월 1일 이후는 지가수준이 보합세를 유지하고 있음.

⑦ 건물가격 산정자료

건물에 대한 경제적 내용년수는 50년이며, 잔가율은 "0"이고 만년 감가한다.

<자료 3> 공시지가 자료

(1995년 1월 1일 기준)

일련번호	소재지	면적(㎡)	지목 공부/실제	이용상황	용도지역	주위환경	도로교통	형상지세	공시지가(원/㎡)
1	K시 갑동 25	670	대/대	상업용	상업지역	성숙중인 상가지대	중로각지	정방형 평지	480,000
2	35	710	대/대	상업용	상업지역	성숙중인 상가지대	세로	가장형 평지	400,000
3	66	217	대/대	주거나지	주거지역	주택지대	소로각지	세장형 저지	290,000
4	76	217	대/대	주거용	주거지역	주택지대	소로각지	가장형 고지	260,000
5	142	10,200	장/장	공업나지	공업지역	공업단지	소로	가장형 평지	115,000
6	162	8,800	장/장	공업용	공업지역	공업단지	중로한면	세장형 평지	120,000
7	172	9,600	장/장	공업용	공업지역	공업단지	소로한면	세장형 평지	100,000
8	192	11,000	장/장	공업나지	공업지역	공업단지	소로한면	가장형 평지	125,000
9	K시 을동 227	218	대/대	주거나지	미지정	주택 및 상가지대	소로한면	가장형 저지	310,000
10	238	227	대/대	주상용	미지정	주택 및 상가지대	소로한면	세장형 저지	330,000
11	249	278	대/대	주거나지	미지정	미성숙 주택지대	중로각지	가장형 평지	200,000
12	251	286	대/대	주거용	미지정	미성숙 주택지대	중로한면	세장형 평지	190,000
13	421	10,380	장/장	공업나지	미지정	공업단지	광대한면	가장형 평지	100,000
14	432	10,005	장/장	공업나지	미지정	공업단지	광대한면	세장형 평지	110,000
15	443	8,570	장/장	공업용	미지정	공업단지	중로각지	정방형 평지	105,000
16	454	33,014	장/장	공업용	미지정	공업단지	광대소각	제형 평지	120,000
17	465	7,651	장/장	공업나지	미지정	공업단지	중로각지	정방형 평지	100,000
18	K시 내동 산12	48,870	임/임	자연림	미지정	순수야산지대	세로	부정형 완경사	30,000
19	산42	15,174	임/임	자연림	미지정	순수야산지대	세로	부정형 완경사	40,000

<자료 4> 거래사례자료

(사례 1)

① 소재지 : K시 갑동 15번지

② 이용상황 : 상업용(지하1층 지상5층 점포1동 연면적 2,772㎡)

③ 용도지역 : 상업지역

④ 거래시점 : 1995.4.1

⑤ 토지면적 : 660㎡

⑥ 거래가격 : 831,600,000원

⑦ 도로교통 및 형상지세 : 중로각지, 가장형·평지

⑧ 기타 조사사항 : 본건 건물은 제1공단 조성 당시에 준공되어 현재 영업활동이 활발한 상태이며, 건물관리상태가 양호하고 최근 동유형 건물의 재조달원가 480,000원/㎡임.

(사례 2)

① 소재지 : K시 갑동 86번지

② 이용상황 : 주거용(반지하1층 지상2층 주택1동 176㎡)

③ 용도지역 : 주거지역

④ 거래시점 : 1995.10.1

⑤ 토지면적 : 220㎡

⑥ 거래가격 : 140,800,000원

⑦ 도로교통 및 형상지세 : 세로한면, 정방형·평지

⑧ 기타 조사사항 : 대상 토지는 사다리꼴 형태이고, 인접도로와 등고 평탄하며 제2공단 조성당시에 준공하여 공단 내의 사업체에 근무하는 종업원이 거주하고 있으며, 최근 동류형 건물의 재조달원가는 540,000원/㎡임.

(사례 3)

① 소재지 : K시 갑동 152번지

② 이용상황 : 공업용(지상2층 사무실 및 창고1동 연면적 420㎡
지상1층 공장1동 연면적 2,940㎡)

③ 용도지역 : 공업지역

④ 거래시점 : 1995.7.1

⑤ 토지면적 : 9,800m²

⑥ 거래가격 : 3,600,000,000원

⑦ 도로교통 및 형상지세 : 소로한면, 세장형·평지

⑧ 기타 조사사항 : 제1공단 입주당시에 건물 착공하여 2년후인 1993년에 완공한 자동차기계 부품제조업체로서, 특정부품을 독점생산하고 있어 거래가격에는 영업권이 포함된 것으로 조사되며, 동유형 건물의 재조달원가는 사무실 및 창고가 510,000원/m², 공장이 420,000원/m²임.

(사례 4)

① 소재지 : K시 갑동 182번지

② 이용상황 : 공업단지

③ 용도지역 : 공업지역

④ 거래시점 : 1995.1.1

⑤ 토지면적 : 12,0000m²

⑥ 거래가격 : 1,440,000,000원

⑦ 도로교통 및 형상지세 : 중로각지, 가장형·평지

⑧ 기타 조사사항 : 매립토지로 제방에 근접하여 있고 토질이 연약하여 주변 일대가 아직 미성숙된 상태에 있으며, 거래내용을 조사한 바 소유자의 외국으로 이민수속이 완료되어 급히 매각한 것으로 조사됨.

(사례 5)

① 소재지 : K시 을동 216번지

② 이용상황 : 주상복합용(지하1층 지상3층 점포 및 주택1동 연면적 560m²)

③ 용도지역 : 미지정

④ 거래시점 : 1994.7.1

⑤ 토지면적 : 280m²

⑥ 거래가격 : 361,200,000원

⑦ 도로교통 및 형상지세 : 중로한면, 제형·평지
⑧ 기타 조사사항 : 제2공단 조성단지 공단편입 지역 내 주민을 이주코저 조성한 이주단지 내에 소재하며, 동유형 건물의 재조달원가는 520,000원/㎡임.

(사례 6)
① 소재지 : K시 을동 277번지
② 이용상황 : 주거나지
③ 용도지역 : 미지정
④ 거래시점 : 1994.4.1
⑤ 토지면적 : 200㎡
⑥ 거래가격 : 400,000,000원
⑦ 도로교통 및 형상지세 : 중로각지, 정방형·평지
⑧ 기타 조사사항 : 제2단지 조성당시 이주단지로 동시에 조성한 토지이나, 이주민의 경제적 여건이 낮아 아직 미성숙 단계에 있음.

(사례 7)
① 소재지 : K시 을동 419번지
② 이용상황 : 공업용(지상1층 사무실 1동 연면적 300㎡, 지상1층 공장 및 창고1동 연면적 2,580㎡)
③ 용도지역 : 미지정
④ 거래시점 : 1994.10.1
⑤ 토지면적 : 8,600㎡
⑥ 거래가격 : 1,978,400,000원
⑦ 도로교통 및 형상지세 : 중로각지, 가장형·평지
⑧ 기타 조사사항 : 제2공단 입주당시에 건축시행하여 1995년 1월 1일에 완공한 페인트 제조업체이나 공단 내에 공해를 유발한다는 이유에 따라 업종 변경이 필요하여 급매한 것으로, 동유형건물의 재조달원가는 사무실이 540,000원/㎡, 공장이 420,000원/㎡이며, 업종변경시는 공장건물의 일부를 철거할 필요가 있음.

(사례 8)
① 소재지 : K시 을동 495번지
② 이용상황 : 공업단지
③ 용도지역 : 미지정
④ 거래시점 : 1994.10.1
⑤ 토지면적 : 9,300㎡
⑥ 거래가격 : 1,000,000,000원
⑦ 도로교통 및 형상지세 : 광대한면, 정방형·평지
⑧ 기타 조사사항 : 제2공단 입주업체로 지정된 나염공장 설립자가 최근 당해 공업단지내에는 공해업체 설립을 금지하고 있어 매도한 것이나 거래는 정상적인 것으로 판단됨.

(사례 9)
① 소재지 : K시 병동 516번지
② 이용상황 : 공업용(지상1층 사무실 겸 공장 1동 연면적 1,080㎡)
③ 용도지역 : 미지정
④ 거래시점 : 1995.4.1
⑤ 토지면적 : 8,700㎡
⑥ 거래가격 : 1,232,000,000원
⑦ 도로교통 및 형상지세 : 중로한면, 제형·평지
⑧ 기타 조사사항 : 1990년 10월 1일에 건립된 기존의 집단 프라스틱 가공업체 중 하나로서 공단 유해업체 폐지와 관련하여 매도한 것이나, 거래는 정상적인 것으로 판명되고 동 유형 건물의 재조달원가는 400,000원/㎡임.

(사례 10)
① 소재지 : K시 병동 588번지
② 이용상황 : 공업용나지
③ 용도지역 : 미지정
④ 거래시점 : 1994.7.1

⑤ 토지면적 : 9,200㎡

⑥ 거래가격 : 600,000,000원

⑦ 도로교통 및 형상지세 : 소로각지, 제형·평지

⑧ 기타 조사사항 : 제3공단 매립 조성후 분양받은 ○○회사가 자회사인 △△회사에 매각한 것으로 조사되었음.

<자료 5> 수익사례자료

※ 유의사항 : 수익사례를 선택하여 수익가격을 산정할 때 토지의 환원이율은 12%. 건물 및 기계시설의 환원이율은 15%로 하고, 순수익의 비교는 <자료 2 : 가격산정 참고자료>를 활용할 것(시점수정은 지가지수 활용)

(사례 11)

① 소재지 : K시 갑동 155번지

② 이용상황 : 공업용(지하 2층 사무실 겸 공장 1동 연면적 5,610㎡)

③ 용도지역 : 공업지역

④ 토지면적 : 8,600㎡

⑤ 도로교통 및 형상지세 : 중로각지, 가장형·평지

⑥ 수익상황

기간 : 1995.1.1 ~ 1995.12.31
총수익 : 610,000,000원
총비용 : 360,000,000원(감가상각비 포함)
순수익은 토지·건물·기계기구의 가격비율로 배분하여야 하며 건물의 복성가격은 380,000,000원으로 조사되었고 기계기구 가격은 해당 공장장이 출장중에 있어 조사가 불가능하였음.

⑦ 기타사항 : 해당 공장은 제1공단내에 소재하는 전자제품 조립공장으로 현재 정상 가동중에 있으며, 경영활동도 합리적인 것으로 조사됨

(사례 12)

① 소재지 : K시 을동 289번지

② 이용상황 : 주차장(지상건물 없음)

③ 용도지역 : 미지정

④ 토지면적 : 450㎡

⑤ 도로교통 및 형상지세 : 소로각지, 세장형·평지

⑥ 수익상황

기간 : 1995.1.1 ~ 1995.12.31
총수익 : 월 고정주차비 : 월 평균 주차대수 5대, 대당 월 30,000원
시간제 주차비 : 월 평균 주차대수 100대, 대당 500원 총비용 : 총수익의 20%

⑦ 기타사항 : 본 주차장은 제2공단 조성시 조성완료한 이주단지 내에 소재하나 주변은 이미 순수 주택단지가 건립중에 있어 주민들은 주차장의 자동차소음등에 따른 고통을 K시에 진정하고 있음.

(사례 13)

① 소재지 : K시 을동 485번지

② 이용상황 : 공업용(지하1층 사무실 겸 공장 1동 연면적 2,900㎡)

③ 용도지역 : 미지정

④ 토지면적 : 9,500㎡

⑤ 도로교통 및 형상지세 : 중로한면, 가장형·평지

⑥ 수익상황

기간 : 1995.1.1 ~ 1995.12.31
총수익 : 제품 판매수입 : 28,000개 × @30,000 = 840,000,000원 기타 반제품 판매수입 : 60,000,000원
총비용 : 자재비 : 총수익의 30% 인건비 : 총수익의 20% 판매비 등 : 총수익의 5%(감가상각비 포함)
건물의 복성가격은 1,160,000,000원으로 조사되고, 내부 기계시설의 복성가격은 840,000,000원이다.

⑦ 기타사항 : 당해 공장은 제2공단 내에 소재하는 신축공장이나 현재 정상가동중에 있으며, 동 업종 조사내용을 비추어 보아 조사자료는 적정한 것으로 사료됨.

(사례 14)

① 소재지 : K시 병동 625번지 (평가대상토지)

② 이용상황 : 콘테이너 적치장으로 이용 중

③ 용도지역 : 미지정

④ 토지면적 : 9,000m²

⑤ 도로교통 및 형상지세 : 중로각지, 가장형·평지

⑥ 수익상황

기간 : 1995.1.1~1995.12.31
총수익 : 연간 7,000,000원
총비용 : 총수익의 20%

⑦ 기타사항 : 당해 토지는 평가대상 토지로서 제3공단 내에 소재하고 공사완료된 초기 상태에서 소유자인 ××회사가 주변공장에 일시적으로 임대중인 물건임.

<자료 6> 원가사례자료

※ 유의사항 : 토지자본 이자는 지가지수를 적용하고, 공사비용 이자는 주어진 이자율을 적용할 것.

(사례 15)

① 소재지 : K시 갑동 195번지

② 현재 이용상황 : 공업나지

③ 용도지역 : 공업지역

④ 토지면적 : 8,700m²

⑤ 도로교통 및 형상지세 : 중로각지, 부정형·평지

⑥ 토지조성공사 내역

공사기간 : 1989.1.1～1990.12.31
토지구입비 : 당초 국가기관에서 공유수면을 매립한 것임.
공사비용 : m²당 90,000원이 투입되었으며, 공사비 지급은 공사기간중 균등지불된 것임

⑦ 기타사항 : 제1공단 내에 소재하는 토지로 공사기간 중 공사비의 이자율이 4%인 것으로 조사되었으며, 해당 K시에서는 공단유치 계획의 일환으로 공사비 입찰시 공단입주자에게 특별할 혜택을 주고자 조건부로 과도하게 경쟁입찰한 것임.

(사례 16)

① 소재지 : K시 을동 296번지

② 현재 이용상황 : 단독주택(지상2층 연면적 120m²)

③ 용도지역 : 미지정

④ 토지면적 : 210m²

⑤ 도로교통 및 형상지세 : 소로한면, 가장형·평지

⑥ 토지분양내역

공사기간 : 1992.1.1～1993.12.31
총 분양가격 : 56,600,000원
공사비용 : 지상건물은 m²당 540,000원이 소요되었고 동 공사비 지급은 공사기간 중 균등 지불된 것임

⑦ 기타사항 : 이주단지 내에 건립하여 이주민에게 분양한 주택으로 이주민과 협의하에 정신적 보상차원에서 책정된 분양가격이며, 공사기간 중 공사비의 이자율은 10%임.

(사례 17)

① 소재지 : K시 을동 495번지

② 현재 이용상황 : 공업용

③ 용도지역 : 미지정

④ 토지면적 : 9,300㎡
⑤ 도로교통 및 형상지세 : 광로한면, 가장형·평지
⑥ 토지조성공사 내역

공사기간 : 1992.1.1～1993.12.31
토지구입비 : 공유수면과 접한 잡종지를 1992년 1월 1일자 25,000원/㎡에 구입하여 즉시 조성공사를 시행함
공사비용 : ㎡당 60,000원이 소요되었고 공사비 지급은 공사기간 중 연말에 균등지불된 것임

⑦ 기타사항 : 제2공단 내에 건립된 본 공장은 공유수면 매립 이전에 토지를 구입하여 회사 자체가 토지조성한 것으로 적정한 투자인 것으로 판단되며, 공사기간 중 공사비의 이자율은 8%임.

(사례 18)
① 소재지 : K시 을동 588번지
② 현재 이용상황 : 공업나지
③ 용도지역 : 미지정
④ 토지면적 : 8,500㎡
⑤ 도로교통 및 형상지세 : 중로각지, 제형·평지
⑥ 토지분양 내역

공사기간 : 1994.1.1～1995.12.31
총분양가격 : 750,000,000원

⑦ 기타사항 : 제3공단 분양사무소에서 공사완료 후 즉시 매각한 것으로 매각가격은 적정한 것으로 판단됨.

【문제 2】 공공사업 시행과 관련하여 다음과 같은 보상평가를 의뢰받았다. 질의사항에 유의하여 답안을 작성하되 산출과정을 기재하시오. (30점)

<문제 2-1> 도시계획도로 개설에 따른 협의보상 평가가 의뢰되었다. 주어진 자료를 이용하여 다음 질문에 답하시오.

가. 토지보상평가시 적용할 연도별 비교 공시지가표준지를 선택하고, 그 선택사유를 약술하시오.

나. 보상대상필지의 보상평가액 토지단가를 결정하시오(단, 보상평가액 단가는 유효숫자 세자리까지 표시하되, 이하는 반올림함).

다. 대상토지에 대한 보상평가서 작성 시 기재하여야 할 평가의견의 주요 내용을 서술해보시오(예시 : 1. 본건 토지는 부동산가격공시 및 감정평가에 관한 법률의 규정에 의한 공시지가를 기준으로 하되,…).

<자료 1> 기본적 사항

사업명 : ○○-○○ 간 도시계획도로 개설사업

도시계획결정 : 1994.10.1

도시계획사업 실시계획인가 고시일 : 1995.9.18

평가의뢰일 : 1996.8.31

가격시점 : 1996.8.24.

<자료 2> 대상토지 및 공시지가의 위치도

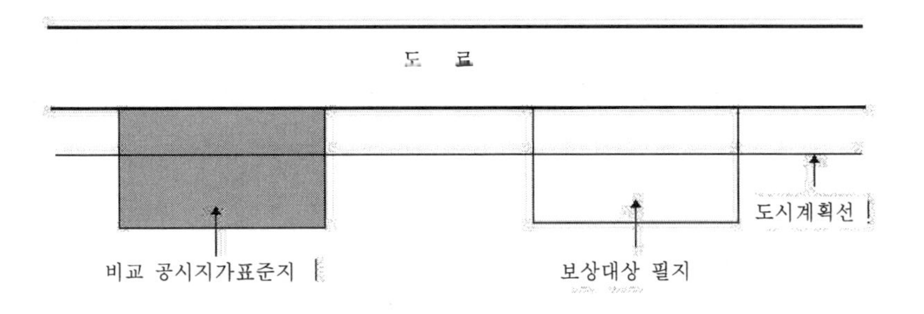

<자료 3> 공시지가 자료

연도별 공시지가 현황

구분	1994.1.1	1995.1.1	1996.1.1
공시지가	910,000	970,000	1,050,000

- 도시계획시설(도로) 저촉률 : 20%

<자료 4> 보상대상필지의 조사사항

- 도시계획시설(도로) 저촉률 : 35%

<자료 5> 가격평가자료

- 도시계획시설(도로) 저촉부분의 가격 감액률 : 15%
- 공시기준일로부터 가격시점까지의 지가변동률

기간	변동률(%)
1994.1.1 ~ 1996.8.24	0.31
1995.1.1 ~ 1996.8.24	0.08
1996.1.1 ~ 1996.8.24	0.02

- 생산자물가지수

기간	물가지수(총지수)상승률(%)
1994.1.1 ~ 1996.7.31	4.67
1995.1.1 ~ 1996.7.31	2.87
1996.1.1 ~ 1996.7.31	0.78

- 지역요인 비교 : 인근지역내에 소재하여 지역요인은 동일함.
- 개별요인 비교 : 보상대상 필지가 비교 공시지가표준지에 비해 획지조건 등에서 약 20% 우세
- 기타조사 사항 : 최근 보상대상 필지 남동측 직선거리 약 100m지점에 위치한 나지에 도시계획시설(시장)이 결정·고시되어 약 15%의 가격증가 요인이 발생.

<문제 2-2>○○시 근린공원조성사업에 편입되는 공장용지(평가대상토지)의 보상평가시 공시지가를 기준으로 평가한 결과, 인근 유사토지의 보상선례가격(A도로 개설사업에 기 편입된 토지의 보상가격)과 형평성이 결여되는 것으로 판단되어 보상선례 가격과의 가격격차를 기타요인으로 보정하려고 한다.
보상선례를 참작한 기타요인보정률을 산출하고, 산출방법을 약술하시오.

<자료 1> 기본자료

① 평가대상 토지의 가격시점 : 1996.6.30
② 보상선례·공시지가·평가대상토지의 용도지역은 동일함.
③ 비교 공시지가 표준지의 1996년도 공시지가 : @260,000원/㎡
④ 보상선례 보상일자 : 1995.9.30
⑤ 보상선례가격 : @210,000원/㎡

<자료 2> 시점수정에 적용할 지가변동률

기간	변동률(%)
1995. 1/4분기	0.37
1995. 2/4분기	0.30
1995. 3/4분기	0.18
1995. 4/4분기	0.15
1996. 1/4분기	0.21
1996. 2/4분기	0.56

<자료 3> 보상선례·공시지가 및 평가대상토지의 지역·개별요인비교치

구분	공시지가		평가대상토지	
	지역요인	개별요인	지역요인	개별요인
보상선례(1.0)	1.0	1.4	1.1	1.54

<자료 4> 공시지가와 평가대상토지의 지역·개별요인 비교치

구분	평가대상 토지	
	지역요인	개별요인
공시지가(1.0)	1.1	1.1

<자료 5> 기타사항

① 기타요인 보정률은 소수점 이하 첫째자리 %까지 산출하되, 이하는 반올림할 것. (예 : 22.56% → 22.6%)

② 지가변동률은 소수점 이하 둘째자리 %까지 산출하되, 이하는 반올림할 것. (예 : 15.678% → 15.68%)

③ 토지단가(원/m^2)는 유효숫자 셋째자리까지 구하여 적용하되, 이하는 반올림할 것.

<문제 2-3> 개인영업(신고업)인 "갑을상회"가 공공사업지구에 편입되어 휴업에 대한 손실액의 평가가 의뢰되었다.
"갑을상회"의 휴업손실보상액을 결정하고, 자가노력비의 처리방법을 약술하시오.

- 휴업기간 : 3개월
- 연간 총수입 : 60,000,000원
- 연간 총비용 : 30,000,000원
- 자가노력비(본인 및 처) : 월 1,100,000원
- 연간 총비용에는 자가노력비가 인건비로 계상되지 않았음.
- 시설이전비 : 4,500,000원

【문제 3】 보상평가 수행시 유의해야 할 다음 질의사항에 대하여 답하시오. (15점)

<문제 3-1> 무단으로 불법형질변경된 현황 "잡종지(간이 창고부지)"가 공공사업에 편입되어 보상평가가 의뢰되었다. 다음 자료를 참고하여 보상평가시 기준할 토지의 이용상황을 결정하고, 그 결정사유를 약술하시오.

① 불법형질변경(1991년)될 당시의 토지이용상황 : "전"

② 보상업무 추진내용

- 1994.10. 5 : 보상안내문 발송
- 1994.10.12 : 보상계획 공고
- 1994.11.11 : 보상업무 잠정중단
- 1995. 1.18 : 도로구역 변경결정(사업인정 의제)
- 1995. 1.28 : 보상업무 재개 통보
- 1995. 3.10 : 토지세목 고시

③ 공익사업을 위한 토지 등의 취득 및 보상에 관한 법률 시행규칙 부칙 제6조(1995.1.7 개정).

이 규칙 시행당시 공공사업시행지구에 편입된 불법형질변경 토지 또는 무허가개간 토지 등의 보상 등에 대하여는 제24조 및 제27조제1항의 개정 규정에 불구하고 종전의 규정에 의한다.

<문제 3-2> 1996년 4월 1일 도로법에 의한 도로구역의 변경공고가 있은 후 4월 20일 보상 목적물에 대한 조사를 완료하여 토지·물건조서가 작성되고 4월 25일 협의보상 평가가 의뢰되었다.

갑·을 감정평가사는 4월 27일부터 5월 3일까지 평가를 실시하여 대상물건의 확인 및 가격조사가 완료된 5월 3일을 가격시점으로 한 평가보고서를 5월 6일 사업시행자에게 송부하였다.

사업시행자는 갑·을 감정평가사의 평가액을 산술평균하여 그 금액으로 보상액을 정하였으며, 6월 3일 토지 등의 소유자와 보상계약을 체결하려 하였으나 토지 등의 소유자가 보상금액이 6월 3일 현재의 보상액이 아니라고 이의를 제기하였다.

이때 갑·을 감정평가사가 토지 등의 소유자에게 위 보상계약 체결절차가 관계법률에 위배되지 않는 적법한 계약체결절차임을 이해시킬 수 있는 내용을 약술하시오.

<문제 3-3> 도로의 폭, 구조등의 상태(도로의 폭·포장·계통 및 연속성)와 접면도로 상태(각지·2면획지·3면획지)는 주택지의 개별요인 중 어느 조건(예 : 환경조건 등)에 속하는가? 그 조건명을 구분하시오.

【문제 4】 감정평가시 각종 기초자료를 이해하는 것은 대단히 중요한 사항이다. 아래의 질의내용에 따라 답안을 작성하되, 계산문제는 산출과정을 필히 기재할 것. (15점)

<문제 4-1> 주어진 자료와 도면을 참고하여 당해 건축물의 ① 대지면적, ② 건축면적, ③ 연면적, ④ 건폐율(%), ⑤ 용적률(%)을 산출하시오(단, 건폐율용적률은 소수점 이하 둘째자리 %까지 산출하되, 이하는 반올림할 것).

<자료 1>

대장번호	-	일반 건축물 대장				사용일자	1989.9.9	번호		89-0341
소재지	서울특별시 ○○구○○동		지번	123-45		명칭 및 번호		-		
지역지구	일반상업지역, 주차장정비지구					용도	근린생활시설, 업무시설			
대지면적	?	연면적	?	층수	지상4층 /지하1층	구조	철근콘크리트조 /지붕 : 슬라브			
건축물 현황						소유자 현황				
층별	면적	용도	층별	면적	용도	일자	성명	주민등록번호	주소	지분
지층	145.50	다 방				890909	홍길동	–	–	–
1층	145.50	소매점								
2층	160.50	사무실								
3층	160.50	사무실								
4층	160.50	사무실								
계	772.50									

<자료 2> 배치도

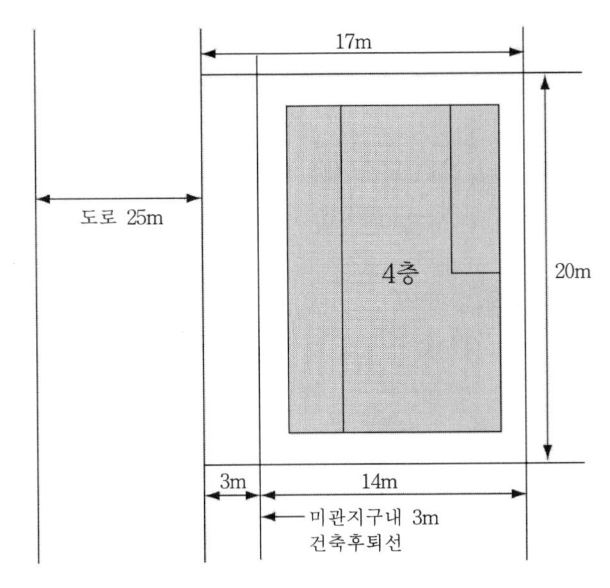

<자료 3> 정면도

옥탑(15.0㎡)
4층(160.50㎡)
3층(160.50㎡)
2층(160.50㎡)
1층(145.50㎡)
지층(145.50㎡)

<자료 4> 측면도

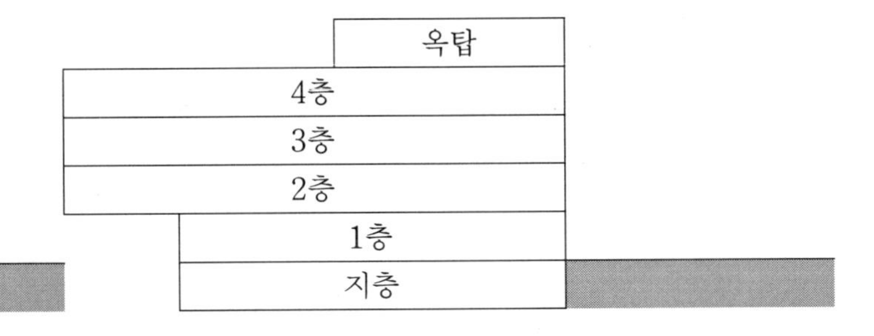

<문제 4-2> 현행법상 토지의 면적단위는 미터법에 의한 ㎡단위를 사용하도록 규정되어 있다. 그러나 아직도 토지면적이 ㎡로 미환산된 상태의 등기부등본이 평가의뢰시 공부로 제시되는 경우가 있다. 다음 질문에 답하시오.

가. 등기부등본상 지목이 임야인 2정 4단 5무 10보의 토지가 감정평가 의뢰되었을 때 이를 ㎡로 면적환산하시오(단, 임야도의 축적은 1 : 6,000임).

나. 지적법시행규칙 부칙상의 (평[또는 보]을 ㎡로 환산하는) 면적환산기준(공식)을 기재하시오.

제08회 감정평가사 2차 국가자격시험문제

교 시	시 간	시 험 과 목
1교시	100분	① 감정평가실무

수험번호		성 명	

※ 공통유의사항
1. 각 문제는 해답 산정시 산식과 도출과정을 반드시 기재할 것
2. 단가는 유효숫자 셋째자리까지 표시, 지가변동률은 백분율로서 소수점 이하 넷째자리에서 반올림하여 셋째자리까지 표시할 것

【문제 1】 감정평가사 K씨는 P시장으로부터 도시계획도로에 편입된 토지 및 지장물에 대한 보상평가를 의뢰받았다. 다음의 자료를 활용하고 보상관련 법령의 제규정을 참작하여 다음 물음에 답하시오. (40점)

1. 의뢰된 토지의 평가시 적용할 비교표준지를 선정하고 그 선정사유를 설명하시오.
2. 의뢰된 토지의 평가시 적용할 시점수정률을 결정하고 그 사유를 설명하시오.
3. 토지 기호(3)과 지장물(4), (7)의 보상평가액을 구하시오.
4. 기호(5) 건물의 보상평가시 포함되어야 할 항목과 잔여부분 감가보상에 대하여 설명하시오.
5. 무허가건물인 기호(1), (2), (3)이 보상의 대상이 될 수 있는지에 대하여 건축시점과 관련하여 설명하시오.

<자료 1> 평가의뢰 내역

가. 사업의 종류 : ○○도시계획도로 개설

나. 가격시점 : 1997.8.18

다. 도시계획시설 결정고시일 : 1995.12.30

라. 도시계획 실시계획인가 고시일 : 1997.2.1.

<자료 2> 의뢰물건 내역

가. 토지조서

기호	소재지	지번	지목	면적(m^2)	용도지역	실제이용상황
1	P시 B동	37-2	대	85	자연녹지	전
2	P시 B동	58-3	전	273	자연녹지	무허가건물부지지장물 기호(1)
3	P시 B동	63-8	답	425	자연녹지	잡종지
4	P시 B동	135-4	도로	65	자연녹지	미불용지
5	P시 B동	738-5	전	323	일반공업	
6	P시 B동	산 15-1	임야	234	자연녹지	무허가건물부지지장물 기호(6)
7	P시 B동	산 19-3	임야	2,342	자연녹지	
8	P시 B동	산 21-5	임야	1,538	자연녹지	
9	P시 B동	산 42-6	임야	3,213	개발제한 자연녹지	

나. 지장물조서

기호	소재지	지번	물건의 종류	구조·규격	면적(m^2)	비고
1	P시 B동	58-3	주택	블록스레트지붕 단층	73	무허가건물 '90년 2월 신축
2	P시 B동	72-5	주택	블록조 기와지붕 단층	82	무허가건물 '96년 4월 신축
3	P시 B동	83-1	주택	벽돌조 슬라브지붕 단틍	78	무허가건물 '97년 6월 신축
4	P시 B동	238-7	공장	철골조철골지붕틀칼라시트 지붕 단층	500	
5	P시 B동	250-4	점포	벽돌조 슬라브지붕 단층	70	일부편입
6	P시 B동	산 15-1	주택	목조기와지붕 단층	65	무허가건물 '88년 10월신축
7	P시 B동	산 15-1	향나무	H : 4.0m W : 1.8m	30주	

<자료 3> 인근지의 공시지가 표준지 현황

(1997년 1월 1일 기준)

일련번호	소재지	지번	면적(㎡)	지목		이용상황	용도지역	도로교통	형상 및 지세	공시지가(원/㎡)
				공부	실제					
360	P시B동	42-5	150	대	대	단독주택	자연녹지	세로(가)	가장형 평지	100,000
361	P시B동	56-7	253	전	전	전	자연녹지	세로(가)	부정형 평지	40,000
362	P시B동	73-1	353	답	잡	답기타(창고)	자연녹지	소로한면	세장형 평지	60,000
363	P시B동	75-6	428	답	답	답	자연녹지	맹지	세장형 저지	35,000
364	P시B동	127-2	235	전	전	전	자연녹지	세로(불)	부정형 완경사	42,000
365	P시B동	145-3	334	전	전	전	생산녹지	세로(가)	가장형 평지	28,000
366	P시B동	681-5	289	전	전	전	자연녹지	세로(가)	부정형 평지	32,000
367	P시B동	757-4	450	전	전	전	일반공업	세로(불)	부정형 완경사	52,000
368	P시B동	883-2	253	대	대	단독주택	자연녹지	세로(가)	사다리형평지	110,000
369	P시B동	산17-4	2,003	임	임	자연림	자연녹지	세로(불)	부정형 완경사	10,000
370	P시B동	산20-6	1,875	임	임	자연림	자연녹지	맹지	부정형 완경사	7,000
371	P시B동	산22-1	2,534	임	임	자연림	자연녹지	맹지	부정형 완경사	6,500
372	P시B동	산41-6	3,124	임	임	자연림	개발제한자연녹지	세로(불)	부정형 급경사	3,500

<자료 4> 지가변동률(1997년 2/4분기)

가. 용도지역별

(단위 : %)

행정구역	주거지역	상업지역	공업지역	녹지지역	비도시지역
P시	1.20 2.50	1.50 3.00	1.30 2.30	1.00 1.90	0.90 1.80

나. 지목별

(단위 : %)

행정구역	전	답	대		임야	공장용지	기타
			주거용	상업용			
P시	1.10 2.30	1.30 2.50	1.50 3.10	1.70 3.50	0.90 1.80	1.40 2.70	0.80 1.90

※ 상단은 2/4분기 지가변동률이며, 하단은 2/4분기까지의 누계임.

<자료 5> 생산자물가상승률(생산자물가지수)

- 1996년 12월 지수 : 117.2
- 1997년 1월 지수 : 118.1
- 1997년 7월 지수 : 120.5

<자료 6> 토지에 대한 조사사항

가. 기호(1) 토지는 종전에는 주택부지로 이용되었으나 소유자가 재축을 위해 건물을 철거한 후 도시계획도로에 편입되어 건축을 하지 못하고 "전"으로 이용중인 토지임.

나. 기호(3) 토지

1) 본건 토지는 세로(가)에 접한 세장형의 토지로, 종전은 노면보다 약 1.5m 정도 저지인 "답"이었으나 1994년 10월경 불법으로 매립하여 현재는 노면과 평탄한 간이건물(창고) 부지로 이용 중이며, 매립비용은 m²당 10,000원으로 조사됨.

2) 본건 인근의 접면도로조건에 따른 비준율은 다음과 같음

구분	소로한면	세로(가)	맹지
소로한면	1.00	0.85	0.70
세로(가)	1.18	1.00	0.82
맹지	1.43	1.22	1.00

다. 기호(4) 토지는 종전의 도로에 편입될 당시는 생산녹지지역내의 “전”이었던 것으로 조사됨.

라. 기호(5) 토지는 1996년 10월 P시의 도시재정비 계획에 의해 자연녹지지역에서 일반공업으로 용도지역이 변경되었음.

마. 기호(7) 토지는 전부 도시공원법상의 도시자연공원에 속함.

바. 기호(8) 토지는 전부 수도법상의 상수원보호구역에 속함.

<자료 7> 지장물에 대한 조사사항

가. 기호(4) 건물

1) 본 건물은 1985년 7월에 신축된 건물로 재조달원가는 300,000원/㎡, 경제적 내용년수는 40년, 잔가율은 10%로 조사됨.

2) 본 건물은 이전가능한 것으로 판단되고 소유자가 제시한 이전비내역은 다음과 같음.

① 해체 및 철거비 : 40,000원/㎡

② 운반비 : 30,000원/㎡

③ 재축비 : 80,000원/㎡

④ 보충자재비 : 30,000원/㎡

⑤ 부대비용 : 20,000원/㎡

⑥ 시설개선비 : 25,000,000원

3) 소유자가 제시한 이전비내역 중 기호①~기호⑤ 항목은 적정한 것으로 판단되며, 기호⑥ 시설개선비는 건물의 효용증진을 위해 층고를 1m 높이는데 소요되는 추가비용이 10,000,000원, 건축 관련 법령의 개정으로 인한 건축설비 추가설치 비용이 15,000,000원인 것으로 조사됨.

나. 기호(5) 건물

1) 본 건물은 전체 140㎡ 중 70㎡가 다음 그림과 같이 일부 편입됨.

2) 본 건물의 잔여부분은 보수 후 재사용 가능한 것으로 판단되나, 형태악화로 인한 가치감소가 예상됨.

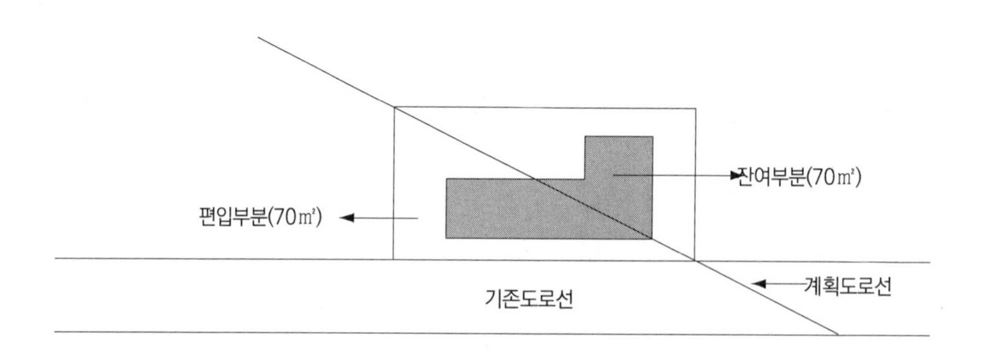

다. 기호(7) 수목은 이식이 가능한 것으로 판단되며, 이식비 내역은 다음과 같음.

(단위 : 주당)

수종	규격	굴취비	운반비	상·하차비	식재비	재료비	부대비용	수목가격	비고
향나무	H : 4.0m W : 1.8m	8,700	1,500	1,700	20,000	1,500	6,500	40,000	고손율은 10% 적용

<자료 8> 기타 참고사항

가. 표준지 (360)~(363)은 토지 기호(1)~(3)의 인근지역에 소재함.

나. 표준지 (364), (365)는 토지 기호(4)의 인근지역에 소재함.

다. 표준지 (366), (367)은 토지 기호(5)의 인근지역에 소재함.

라. 표준지 (368)~(372)는 토지 기호(6)~(9)의 인근지역에 소재함.

마. 표준지 (370)은 전부 도시자연공원에 속함.

바. 표준지 (371)은 전부 상수원보호구역에 속함.

사. 2/4분기 이후의 지가변동률은 2/4분기 지가변동률에 보간법을 적용하여 산정함.

아. 지가변동률은 소수점 셋째자리에서 반올림하고 평가 시 적용단가는 천원 미만은 절사함.

【문제 2】 감정평가사 K씨는 S은행으로부터 다음 물건에 대하여 감정평가를 의뢰받아 사전조사 및 실지조사를 한 후 다음과 같이 자료를 정리하였다. 토지와 건물의 감정평가액을 구하시오. (30점)

<자료 1> 평가 대상물건

가. 토지

1) 소재지 : A시 B구 C동 49번지 대 500㎡

2) 도시계획사항 : 일반상업지역, 주차장 정비지구

나. 건물

1) 구조 : 철근콘크리트조 슬라브지붕 5층 건물

2) 용도 : 근린생활시설

지층 : 288㎡(대중음식점)

1층 : 288㎡(소매점)　　2층 : 288㎡(학원)

3층 : 288㎡(태권도장)　　4층 : 288㎡(사무실)

5층 : 288㎡(사무실)　　연면적 : 1,728㎡

다. 가격시점 : 1997.7.31

라. 감정평가 목적 : 담보

<자료 2> 위치도

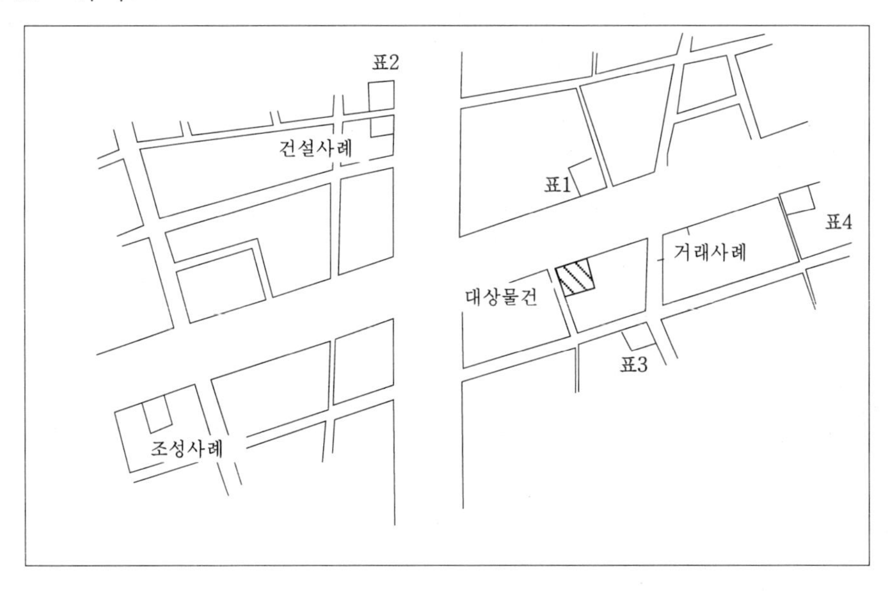

<자료 3> 인근의 공시지가 표준지 현황

(1997.1.1 기준)

일련번호	소재지	면적(m^2)	지목		이용상황	용도지역	주위환경	도로교통	형상및지세	공시지가(원/m^2)
			공부	실제						
1	A시 B구 C동 19	490	대	대	상업용	일반상업	노선상가지대	광대세각	세장형 평지	2,200,000
2	A시 B구 C동 19	390	대	대	상업용	일반주거	노선상가지대	광대세각	부정형 평지	1,500,000
3	A시 B구 C동 19	430	대	대	단독주택	일반주거	정비된 주택지대	소로각지	정방형 평지	1,000,000
4	A시 B구 C동 19	510	대	대	업무용	일반상업	미성숙 상가지대	광대세각	정방형 평지	1,500,000

<자료 4> 건설사례 자료

가. 소재지 : A시 B구 C동 53번지 대 400m^2

나. 건물 : 철근콘크리트조 슬라브 지붕 5층 건물 근린생활시설
연건평 1,320m^2(지층~5층 각각 220m^2)

다. 동건물의 건축 도급 계약서상 건물 공사비 내역은 다음과 같고 수급인의 이윤을 포함한 것이며 각 항목의 공사비는 적정한 것으로 판단되나 순수 건축비와 관련 없는 항목은 제외할 것.

구분	주요공사내역	공사비(원)
1. 가설공사	공통가설, 일반가설	25,000,000
2. 기초공사	터파기, 잡석지정	15,000,000
3. 철근콘크리트공사	레미콘, 철근 가공 및 조립	180,000,000
4. 조적공사	시멘트 벽돌 쌓기, 적벽돌쌓기, 내화벽돌 쌓기	80,000,000
5. 내장공사	시멘트 몰탈	40,000,000
6. 타일공사	모자이크 타일, 세라믹 타일	30,000,000
7. 목공사	마루틀, 출입문틀, 창문틀 외	15,000,000
8. 창호공사	알루미늄 창호 외	25,000,000
9. 방수공사	아스팔트 방수(8층) 액체방수(2차)	50,000,000
10. 수장공사	아스팔트 스치로플(T=50) 아미텍스(T=6) 외	10,000,000
11. 도장공사	수성페인트(3회), 유성페인트(5회)	10,000,000
12. 금속공사	경량천정틀, 알루미늄판넬(T=1.2)	20,000,000
13. 울타리공사	철파이프(투시형)	10,000,000
14. 조경공사	소나무 외	20,000,000
15. 마당 콘크리트공사	철근, 레미콘 외	20,000,000
16. 전기공사	배전반 외	55,000,000
17. 잡공사	홈통 및 기타	5,000,000
18. 부대설비공사	냉난방 및 위생설비	110,000,000
소계		720,000,000
19, 제경비	간접노무비, 산재보험료, 기타	92,000,000
총계		812,000,000

<자료 5> 거래사례 자료

가. 토지 : A시 B구 C동 41번지 대 550㎡
나. 건물 : 철근콘크리트조 슬라브 지붕 5층 건물 근린생활시설
연건평 1,500㎡(지층~5층 각각 250㎡)
다. 거래가격 : 2,200,000,000원
라. 거래시점 : 1997.3.1
마. 도시계획사항 : 일반 상업지역, 주차장 정비지구

<자료 6> 조성사례 자료

가. 토지 : A시 B구 C동 30번지 대 420㎡
나. 조성전 토지 매입가격 : 1,500,000원/㎡
다. 조성공사비 : 200,000,000원
라. 매입시점 : 1997.2.1
마. 조성공사 완료시점 : 1997.7.31
바. 조성공사비에는 수급인의 이윤이 포함되어 있으며, 완료시점 지불계약 조건임.
사. 도시계획사항 : 일반 상업지역, 주차장 정비지구

<자료 7> 토지의 개별요인의 비교치

표준지	대상토지	거래사례	조성사례
100	101	102	98

<자료 8> 건물의 개별요인 비교치

대상건물	거래사례	건설사례
105	98	100

<자료 9> 지가변동률

가. 용도지역별

(단위 : %)

행정구역	평균	주거지역	상업지역	공업지역	녹지지역	비도시지역	비고
B구	0.29	0.10	-0.88	-	0.88	-	1/4분기
	0.06	-0.05	0.47	-	0.27	-	2/4분기

나. 지목별

(단위 : %)

행정구역	전	답	대		임야	공장용지	기타	비고
			주거용	상업용				
B구	0.00	0.58	0.30	0.30	0.00	-	-	1/4분기
	0.00	0.00	0.03	0.09	0.00	-	-	2/4분기

<자료 10> 건물관련 자료

가. 준공시점

대상건물	거래사례	건설사례
1990.10.1	1991.5.1	1997.1.1

나. 내용년수 : 50년, 잔가율 0%

다. 주체부분과 부대설비 부분의 내용년수 동일함.

<자료 11> 기타자료

가. 대상물건과 거래사례의 주위환경은 노선상가 지대임.

나. 본건 대비 조성사례는 환경조건 중 상가의 전문화와 집단화에서 5%정도 열세임.

다. 거래가격에는 매수자가 부담하기로 한 양도소득세 150,000,000원이 포함되어 있음.

라. 적산가격 산정시 적용금리 12% (연간)임.

마. 지가변동률은 소수점 이하 셋째자리에서 반올림하고, 2/4분기 이후 지가변동률은 전분기 변동률을 추정 적용하되 일할 계산함.

바. 대상물건의 4층, 5층은 1993.10.1 증축된 것임.

사. 감가수정은 만년감가이며, 감가수정 방법은 정액법을 사용함.

아. 공공사업의 시행 등 지가변동에 영향을 미치는 별다른 사항은 없는 것으로 조사되었음.

자. 단가 및 가격산정시 천원미만은 절사함.

차. 냉난방 설비 공사중 난방보일러(가격 : 10,000,000원)는 리스된 것으로 현장 조사 결과 확인되었음.

카. 1997.1.1 이후, 건축비는 변동이 없는 것으로 조사됨.

타. 각 사례물건은 최유효이용상태인 것으로 판단됨.

【문제 3】 다음의 물음에 답하시오. (20점)

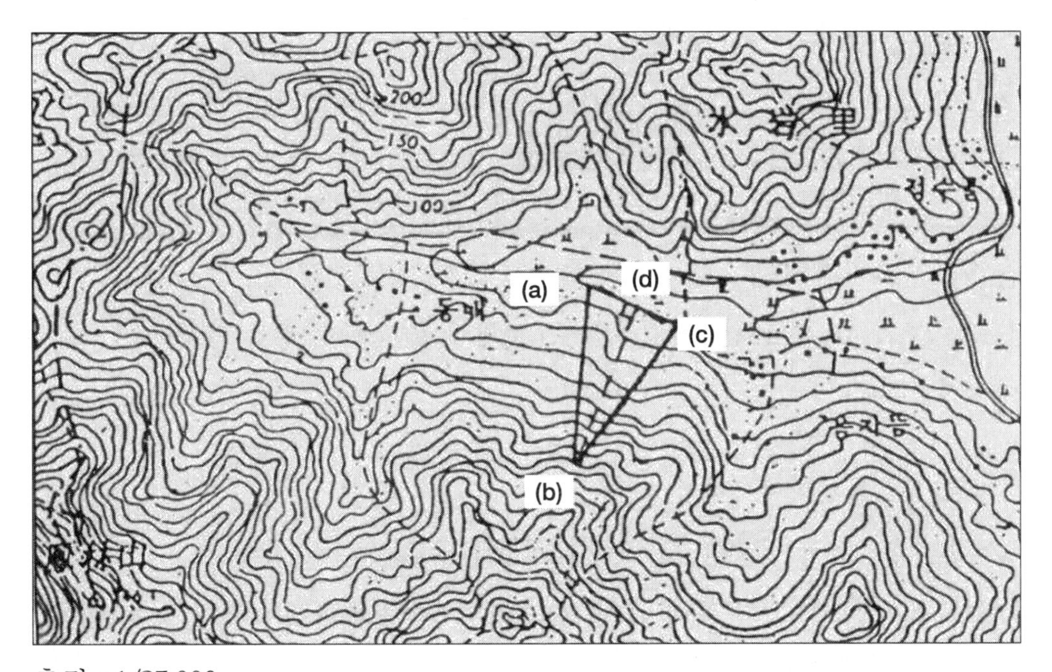

축적 : 1/25,000

도면상 a~c간 거리는 0.8㎝, b~d간 거리는 1.45㎝임.

1. 등고선의 성질을 설명하시오.
2. 도면에서의 삼각형 (a) (b) (c)가 실제 몇 ㎡인지 계산하시오
3. 도면에서 (b)~(d) 간의 지세(경사도)가 완경사인지 급경사인지 판단하시오.

   (단, 간선도로 또는 주위의 지형지세보다 높고 경사도가 15° 이하인 지대의 토지는 경사지, 경사도가 15°를 초과하는 지대의 토지는 급경사지로 하고, tan15° =0.267임)

【문제 4】 감정평가사 K씨는 부동산 투자가 H씨로부터 다음과 같은 A, B 두 토지에 대한 투자자문을 의뢰받았다. 아래의 자료를 참작하여 다음 물음에 답하시오. (10점)

1. 어떤 토지에 투자하는 것이 타당한지 결정하고 그 사유를 수식으로 설명하시오.
2. H씨의 요구수익률에는 소득이득률과 자본이득률이 포함되어 있는 것을 위의 수식을 통해 설명하시오.
3. 지가상승률과 임료상승률이 이론적으로 동일하다는 것을 영구환원의 수식을 통해 설명하시오.

<자료 1> 대상토지의 상황

각 토지의 매매가능 가격은 700,000,000원이며, 초년도의 연간 순임료는 A토지는 60,000,000원, B토지는 66,000,000원이고, 순임료를 제외한 여타 조건은 동일함.

<자료 2> 투자내용

H씨는 투자토지를 10년 간 보유한 후 매각할 예정이며, 투자에 대한 요구수익률은 연간 15%임.

<자료 3> 현지조사사항

A, B 토지는 모두 최유효이용상태이며, 향후 10년 동안의 연간 임료상승률은 A토지 소재지역은 7%, B토지 소재지역은 6%로 조사되고, 지역별 지가상승률은 임료상승률과 동일할 것으로 판단됨.

<자료 4> 기타사항

수식으로 설명할 때에는 다음의 기호를 사용하시오.
연도별 가격 : V_0, V_1, ⋯ V_n
연도별 순임료 : a_1, a_2, ⋯ a_n
요구수익률 : r
임료상승률 : g

제09회 감정평가사 2차 국가자격시험문제

교 시	시 간	시 험 과 목
1교시	100분	① 감정평가실무

수험번호		성 명	

※ 공통유의사항

1. 각 문제는 해답 산정시 산식과 도출과정을 반드시 기재할 것
2. 단가는 유효숫자 셋째자리까지 표시, 지가변동률은 백분율로서 소수점 이하 넷째자리에서 반올림하여 셋째자리까지 표시할 것

【문제 1】 감정평가사 P는 ○○공사로부터 택지개발예정지구로 지정·고시된 지역의 토지 및 지장물에 대한 보상평가액 산정을 의뢰받았다. 다음에 제시한 자료를 활용하여 부동산가격공시 및 감정평가에 관한 법률과 공익사업을 위한 토지 등의 취득 및 보상에 관한 법률의 제규정에 의하여 보상평가액을 산정하시오. (40점)

1. 토지보상평가시 비교표준지 선정이유를 설명하시오.
2. 토지 기호(1), (2)에 대하여 토지보상평가액 산정시에
   가. 공시지가에 의한 가격
   나. 거래사례에 의한 비준가격
   다. 조성사례에 의한 적산가격
   라. 임대사례에 의한 수익가격

   에 의한 각각 토지단가를 산정하고, 상기 가격을 비교하여 토지보상평가액을 결정하시오.
3. 지장물(건물)에 대한 보상평가액을 산정하시오.

<자료 1> 평가의뢰내용

가. 사업의 종류 : ○○택지개발사업

나. 가격시점 : 1998.8.23

다. 택지개발예정지구 결정·고시일 : 1997.6.20.

<자료 2> 평가의뢰조서

가. 토지조서

기호	소재지	지번	공부지목	면적(m^2)	용도지역	실제이용상황
(1)	Y시 S동	101	대	468	일반상업	상업용
(2)	Y시 S동	102	대	46	일반상업	101번지 전면에 접한 현황 "도로"임.

나. 지장물조서

기호	소재지	지번	물건의 종류	구조	면적(m^2)	비고
가	Y시 S동	101	점포	연와조 와즙	268	1997.5.25 신축

<자료 3> 인근지역의 표준지공시지가 현황(당해 택지개발사업지구 밖에 소재)

(공시기준일 : 1997.1.1)

기호	소재지	지번	면적(m^2)	지목		이용상황	용도지역	도로교통	형상 지세	공시지가(원/m^2)
				공부	실제					
(1)	Y시 S동	203	500	대	대	상업용	일반주거	소로한면	정방형 평지	1,000,000
(2)	Y시 S동	210	463	대	대	상업용	일반상업	중로한면	가장형 평지	1,800,000
(3)	Y시 S동	406	1,463	대	대	단독주택	자연녹지	세로(가)	부정형 평지	180,000
(4)	Y시 S동	453	1,788	전	전	전	자연녹지	맹지	부정형 완경사	60,000

(공시기준일 : 1998.1.1)

기호	소재지	지번	면적 (㎡)	지목		이용 상황	용도 지역	도로 교통	형상 지세	공시지가 (원/㎡)
				공부	실제					
(1)	Y시 S동	203	500	대	대	상업용	일반 주거	소로 한면	정방형 평지	1,100,000
(2)	Y시 S동	210	463	대	대	상업용	일반 상업	중로 한면	가장형 평지	2,000,000
(3)	Y시 S동	406	1,463	대	대	단독 주택	자연 녹지	세로 (가)	부정형 평지	200,000
(4)	Y시 S동	453	1,788	전	전	전	자연 녹지	맹지	부정형 완경사	100,000

<자료 4> Y시의 지가변동률

가. 용도지역별

(단위 : %)

구분	주거지역	상업지역	공업지역	녹지지역	비도시지역
1996년	1.00	1.49	1.24	5.89	0.98
1997년	1.36	1.50	1.00	3.27	2.36
1998년 1/4분기	-1.11	-2.30	0	-4.00	-1.00
1998년 2/4분기	-3.24	-5.30	-2.04	-4.84	-2.63

나. 지목별

(단위 : %)

구분	전	답	대		임야	공장용지	기타
			주거용	상업용			
1996년	4.84	5.76	1.01	1.38	4.32	1.30	0.88
1997년	3.36	4.27	1.43	1.63	1.36	1.00	1.36
1998년 1/4분기	-3.89	-4.23	-1.21	-2.46	-3.26	0.00	-1.00
1998년 2/4분기	-5.24	-4.67	-3.63	-5.17	-3.93	-2.14	-3.00

<자료 5> 생산자물가상승률 (생산자물가지수)

−1996년 12월 지수 : 104.4
−1997년 6월 지수 : 106.5
−1997년 7월 지수 : 106.5
−1997년 12월 지수 : 114.4
−1998년 1월 지수 : 119.3
−1998년 8월 지수 : 120.1

<자료 6> 대상토지, 표준지 및 보상선례에 대한 조사사항

가. 본건 토지 기호(1)의 도로교통은 중로한면에 접하며, 형상은 부정형, 지세는 평지이고, 본건 토지 기호(2)는 본건 기호(1)의 전면에 접한 형황 도로로서 형상은 부정형, 지세는 평지임.

나. 표준지 기호(1)은 인근 표준적 토지보다 10% 정도 증가요인이 있고, 표준지 기호(2)는 인근 표준적 토지보다 10% 정도의 감가요인이 있음.

다. 인근지역 보상선례(○○택지개발사업지구)

(1) 소재지 : Y시 S동 204번지
(2) 지목 및 이용상황 : 대, 상업용
(3) 도로교통, 형상, 지세 : 중로한면, 가장형, 평지
(4) 용도지역 : 일반상업지역
(5) 가격시점 : 1995.7.30
(6) 보상가격 : 1,800,000원/㎡

<자료 7> 토지특성에 따른 격차율

가. 도로접면

구분	중로한면	소로한면	세로(가)	세로(불)	맹지
중로한면	1	0.83	0.69	0.58	0.48
소로한면	1.2	1	0.83	0.69	0.58
세로(가)	1.44	1.2	1	0.83	0.69
세로(불)	1.73	1.44	1.2	1	0.83
맹지	2.07	1.73	1.44	1.2	1

나. 형상

(1) 상업용

구분	가장형	정방형	부정형
가장형	1	0.91	0.83
정방형	1.1	1	0.91
부정형	1.21	1.1	1

(2) 단독주택 및 전

구분	정방형	가장형	부정형
정방형	1	0.91	0.83
가장형	1.1	1	0.91
부정형	1.21	1.1	1

다. 지세

구분	평지	완경사
평지	1	0.77
완경사	1.3	1

<자료 8> 사례자료

(사례 1) 본건 토지 인근지역의 거래사례

가. 소재지 : Y시 S동 108번지

나. 지목 및 용도지역 : 대(상업나지), 일반상업지역

다. 면적 : 525㎡

라. 거래가격 : 2,000,000원/㎡

마. 거래시점 : 1997.7.5

바. 도로접면, 형상, 지세 : 중로한면, 정방형, 평지

사. 지장물 : 거래 당시 노후된 주택으로 매입 직후 철거하였으며(철거비 : 10,000,000원) 가격시점 현재 나지임.

아. 기타사항 : 현지 사정에 정통하지 못한 외부인의 매입으로 10%정도 고가로 판단됨.

(사례 2) 기호 (1) 대상부동산에 대한 조성사례

본건 토지 기호(1) Y시 B동 101번지는 종전에는 인근토지보다 상당한 저지 상태인 농지였다. 소유자 홍길동은 토지를 구입하여 1997년 1월 1일에 택지를 조성완료하여 1997년 5월 25일 상업용건물을 준공하였다.

가. 소재지 : Y시 S동 101번지

나. 조성전 토지 매입가격 : 850,000원/m²

다. 조성공사비 : 200,000,000원

라. 공사비 지급조건 : 2회에 걸쳐 다음과 같이 균등 지급하였다.

- 1995.1.1 : 100,000,000원
- 1996.1.1 : 100,000,000원

마. 기타 부대비용 등 : 조성공사비의 15%를 1997년 1월 1일에 지급하였다.

바. 시점

- 조성전 토지 매입시점 : 1995.1.1
- 공사착공시점 : 1995.1.1
- 공사준공시점 : 1997.1.1

사. 기타 사항

본건은 홍길동이 직접 조성한 토지로서 특별한 사정이 없으며, 금리는 연 15%를 적용하고 준공시점에서 가격시점까지는 지가변동률을 적용한다.

(사례 3) 기호(1) 대상부동산에 대한 임대자료

임대수입		지출경비	
보증금 :	400,000,000원	감가상각비 :	2,412,000원
지불임료(월) :	2,500,000원	유지관리비(건물) :	1,000원/m²
		종합토지세(대상토지분) :	3,000,000원
		재산세(대상건물분) :	1,000,000원
		손해보험료 :	120,000원
		종합소득세 :	21,000,000원
		법인세 :	10,000,000원

㈜ : 1) 토지환원이율 : 12%

2) 건물의 상각후 환원이율 : 15%

3) 보증금 운용이율 : 20%

<자료 9> 지장물(건물)에 관한 사항

가. 본 건물은 1997년 5월 25일에 신축한 건물로서 가격시점 현재 재조달원가는 500,000원/m², 내용년수 50년, 잔가율 10%이다.

나. 건축비 지수

1997.5.25	1998.8.23
100	120

다. 본 건물은 이전비를 산정한 바, 132,000,000원이었다.

<자료 10> 기타 참고사항

가. 1998년 2/4분기 이후의 지가변동률은 1998년 2/4분기 지가변동률을 유추적용한다.

나. 지가변동률은 토지보상평가지침에 규정된대로 소수점 셋째자리에서 반올림한다.

다. 토지단가는 토지보상평가지침에 규정된대로 100,000원 단위 이상일 때는 유효숫자 셋째자리 그 이하는 둘째자리까지 표시함을 원칙으로 하되, 반올림한다.

라. 건물단가는 천원 미만은 절사한다.

마. 기타 사항은 토지보상평가지침 및 일반평가이론에 따른다.

【문제 2】 홍길동은 자신이 소유하고 있는 원룸아파트를 담보로 A은행으로부터 7억원의 융자를 받으려 하고 있다. 은행에서는 감정평가사인 당신에게 대상부동산의 수익가격을 산출하고, 이를 근거로 하여 융자의 타당성을 검토해 주기를 요청하고 있다. 주어진 자료를 활용하여 평가목적의 경비내역서를 작성하고, 대상부동산의 최대 가능 저당대부액을 구하시오. (15점)

<자료 1> 저당대부 자료

최근 금융기관에서는 담보로 제공되는 부동산의 수익력을 중요시하고 있다. A은행에서는 유사부동산에 대해 기간 20년, 이자율 14%의 저당대부를 제공하고 있는데, 부채감당률은 150%, 대부비율은 수익가격의 최대 60%를 적용하고 있다.

$(1+0.14)^{20} \fallingdotseq 13.74349$

<자료 2> 수입자료

평가대상인 원룸아파트에는 7평형이 20개, 10평형이 15개 있다. 임대료는 각각 월 20만원과 30만원이며, 보증금은 1,000만원과 1,500만원이다. 이 같은 임대료와 보증금은 전형적인 시장자료와 일치하고 있다.
현재 대상아파트의 공실률은 10%이지만, 시장에서의 유사부동산의 전형적인 공실률은 15%이다. 보증금 운용이율은 12%이다.

<자료 3> 지출자료

가격시점을 기준으로 과거 1년 간 임대자가 부담한 대상아파트의 경비내역은 다음과 같다. 주어진 것 이외의 경비항목은 없으며, 경비내역은 시장에서의 전형적인 그것과 일치한다고 가정한다.

(단위 : 만원)

이자	477만원
수도료	170만원
전기료	380만원
연료비	720만원
감가상각비	2,000만원
보험료	210만원
재산세	650만원
소득세	150만원
페인트칠	320만원
신규장비 구입	
냉장고 3개	150만원
가스레인지 2개	60만원
수선비	120만원
소모품비	40만원
소유자 급여	1,200만원
개인적 잡비	60만원
합 계	6,707만원

<자료 4> 경비의 수정사항

원룸아파트의 각 방에는 가스레인지와 냉장고가 설치되어 있는데, 이것들을 10년마다 교체되어야 한다. 2년 전에 800만원의 비용을 들여 설치한 보일러의 내용년수는 8년으로 추정되며, 아파트 외벽에 대한 페인트칠은 매 4년마다 하는 것으로 되어 있다. 유사아파트에 대한 전형적인 관리비는 유효총수익의 8%이다. 보험료, 재산세, 수선비, 연료비는 지난해에 비해 10% 정도 오를 것으로 소유자 급여는 100만원이 하락할 것으로, 그리고 나머지 항목들은 그대로일 것으로 판단된다.

【문제 3】 K 감정평가법인에 선임감정평가사로 재직 중인 당신은 수습감정평가사를 검토하고 있다. 대상부동산은 최근에 건립된 것으로 토지가격 3억원, 순수익 5,000만원, 경제적 잔존내용년수는 40년이다.
대상부동산의 토지가격은 시장증거에 의해 충분히 지지되고 있으며, 대상부동산의 자본수익률은 7%인 것으로 분석되었다.
수습감정평가사가 수집한 매매사례와 분석결과는 아래 표에서 보는 바와 같다.
수습감정평가사는 사례부동산들의 환원이율이 9.22%에서 9.30%에 이른다는 것으로 확인하고, 환원이율을 9.25%로 하여 대상부동산의 수익가격을 5,000만원/0.092=5억 4,000만원으로 평가했다.
당신은 이 같은 판단에 중대한 실수가 있다고 생각하고, 다음과 같은 절차로 수습감정평가사의 잘못을 지적하고자 한다. (15점)

1. 잔여환원법을 사용하여 대상부동산의 수익가격과 환원이율을 구하시오.
   그 결과치를 수습감정평가사가 산출한 수익가격 및 환원이율과 비교하시오.
   토지환원이율은 자본수익률로 건물환원이율은 자본수익률에 자본회수율(감가상각률)을 더한 값으로 하시오.

2. 각 사례별로 자본수익률을 분석하고, 그 결과가 대상부동산의 그것과 다르다는 것을 밝히시오. 자본수익률은 자본수익을 매매가격으로 나눈 것이다. 자본수익은 순수

익에서 자본회수액을 뺀 것이다.
사례부동산들의 경제적 잔존내용년수는 대상부동산과 마찬가지로 40년으로 모두 동일하다고 가정하고, 건물에 대한 자본회수는 직선법으로 하시오.

3. 이상의 분석 결과가 의미하는 바는 무엇이고 수습감정평가사는 어떠한 잘못을 행하고 있는지 설명하시오.

(단위 : 천원)

매매사례	매매가격	순수익	토지가격	환원이율
1	570,000	53,000	18,000	9.30%
2	545,000	50,400	137,000	9.25%
3	450,000	41,500	194,000	9.22%

【문제 4】 감정평가사 P는 ○○시로부터 "도시철도 ○호선 2-3공구"에 편입되는 토지 등에 대한 보상감정평가를 아래와 같이 의뢰받고 실지조사 등으로 감정평가에 필요한 자료를 수집하였다.
본건 감정평가 의뢰기관의 의뢰 내용과 제시된 조건 및 수집된 자료들을 이용하여 각 산출과정의 판단근거를 요약기재하고, 감정평가 의뢰목적에 부합하는 보상평가액을 산정하시오. (15점)
(저해율 산정 각 과정은 소수점 이하 4째 자리에서 반올림)

[감정평가 의뢰 내용]

가. 사업명 : 도시철도 ○호선 2-3공구 건설공사
나. 감정목적 : 지하 터널구간으로 구분지상권 설정
다. 가격시점 : 1998년 6월 30일
라. 의뢰토지 : ○○시 D구 C동 251-2번지, 대/대, 1,100m² 중 홍길동 지분 1/2
마. 기타사항 : 토피심도는 10m이며 지질은 풍화토(PD-2) 패턴임.

<수집자료 1>

가. 도시계획사항

일반상업지역, 방화지구, 도시철도 저촉

나. 적용 표준지

표준지 번호	소재지	지목		면적 (m²)	이용상황	용도지역	도로현황	형상지세	1998.1.1 공시지가(원/m²)
		공부	실제						
37	D구 C동 254-8	대	대	452	상업용	일반상업	광대한면	가장형 평지	6,000,000

※ 표준지는 대상지와 동일 노선상에 소재하여 지역요인은 동일하다.

다. 지가변동률(시점수정률로 적용할 것) : 2.5% 하락

라. 지역개황

상업지역의 대로변은 상업·업무용 복합용도 건물들이 주종을 이루고 있으며 행정기관에 조사한바 건축허가 가능 용적률은 1,000%이고 건폐율은 50%임.

마. 토지의 이용상황

지상 16층 지하 1층 철근콘크리트조의 상업·업무용 복합빌딩 소재.

1층부터 4층까지는 판매시설, 5층 이상은 사무실임.

경제적 내용년수는 60년에 장래보존년수가 42년이고 정상 관리됨.

바. 기타 : 본건 토지의 개별요인은 비교표준지와 동일함.

<수집자료 2>

가. 입체이용률배분표

지역별용적률 이용률	고층시가지	중층시가지	저층시가지
	800% 이상	550~750%	200~500%
건물등이용률(α)	0.8	0.75	0.75
지하이용률(β)	0.15	0.10	0.10
기타이용률(γ)	0.05	0.15	0.15
(γ)의 상하배분비율	1 : 1~2 : 1	1 : 1~3 : 1	1 : 1~3 : 1

• 이용저해 심도가 높은 토피 20m 이하의 경우에는 (γ)의 상하배분비율을 최고치로 적용한다.

나. 층별효용비율표

지역구분형별 층별	고층및 중층 시가지		저층시가지			
	A형	B형	A형	B형	A형	B형
20						
·	5층	2층	42	51		
·	이상은	이상은	42	51		
·	20층까지	20층까지	42	51		
·	각층 35	각층 43	42	51		
5			42	51	36	100
4	40		45	51	38	100
3	46		50	51	42	100
2	58		60	51	54	100
지상1	100	100	100	100	100	100
지하1	44	43	44	44	46	48
지하2	35	34	–	–	–	–

• 각 층의 전용면적은 동일한 것으로 본다.
• 이 표의 지수는 건물가격의 입체분포와 토지가격의 입체분포가 같은 것을 전제로 한 것이다.
• A형은 상층부 일정 층까지 임료수준에 차이를 보이는 유형이며, B형은 2층 이상이 동일한 임료수준을 나타내는 유형이다.

다. 건축가능 층수 기준표

풍화토(PD-2) 패턴

(단위 : 층)

구분 \ 토피(m²)	10	15	20	25
지상	12	15	18	22
지하	1	2	2	3

라. 심도별지하이용저해율표

한계심도	40m		35m		30m			20m	
토피심도(m)	P	$\beta \times P$	P	$\beta \times P$	P	$\beta \times P$		P	$\beta \times P$
		$0.15 \times P$		$0.15 \times P$		$0.10 \times P$	$0.15 \times P$		$0.10 \times P$
0~5 미만	1.000	0.150	1.000	0.100	1.000	1.000	0.150	1.000	0.100
5~10 미만	0.875	0.131	0.857	0.086	0.833	0.833	0.125	0.750	0.075
10~15 미만	0.750	0.113	0.714	0.071	0.667	0.667	0.100	0.500	0.050
15~20 미만	0.625	0.094	0.571	0.057	0.500	0.500	0.075	0.250	0.025
20~25 미만	0.500	0.075	0.429	0.043	0.333	0.333	0.050		

※. 토지심도의 구분은 5m로 하고, 심도별지하이용효율은 일정한 것으로 본다.

마. 한계심도

토지이용의 한계심도는 고층시가지 40m, 중층시가지 35m, 주택지 30m임.

【문제 5】 감정평가사 P는 ○○주식회사로부터 1998년 7월 1일 기준의 자산재평가를 의뢰받고 실지조사를 통하여 아래와 같은 자료를 수집하였다.
현행 자산재평가법에 따른 대상자산 취득가액과 자산재평가액을 산출하되 그 과정을 약술하고, 부당한 재평가신고 등에 해당하는지 여부를 검토하시오. (15점)

<주어진 자료 외의 별도 가격형성요인은 없으며 토지단가는 상위 넷째자리에서 반올림하고, 건물단가는 상위 넷째자리에서 절사하며, 기계설비는 평가총액백원자리에서 반올림>

[의뢰 물건별 조사 내용]

(기호 1 토지)

본사 주차장 부지로 '98년 2월 5일 1,200,000원/m^2에 취득하였고, '98년 1월 1일 기준 유사 표준지공시지가(1,560,000원/m^2) 대비 지가변동률을 4%하락되었고 개별요인은 5%열세이다.

(기호 2 토지)

현재 대표이사 개인에게 무상 임대하고 있는 "비업무용 토지"로 '96년 2월 21일 340,000원/m²에 취득하였고, 취득 당시 급매물을 10% 정도 싸게 매수한 후 담장 설치 비용이 15,000원/m² 소용되었고 '98년 1월 1일자 인근 유사 표준지 공시지가(400,000원/m²) 대비 지가변동률을 6% 하락되었고, 개별요인은 8% 열세이다.

(기호 3 건물)

15년 전 건축된 내용년수 40년의 1층(별도 목록으로 구분평가됨) 물류창고 위에 동일 구조로 3년 전에 증축한 2층 부분으로 건축비 250,000원/m², 건설자금이자 40,000원/m², 착공기념 행사비 10,000원/m²이 소요되었으며, 현재의 재조달원가는 360,000원/m²으로 적용하였다. (정액법 이용, 잔가율 : 0)

(기호 4 기계설비)

1996년 9월 1일 CIF $15,000에 미국에서 수입된 기계로 현재 관세감면의 사후관리를 받고 있다.

가. 현행 관세율 20%, 현행 감면율 50%, 농특세율 20%(수입 당시와 동일함)

나. 기계가격보정지수 : 1.0063

다. 설치비+부대비용 : 3%

라. 기준환율

수입당시 : 850원/$

재평가일 이전 평균치 : 1년 1,300원/$, 3개월 1,410원/$, 1개월 1,350원/$

마. 연간 감가율 : 0.142

(기호 5 기계설비)

1977년 3월 1일 15,000,000원에 취득한 기계로서 동종 유사품의 최근 구입가격이 30,000,000원이고 내용년수가 만료되었으나 관리상태를 고려할 때 가격시점 현재 장래보존년수가 3년 더 사용할 수 있는 것을 판단되어 관찰감가를 적용하였다

(연간 감가율 0.109 : 0.89117≒0.141)

제10회 감정평가사 2차 국가자격시험문제

교시	시간	시험과목
1교시	100분	① 감정평가실무

수험번호		성 명	

※ 공통유의사항

1. 각 문제는 해답 산정시 산식과 도출과정을 반드시 기재할 것
2. 단가는 유효숫자 셋째자리까지 표시, 지가변동률은 백분율로서 소수점 이하 넷째자리에서 반올림하여 셋째자리까지 표시할 것

【문제 1】 갑은 주거지역내 토지를 매입하여 빌라트를 건축할 준비를 진행하고 있다. 다음 물음에 대하여 답하시오. (40점)

(1) 본 토지의 1999년 9월 1일 현재의 가격을 구하시오.

(2) 본 빌라트를 분양할 경우와 임대할 경우를 비교하여 투자우위를 판단하고 의사결정과정을 기술하시오.

<자료 1> 기준일자

가격시점과 의사결정시점은 1999년 9월 1일을 기준으로 한다.

<자료 2> 대상토지에 관한 내용

1. 토지면적 : 3,000㎡
2. 매입일자 : 1998.6.1
3. 건축부지 : 2,500㎡
4. 대상토지 중 일부(500㎡)는 도시계획도로에 저촉되어 기부채납하기로 하였음.

<자료 3> 비교표준지의 공시지가

1999.1.1. 기준 : 610,000원/m^2

<자료 4> 지가변동률

기간	주거지역	상업지역	공업지역	녹지지역
1998년 1/4분기	-0.68	-0.45	-0.22	-0.60
2/4분기	-0.20	-0.36	-0.24	-0.32
3/4분기	-0.24	-0.34	0.00	-0.28
4/4분기	-0.51	-0.62	-0.02	-0.46
1999년 1/4분기	0.75	0.70	0.41	0.56
2/4분기	0.48	0.64	0.26	0.32

<자료 5> 거래사례 자료

1. 거래사례(A)
   (1) 토지 1,500m^2 건물 철근콘크리트조 슬라브지붕 2층 1,200m^2
   (2) 매매가격 : 1,200,000,000원
   (3) 사례부동산은 최유효이용에 미달되므로 시장가격에 비해 10%의 건부감가가 필요한 것으로 판단되었음.
   (4) 매매당시 토지와 건물의 가격 구성비율은 2 : 1로 조사되었음.
   (5) 거래대금 지급조건은 계약시(1998.9.1) 계약금으로 20%, 2개월 후 중도금 30%, 다시 1개월 후 잔금 50%지급으로 하였음.

2. 거래사례(B)
   (1) 토지 1,200m^2
   (2) 매매일자 : 1999.1.1
   (3) 명목상 거래가격은 900,000,000원이었고 그 중 1/3은 저당대부금으로 대체하였음.
   (4) 저당대부금은 매매시점 이후 3년동안 매년말 일정액을 균등상환하고, 저당이자는 매월말 미상환 저당잔금에 대하여 지불하는 조건이었음.

<자료 6> 요인비교

구분	건축예정지	사례지(A)	사례지(B)	비교표준지
지역요인	100	95	104	102
개별요인	100	112	125	106

<자료 7> 빌라트 건축계획

1. 대상토지에 철근콘크리트조 경사슬라브지붕 구조로 지하1층 지상 9층의 빌라트를 건축함.
2. 건축면적 : 연 6,500㎡
3. 건축호수 : 18세대(1세대당 280㎡)
4. 건축공사비는 준비시점(1999년 9월 1일) 당시 @1,200.000원/㎡이 소요될 것으로 예측되었으며, 건축공사착수시 30%, 착수시점부터 3개월 후 30%, 준공시 40%를 지불하기로 하였음.
5. 공사 스케줄

구분 \ 월	1999년				2000년							
	9월	10월	11월	12월	1월	2월	3월	4월	5월	6월	7월	8월
준 비	←──	────	──→									
건축공사				←──	────	────	────	────	────	────	────	──→
판매					←──	────	────	────	────	────	────	──→

<자료 8> 빌라트 분양계획

1. 분양가격 및 분양수입 : 분양가격은 세대당 650,000,000원으로 결정하고 판매 착수시 20%, 판매착수로부터 3개월이 경과된 때 30%, 준공시 50%의 분양수입이 되는 것으로 함.
2. 판매비와 일반관리비는 분양판매금액의 10%를 계상하되, 판매착수시 1/2, 건물준공시 1/2을 지불하는 것으로 함.

<자료 9> 빌라트 임대계획

본 빌라트는 준공과 동시에 임대완료되고 상당기간(최소한 1년 이상)동안 공실은 발생하지 않을 것으로 예상되고 있다.

1. 임료수입
   (1) 월지불임료 : 세대별 3,000,000원(월말 지불)
   (2) 보증금 : 세대별 250,000,000원
2. 필요제경비
   (1) 유지수선비 : 건물가격의 0.7%
   (2) 관리비 : 년 지불임료의 2%
   (3) 제세공과 : 토지가격의 0.4%와 건물가격의 0.5%
   (4) 손해보험료 : 건물가격의 0.15%로 하되 그 중 50%는 비소멸성으로 함.
       (비소멸성 보험의 만료기간은 5년)
   (5) 대손준비금 : 실질임료의 1%
3. 기타
   (1) 임대순수익 산출은 계산의 편의상 DCF분석을 활용하지 않고 수익환원은 직선법을 활용할 것.
   (2) 임료수입과 비용발생은 연간 단위로 하고, 매월 지불임료에 대한 이자는 고려하지 아니함.

<자료 10> 각종이자율, 이율 및 수익률

1. 시장이자율 : 년 12%
2. 상각전 환원이율 : 토지 5%, 건물 9%, 토지·건물 7%
3. 저당대부이자율 : 년 14.4%
4. 보험만기 약정이자율 : 년 6%
5. 보증금 운용이자율 : 년 8%
6. 기대수익률 : 10%

<자료 11> 계산단계별 단수처리

1. 계산은 소수점이하 넷째자리에서 사사오입한다.
2. 지가변동률은 소수점 이하 넷째자리까지 선택한다.
3. 각 단계의 모든 현금의 계산은 1,000원 이하의 금액은 절사한다.
4. 기간계산은 월단위로 한다.

<자료 12> 복리현가율표와 복리종가율표

1. 복리현가율표 $\frac{1}{(1+r)^n}$

n \ r	0.010	0.020	0.030	0.060	0.100	0.120	0.144
1	0.990	0.980	0.971	0.943	0.909	0.893	0.764
2	0.980	0.961	0.943	0.890	0.826	0.797	0.668
3	0.971	0.942	0.915	0.840	0.751	0.712	0.584
4	0.961	0.924	0.888	0.792	0.683	0.636	0.510
5	0.951	0.906	0.863	0.747	0.621	0.567	0.446
6	0.942	0.888	0.837	0.705	0.564	0.507	0.390
7	0.933	0.871	0.813	0.665	0.513	0.452	0.341
8	0.923	0.853	0.789	0.627	0.467	0.404	0.298
9	0.914	0.837	0.766	0.592	0.424	0.361	0.260
10	0.905	0.820	0.744	0.558	0.386	0.322	0.228
11	0.896	0.804	0.722	0.527	0.350	0.287	0.199
12	0.887	0.788	0.701	0.497	0.319	0.257	0.174
13	0.879	0.773	0.681	0.469	0.290	0.229	0.152
14	0.870	0.758	0.661	0.442	0.263	0.205	0.133
15	0.861	0.743	0.642	0.417	0.239	0.183	0.116
16	0.853	0.728	0.623	0.394	0.218	0.163	0.102
17	0.844	0.714	0.605	0.371	0.198	0.146	0.089
18	0.836	0.700	0.587	0.350	0.180	0.130	0.078
19	0.828	0.686	0.570	0.331	0.164	0.116	0.068
20	0.820	0.673	0.554	0.312	0.149	0.104	0.059
21	0.811	0.660	0.538	0.294	0.135	0.093	0.052
22	0.803	0.647	0.522	0.278	0.123	0.083	0.045
23	0.795	0.634	0.507	0.262	0.112	0.074	0.040
24	0.788	0.622	0.492	0.247	0.102	0.066	0.008
36	0.699	0.490	0.345	0.123	0.032	0.017	0.002
48	0.620	0.387	0.242	0.061	0.010	0.004	0.000
60	0.550	0.305	0.170	0.030	0.003	0.001	0.000
72	0.488	0.240	0.119	0.015	0.001	0.000	0.000
84	0.434	0.189	0.083	0.007	0.000	0.000	0.000

2. 복리종가율표 $(1+r)^n$

n \ r	0.01	0.02	0.03	0.06	0.1	0.12	0.144
1	1.010	1.020	1.030	1.060	1.100	1.120	1.144
2	1.020	1.040	1.061	1.124	1.210	1.254	1.309
3	1.030	1.061	1.093	1.191	1.331	1.405	1.497
4	1.041	1.082	1.126	1.262	1.464	1.574	1.713
5	1.051	1.104	1.159	1.338	1.611	1.762	1.959
6	1.062	1.126	1.194	1.419	1.772	1.974	2.242
7	1.072	1.149	1.230	1.504	1.949	2.211	2.564
8	1.083	1.172	1.267	1.594	2.144	2.476	2.934
9	1.094	1.195	1.305	1.689	2.358	2.773	3.356
10	1.105	1.219	1.344	1.791	2.594	3.106	3.839
11	1.116	1.243	1.384	1.898	2.853	3.479	4.392
12	1.127	1.268	1.426	2.012	3.138	3.896	5.025
13	1.138	1.294	1.469	2.133	3.452	4.363	5.748
14	1.149	1.319	1.513	2.261	3.797	4.887	6.576
15	1.161	1.346	1.558	2.397	4.177	5.474	7.523
16	1.173	1.373	1.605	2.540	4.595	6.130	8.606
17	1.184	1.400	1.653	2.693	5.054	6.866	9.846
18	1.196	1.428	1.702	2.854	5.560	7.690	11.263
19	1.208	1.457	1.754	3.026	6.116	8.613	12.885
20	1.220	1.486	1.806	3.207	6.727	9.646	14.741
21	1.232	1.516	1.860	3.400	7.400	10.804	16.863
22	1.245	1.546	1.916	3.604	8.140	12.100	19.292
23	1.257	1.577	1.974	3.820	8.594	13.552	22.070
24	1.270	1.608	2.033	4.049	9.850	15.179	25.248
36	1.431	2.040	2.898	8.147			
48	1.612	2.587	4.132	16.394			
60	1.817	3.281	5.892	32.988			
72	2.047	4.161	8.400	66.387			
84	2.307	5.277	11.976	133.565			

【문제 2】 부동산개발 사업자 "甲"은 1999년 6월 30일 토지구획정리사업을 완료하고 아래 자료와 같이 분양계획을 수립하였다. 다음 물음에 대하여 답하시오. (25점)

(1) 이 토지의 1999년 7월 1일 현재의 할인현금흐름분석표(Discounted Cash Flow Table)를 작성하고 현재가치(Present Value)를 구하시오.

(2) 이 토지에 대하여 "甲"이 추계한 현재가치가 적정한 것으로 보고 위 시점에서 이 토지를 "乙"이 3억원에 일괄 구입하였을 경우 "乙"의 투자에 따른 순현재가치(Net Present Value)를 구하시오. (이 때, "乙"의 기대(요구)수익률은 "甲"의 기대수익률과 동일한 것으로 한다)

(3) "내부수익률(Internal Rate of Return)"과 "순현재가치(Net Present Value)에 부응하는 기대(요구)수익률"과의 상관관계를 설명하시오.

(4) 내부수익률과 순현재가치의 투자지표를 활용하여 위(2)에서 "乙"이 결정한 투자결과의 타당성을 분석하시오.

<자료 1>

획지(Lot) 수는 40개이며 각 획지의 면적은 660㎡이고 위치별 가격격차는 없는 것으로 한다.

<자료 2>

이 구획정리지구는 도로포장, 상하수도설비, 전기 및 전화의 인입과 가스파이프의 설치 등 모든 편의시설이 완료된 상태이고, 획지는 1년 동안 4차에 걸쳐서 분양할 예정이며 매분기말 흡수율은 25%로 예상하고 있다.

<자료 3>

첫 매각시점(1분기)의 매각가격은 획지당 10,000,000원으로 결정하였으며 이후 매 분기마다 5%씩 상향조정하기로 하였다.

<자료 4>

토지매각에 따른 부대비용(마켓팅비용)은 총매각가격의 5%이고, 판매를 위한 사무소 유지비용은 분기당 5,000,000원으로 예상하였다.

<자료 5>

토지매각에 따르는 세금은 획지당 1,000,000원으로, 일반관리비는 매분기당 매각되는 획지당 200,000원으로 예상하고 있으며, 세금과 일반관리비는 분기말에 지급할 예정이다.

<자료 6>

기업자 이윤은 고려하지 않기로 하였고 할인율(Discount Rate)은 기대수익률로 하되 연 12%로 하기로 결정하였다.

<자료 7> 계산시 유의사항

1. 소수점 이하는 4자리에서 사사오입함.
2. 각 단계에 있어 모든 현금의 계산은 1,000원 이하를 절사함.

【문제 3】 감정평가시점의 발생감가상각(Accrued Depreciation)은 거래사례비교법으로도 계산이 가능하다. 다음 물음에 대하여 답하시오. (15점)

(1) 거래사례비교법에 의한 발생감가액 산출방법을 설명하시오.

(2) 다음 자료를 참고로 하여 대상부동산 중 건물의 연간감가액과 연간감가율을 거래사례 비교법으로 구하시오.

<자료 1>

감정평가사 S씨는 1999년 6월 1일 주거용 부동산에 대한 감정의뢰를 받고 사례조사를 한 결과 유사지역 안에 소재한 동 유형의 거래사례를 수집하였다.

<자료 2> 사례부동산

1. 소재지 : B동 175번지
2. 매매일자 : 1999.5.1
3. 매매가격 : 540,000,000원
4. 토지면적 : 360㎡
5. 건물면적 : 300㎡
6. 구축물면적 : 80㎡
7. 기타 : 도로접면은 세로각지, 향은 남향임

<자료 3> 지가변동률

1. 1998년 4/4분기 : -5%
2. 1999년 1/4분기 : -2%

<자료 4>

본 토지의 1998년 1월 1일 기준 개별공시지가는 750,000원/㎡이고 1999년 1월 1일 기준 개별공시지가는 확정되지 않았다. 또한 사례부동산의 토지규모 및 건축면적 등은 대상부동산과 매우 유사하나 가로조건만 대상부동산이 약 5%정도 불리한 것으로 조사되었다.

<자료 5>

사례부동산의 토지가격은 700,000원/㎡으로 평가하여 거래하였고 현재시점에서 상각자산의 총 재조달원가는 420,000,000원으로 파악되었다. 재조달원가 중 구축물에 귀속되는 부분은 10%정도인데 거래시 구축물은 재조달원가의 50%를 잔존가치로 인정한 것으로 조사되었다.

<자료 6>

사례부동산은 대상부동산과 동일한 건축업자가 1989년 4월 1일 동시에 준공하였으며, 현재의 관리상태 등 제반현상은 양호한 편이다.

【문제 4】 ○○도는 지방도 확포장공사를 위하여 XX리 5번지 토지 중 300㎡(5-1번지)를 협의 취득하였으나 노선변경으로 인하여 동부지의 일부 100㎡(5-2번지)가 도로사업에 필요하지 않게 되었다. 이에 종전 토지소유자가 환매권을 행사하여 환매가격 협의를 하게 되었다. 이 토지에 대하여 종전토지소유자가 부담하여야 할 환매금액을 1999년 8월 22일 기준으로 구하시오. (10점)

<자료 1> 협의취득내용

1. 협의취득 : 1994.4.1
2. 협의취득가격 : @100,000/㎡

<자료 2> 비교표준지 가격변동 추이

연도	1994.1.1	1995.1.1	1996.1.1	1997.1.1	1998.1.1	1999.1.1
공시지가(원/㎡)	90,000	100,000	110,000	115,000	110,000	121,000

<자료 3> 지가변동률 추이

대상토지가 속하고 있는 지역의 지가변동률은 다음과 같다.

연도	1994년	1995년	1996년	1997년	1998년	1999년 1/4분기	1999년 2/4분기
지가변동률(%)	5.0	2.0	3.0	0.6	-5.0	0.3	1.2

<자료 4>

인근에 소재하는 토지의 가격자료는 다음과 같으며, 아래의 사례자료는 적정한 가격을 반영하고 있다.

1. #7번지 : 1994.4.1 매매 @100,000/㎡
2. #7번지 : 1995.1.1 매매 @110,000/㎡
3. #2번지 : 1998.4.1 매매 @150,000/㎡
4. #2번지 : 1999.8.1 매매 @160,000/㎡

<자료 5>

환매 당시의 평가에 적용한 비교표준지<자료 2>는 당해 지방도 확포장공사와 관계 없는 인근유사지역에 소재하고 있다.

<자료 6> 대상토지의 현황

구분	모지번	편입지번	지목	용도지역	접면도로	형상
협의취득 시	5	5-1	전	자연녹지	맹지	부정형
환매 시	5-2	-	전	자연녹지	소로한면	부정형

<자료 7> 비교표준지 및 인근토지의 현황

구분	지목	용도지역	접면도로	형상
비교표준지	전	자연녹지	맹지	부정형
#7번지	전	자연녹지	맹지	부정형
#2번지	전	자연녹지	소로한면	부정형

<자료 8> 토지가격비준표

	소로한면	세로한면	맹지
소로한면	1.0	0.94	0.8
세로한면	1.06	1.0	0.85
맹지	1.25	1.17	1.0

【문제 5】 다음을 설명하시오. (10점)

(1) Feasibility Study(Feasibility Analysis)

(2) Real Estate Investment Trusts

제11회 감정평가사 2차 국가자격시험문제

교 시	시 간	시 험 과 목
1교시	100분	① 감정평가실무

수험번호		성 명	

※ 공통유의사항
1. 각 문제는 해답 산정시 산식과 도출과정을 반드시 기재할 것
2. 단가는 유효숫자 셋째자리까지 표시, 지가변동률은 백분율로서 소수점 이하 넷째자리에서 반올림하여 셋째자리까지 표시할 것

【문제 1】 감정평가사 K씨는 중앙토지수용위원회로부터 ○○택지개발사업지구에 편입된 토지 및 영농손실보상에 대한 재결평가를 의뢰받고 실지조사를 완료하였다. 주어진 자료를 활용하고 보상관련 법규의 제 규정을 참작하여 다음 물음에 답하시오. (30점)

(1) 토지조서의 일련번호(1~4) 토지에 대한 영농손실액을 산정하시오.

(2) 영농손실보상의 대상에 대하여 설명하시오.

(3) 토지조서의 일련번호(5) 토지의 현재 경작자에게 개간비를 보상할 수 있는지 여부를 개간비 보상의 취지와 관련하여 설명하고, 개간비 보상 대상인 토지의 보상금 산정방법에 대하여 설명하시오.

(4) 토지조서의 일련번호(6) 토지의 현실이용상황 판단을 공익사업을 위한 토지 등의 취득 및 보상에 관한 법률 제27조 규정에 의한 토지조서의 효력 및 공익사업을 위한 토지등의 취득 및 보상에 관한 법률 제70조 제2항 규정에 의한 현황평가수의와 관련하여 설명하시오.

<자료 1> 감정평가 의뢰내역

① 사업명 : ○○택지개발사업

② 시행자 : △△공사

③ 택지개발예정지구지정 고시일 : 1998.12.5

④ 택지개발계획승인 고시일 : 1999.9.20

⑤ 택지개발사업실시계획승인 고시일 : 2000.8.20

⑥ 가격시점 : 2000.6.20.

<자료 2> 토지조서

일련번호	소재지 지번	지목	면적(m^2)		실제이용상황	비고 (재배작물)
			공부	편입		
1	S시 L동 14	전	500	500	전	마늘
2	S시 L동 15	전	500	500	과수원	배
3	S시 L동 16	전	500	500	전	인삼
4	S시 L동 17	전	500	500	과수원	복숭아
5	S시 L동 산13	임야	500	500	전	−
6	S시 L동 산12	임야	500	500	임야	−

<자료 3> 농축산물표준소득표 [S시가 속한 도(道)의 것임]

작목명	농축산물소득자료(기준 : 10a)				비고
	조수입(원)	경영비(원)	자가노력비(원)	소득(원)	
마늘	2,576,000	611,000	376,000	1,965,000	년 1기작
백합	14,448,000	8,740,000	1,475,000	5,708,000	년 1기작
배	3,930,000	1,405,000	975,000	2,525,000	년 1기작
인삼	8,132,000	3,260,000	1,235,000	4,872,000	4년 1기작
복숭아	2,860,000	801,000	907,000	2,059,000	년 1기작

<자료 4>

① 전국농가평균 단위경작면적당 농작물수입 : 1,056원/m^2

② 도별연간농가평균 단위경작면적당 조수입 : 1,148원/m^2(S시가 속한 도의 것임)

<자료 5> 실지조사 내용

① 토지조서의 일련번호(1) 토지는 1999년 5월까지는 마늘을 재배하였으나 1999년 7월부터는 백합을 재배하고 있음
② 토지조서의 일련번호(2) 토지의 배나무는 1995년초에 식재되었으나 현재 미성과수목으로 수확시기 이전인 상태임
③ 토지조서의 일련번호(4) 토지의 복숭아나무는 과수목 보상으로 500,000원이 이미 지급되었음
④ 토지조서의 일련번호(5) 토지는 국유지로서 1990년에 A가 허가를 득하여 개간한 후 1997년까지 경작하였으나 이후 현재까지는 B가 점용허가를 득하여 경작하고 있음
⑤ 토지조서의 일련번호(6) 토지는 토지대장상 지목은 임야이나 현황은 축대로 조성된 평탄한 나지이며, 사업시행자는 공부상 지목과 현실이용상황이 상이하여 불법형질변경토지로 처리하였으나, 토지소유자는 현황평가해 줄 것을 요구하고 있음

【문제 2】 감정평가사 K씨는 S시장으로부터 도시철도건설공사와 관련하여 지하부분 사용에 따른 감정평가를 의뢰받고 사전조사 및 실지조사를 한 후 다음과 같이 자료를 정리하였다. 주어진 자료를 활용하여 다음 물음에 답하시오. (25점)

(1) 대상토지의 지하사용료 평가를 위한 토지의 기초가격을 공시지가에 의한 가격, 거래사례에 의한 비준가격을 구하여 결정하고 지하부분 사용에 따른 보상평가액을 구하시오.
(2) 공시지가 기준 평가시 비교표준지의 선정원칙과 본건의 기초가격 결정시 적용한 비교표준지의 선정이유를 설명하시오.
(3) 지하사용료의 평가시 입체이용저해율의 산정에 있어 최유효건물층수 결정시 참작할 사항을 설명하시오.
(4) 지하사용료의 평가시 입체이용저해율의 산정에 있어 저해층수를 설명하고 본건의 저해 층수를 결정한 후 그 이유를 기술하시오.

<자료 1> 감정평가 대상물건

① 소재지 : S시 K구 D동 257번지

② 지목 및 면적 : 대, 500㎡

③ 이용상황 및 도로교통 : 나지, 소로한면

④ 도시계획사항 : 일반상업지역, 도시철도에 저촉함.

⑤ 가격시점 : 2000.8.1.

<자료 2> 감정평가 대상토지에 대한 관련자료

① 감정평가의뢰 내용은 관련공부의 내용과 일치함.

② 대상토지의 주위환경은 노선상가지대임.

③ 감정평가 대상토지는 지하 18m에 지하철이 통과하고 있어 하중제한으로 지하 2층, 지상 8층 건물의 건축만 가능함.

④ 대상지역의 지역분류는 11~15층 건물이 최유효이용으로 판단되는 지역임.

⑤ 대상토지의 지반구조는 풍화토(PD-2) 패턴임.

⑥ 대상토지의 토피는 18m임.

⑦ 대상지역에 소재하는 건물은 상층부 일정층까지 임료수준에 차이를 보이고 있음.

⑧ 대상토지의 최유효이용은 지하 2층, 지상 15층 건물로 판단됨.

<자료 3> 인근의 공시지가 표준지 현황

(공시기준일 : 2000.1.1)

일련번호	소재지	면적(㎡)	지목		이용상황	용도지역	주위환경	도로교통	형상지세	공시지가(원/㎡)	비고
			공부	실제							
1	S시 K구 D동 150	450	전	대	단독주택	일반주거	정비된 주택지대	중로한면	가장형 평지	1,850,000	-
2	S시 K구 D동 229	490	대	대	상업나지	일반상업	노선상가지대	소로한면	부정형 평지	2,540,000	-
3	S시 K구 D동 333	510	대	대	업무용	일반주거	미성숙 상가지대	광대세각	부정형 평지	2,400,000	-

<자료 4> 거래사례자료

① 토지 : S시 K구 A동 230번지, 대 600㎡

② 건물 : 철근콘크리트조 슬라브지붕 5층, 근린생활시설 연면적 2,460㎡(지층 360㎡, 1층~5층 각 420㎡)

③ 거래가격 : 3,530,000,000원

④ 거래시점 : 2000.4.1

⑤ 도시계획사항 : 일반상업지역

⑥ 건물준공일은 1997.8.1이고, 내용년수는 60년임.

⑦ 본 거래사례는 최유효이용으로 판단됨.

<자료 5> 건설사례자료

① 토지 : S시 K구 A동 230번지, 대 400㎡

② 건물 : 철근콘크리트조 슬라브지붕 5층, 근린생활시설 연면적 2,400㎡ (지층~5층 각 400㎡)

③ 건축공사비 : 900,000원/㎡

④ 본 건물은 가격시점 현재 준공된 건설사례로서 표준적이고 객관적임

⑤ 건설사례건물과 거래사례건물의 개별적인 제요인은 대등함

<자료 6> 지가변동률

① 용도지역별

행정구역	평균	주거지역	상업지역	공업지역	녹지지역	비도시지역	비고
K구	0.74	0.54	1.27	–	0.54	–	1/4분기
	0.93	0.62	1.75	–	0.61	–	2/4분기

② 이용상황별

행정구역	전	답	대		임야	공장용지	기타	비고
			주거용	상업용				
K구	0.59	–	0.52	0.94	–	–	0.43	1/4분기
	0.73	–	0.43	1.31	–	–	0.58	2/4분기

<자료 7> 건축비지수

시점	건축비지수
1998.8.1	100
1999.8.1	104
2000.8.1	116

<자료 8> 지역요인 및 개별요인의 비교

① 지역요인의 비교

동일 수급권 내의 유사지역으로 동일한 것으로 판단됨

② 개별요인의 비교

구분	대상지	표준지1	표준지2	표준지3	거래사례
평점	100	110	100	122	95

<자료 9> 입체이용률배분표

해당지역	고층시가지	중층시가지	저층시가지	주택지	농지·임지
용적률 / 이용률구분	800% 이상	550～750%	200～500%	100% 내외	100% 이하
건물 등 이용률(α)	0.8	0.75	0.75	0.7	0.8
지하이용률(β)	0.15	0.10	0.10	0.15	0.10
기타이용률(γ)	0.05	0.15	0.15	0.15	0.10
(γ)의 상하 배분비율	1 : 1 -2 : 1	1 : 1 -3 : 1	1 : 1 -3 : 1	1 : 1 -3 : 1	1 : 1 -4 : 1

㈜ 이용저해심도가 높은 터널 토피 20m이하의 경우에는 (γ)의 상하배분율은 취고치를 저용한다.

<자료 10> 층별 효용비율표

층별	고층및 중층시가지		저층시가지				주택지
	A형	B형	A형	B형	A형	B형	
20	35	43					
19	35	43					
18	35	43					
17	35	43					
16	35	43					
15	35	43					
14	35	43					
13	35	43					
12	35	43					
11	35	43					
10	35	43					
9	35	43	42	51			
8	35	43	42	51			
7	35	43	42	51			
6	35	43	42	51			
5	35	43	42	51	36	100	
4	40	43	45	51	38	100	
3	46	43	50	51	42	100	
2	58	43	60	51	54	100	100
지상1	100	100	100	100	100	100	100
지하1	44	43	44	44	46	48	–
2	35	35	–	–	–	–	–

㈜ 1. 이 표의 지수는 건물가격의 입체분포와 토지가격의 입체분포가 같은 것을 전제로 한 것이다.

2. A형은 상층부 일정층까지 임료수준에 차이를 보이는 유형이며, B형은 2층 이상이 동일한 임료수준을 나타내는 유형이다.

<자료 11> 건축가능층수기준표

① 터널 : 풍화토(PD-2) 패턴

(단위 : 층)

토피(m) / 건축구분	10	15	20	25
지상	12	15	18	22
지하	1	2	2	3

② 개착

(단위 : 층)

토피(m) / 건축구분	5	10	15	20
지상	7	12	19	19
지하	1	2	2	2

<자료 12> 심도별 지하이용저해율표

한계심도(M)	40m		35m		30m			20m	
체감율(%) / 토피심도(m)	P	β×P	P	β×P	P	β×P		P	β×P
		0.15×P		0.15×P		0.10×P	0.15×P		0.10×P
0~5 미만	1.000	0.150	1.000	0.100	1.000	1.000	0.150	1.000	0.100
5~10 미만	0.875	0.131	0.857	0.086	0.833	0.833	0.125	0.750	0.075
10~15 미만	0.750	0.113	0.714	0.071	0.667	0.667	0.100	0.500	0.050
15~20 미만	0.625	0.094	0.571	0.057	0.500	0.500	0.075	0.250	0.025
20~25 미만	0.500	0.075	0.429	0.043	0.333	0.333	0.050		
25~30 미만	0.375	0.056	0.286	0.029	0.167	0.017	0.025		
30~35 미만	0.250	0.038	0.143	0.014					
35~40 미만	0.125	0.019							

㈜ 1. 지가형성에 잠재적 영향을 미치는 토지이용의 한계심도는 토지이용의 상황, 지질, 지표면하중의 영향 등을 고려하여 40m, 35m, 30m, 20m로 구분한다.

2. 토피심도의 구분은 5m로 하고, 심도별지하이용효율은 일정한 것으로 본다.

<자료 13> 기타사항

① 지가변동률은 백분율로서 소수점 이하 셋째자리에서 반올림하고, 2/4분기 이후 지가변동률은 전분기변동률을 추정 적용하되 일할 계산함.

② 가격산정시 천원 미만은 절사함.

③ 감가수정은 만년감가이며 감가수정방법은 정액법을 사용함.

④ 입체이용저해율은 소수점 셋째자리에서 반올림함.

⑤ 기타사항은 토지보상평가지침 및 일반평가이론에 의함.

【문제 3】 주어진 다음 자료(1~6)를 활용하여 아래 부동산의 비준가격과 수익가격을 산정한 후 감정평가액을 결정하시오. (20점)

<자료 1> 감정평가 대상물건

① 소재지 : X시 A동 200번지

② 지목 및 면적 : 대, 350㎡

③ 이용상황 및 도로교통 : 나지, 중로한면

④ 도시계획사항 : 일반상업지역

⑤ 감정평가목적 : 일반거래

⑥ 구하는 가격 : 정상가격

⑦ 가격시점 : 2000.8.1.

<자료 2> 인근의 공시지가 표준지 현황

(공시기준일 : 2000.1.1)

일련번호	소재지	면적(㎡)	지목	이용상황	용도지역	도로교통	공시지가 (원/㎡)	비고
1	X시 A동 180	360	대	상업나지	일반상업	중로한면	600,000	–
2	X시 A동 317	450	대	주거기타	자연녹지	소로한면	250,000	–
3	X시 B동 125	1,250	대	단독주택	일반주거	세로(가)	300,000	–
4	X시 B동 150	330	대	상업용	일반상업	중로한면	650,000	–

<자료 3> 임대사례

① 토지 : X시 A동 100번지, 대 320㎡, 일반상업지역, 중로한면

② 건물 : 연와조 슬라브지붕 3층, 연면적 576㎡

③ 임대시점 : 2000.8.1.

④ 임대내역

층 \ 구분	전유면적(㎡)	보증금(원/㎡)	월지불임료(원/㎡)	비고
3	169	500,000	2,400	–
2	169	600,000	3,000	–
1	150	2,000,000	20,000	–

⑤ 필요제경비(연간)

유지관리비 : 3,000,000원

제세공과금 : 1,100,000원

대손준비비 : 1,600,000원

공실손실상당액 : 800,000원

⑥ 건축시점 : 1999.1.1

건축단가 : 500,000원/㎡(표준적 건축비)

<주체부분 : 부대설비 = 80 : 20>

내용년수 : 주체부분 40년

부대설비 20년

⑦ 본 임대사례는 최유효이용으로 판단됨.

<자료 4> 지가변동률 및 건축비변동률

기간 \ 구분	X시 상업지역 지가변동률(%)	건축비변동률(%)
1999.1.1 ~ 12.31	5.20	7.0
2000.1.1 ~ 3.31	3.20	1.8
1999.4.1 ~ 6.30	4.00	1.5

㈜ 2000년 3/4분기 변동률은 아직 고시되지 않아 직전분기 변동률을 활용하여 일할 계산함

<자료 5> 지역요인 및 개별요인의 비교

① 지역요인의 비교

B동이 A동보다 5% 우세함.

② 개별요인의 비교

대상지	표준지1	표준지2	표준지3	표준지4	임대사례
100	90	60	70	95	95

<자료 6> 참고자료

① 보증금 운용이율 : 연 8%

② 토지의 환원이율 : 연 12%

③ 건물의 상각 후 세공제전 환원이율 : 연 15%

【문제 4】 감정평가사 K씨는 P은행으로부터 △△지점의 임대차를 위한 임료평가를 의뢰받았다. 연간 실질임료를 임대사례비교법 및 적산법으로 평가하고 이를 참작하여 임대부분(1층)의 정상임료를 결정하시오. (15점)

<자료 1> 감정평가 대상물건의 내역

① 토지 : A시 Y동 15번지, 대 800㎡

② 건물 : 철근콘크리트조 슬라브지붕 5층, 사무실, 연면적 1,900㎡

전유면적 : 1층~5층 각 292㎡

③ 임대부분 : 1층 292㎡(전유면적)

④ 토지와 건물은 최유효이용으로 판단됨.

⑤ 가격시점 : 2000.8.1

⑥ 감정평가목적 : 정상임료

⑦ 도시계획사항 : 일반상업지역

⑧ 건물준공일 : 2000.4.1

<자료 2> 임대사례

① 소재지 : A시 Y동 30소재, ○○은행 ○○지점

② 임대면적 : 철근콘크리트조 슬라브지붕 6층 중
1층 300㎡(전유면적)

③ 임대내역 : 임대보증금은 750,000,000원이며 필요제경비는 별도로 지불하나 월임료는 지불하지 않음.

④ 임대사례의 분석
본 임대사례는 은행에서 직접 임차한 사례로 정상임료로 판단됨.

⑤ 본건과 임대사례의 비교
본건과 임대사례는 인근지역에 소재하나 접근조건에서 본건이 약 10% 열세함.

⑥ 임대시점 : 1999.6.1.

<자료 3> 임료관련자료

① A시의 임료지수
1999.6.1 : 100
2000.6.1 : 112

② 필요제경비 : 순임료의 10%

③ 보증금 운용이율 : 연 10%

④ 기대이율 : 연 8 %

<자료 4> 대상물건의 가격자료

① 비교표준지 현황

(공시기준일 : 2000.1.1)

소재지	면적(㎡)	지목	이용상황	용도지역	주위환경	도로교통	형상지세	공시지가(원/㎡)	비고
A시 Y동 25	750	대	상업용	일반상업	노선상가지대	광대소각	제형평지	2,500,000	-

② 지가변동률

2000.1.1부터 가격시점까지의 지가변동률은 -5%임

③ 지역요인의 비교

본건과 표준지의 인근지역에 소재하여 지역격차 없음

④ 개별요인의 비교

본건과 표준지는 용도지역, 이용상황, 도로조건 등 제반 개별요인 대등함

⑤ 본 건물의 건축비는 600,000원/㎡이며, 적정한 것으로 판단됨

<자료 5> A시의 층별효용비율표

층별	저층시가지
5	45
4	49
3	56
2	68
지상1	100
지하1	47
2	–

【문제 5】 영업손실 보상평가시 수집할 자료와 조사사항을 설명하시오. (10점)

제12회 감정평가사 2차 국가자격시험문제

교 시	시 간	시 험 과 목
1교시	100분	1 감정평가실무

수험번호		성 명	

※ 공통유의사항

1. 각 문제는 해답 산정시 산식과 도출과정을 반드시 기재할 것
2. 단가는 유효숫자 셋째자리까지 표시, 지가변동률은 백분율로서 소수점 이하 넷째자리에서 반올림하여 셋째자리까지 표시할 것

【문제 1】 "갑"은 A빌딩을 매입하고자 한다. 다음 물음에 답하시오. (40점)

(1) A빌딩의 2001년 8월 26일을 가격시점으로 하는 감정평가액을 구하시오.

(2) (1)에서 구한 감정평가액으로 "갑"이 A빌딩을 매입하여 5년간 임대한 후 매각하고자 하는 경우의 투자타당성을 검토하시오.

<자료 1> A빌딩의 개요

1. 토지상황
   - 지목 : 대
   - 면적 : 1,000㎡
   - 용도지역 : 일반주거지역
   - 접면도로 : 소로한면

2. 건물상황

- 용도 : 업무시설 및 근린생활시설
- 구조 : 철근콘크리트조 슬라브지붕 5층
- 연면적 : 3,000㎡
- 신축일자 : 1995.9.26.

<자료 2> 비교표준지의 현황

지목	면적(㎡)	이용상황	용도지역	접면도로	공시지가(㎡)	공시기준일
대	879	상업용	일반주거	중로한면	1,050,000	2001.1.1

<자료 3> 토지에 대한 사례자료

아래의 사례는 인근지역에 소재하고 있으며 적정한 것으로 판단됨.

구분	사례의 종류	사례 시점	면적 (㎡)	용도 지역	이용 상황	접면도로	사례금액(원)	비고
사례 (1)	매매	2001.4.1	800	일반 주거	상업용	폭 12m	3,300,000,000	건물B가 소재함.
사례 (2)	경매 평가	2001.1.10	1,000	일반 주거	상업용	폭 10m	3,100,000,000	건물C가 소재함. 2001.7.1 평가금액의 90%에 낙찰됨.
사례 (3)	보상	2001.5.1	100	일반 주거	도로	폭 8m의 도로 내에 소재함	45,000,000	미불용지에 대한 보상임. 종전 공공사업(2001.1.5 준공)에 편입될 당시의 이용상황은 “전”이고 맹지상태였음.

<자료 4> 건물에 대한 자료

건물명	구조	연면적 (㎡)	개별요인 (신축단가 기준)	신축일자	신축단가 (원/㎡)	비고
A	철근콘크리트조 슬래브지붕5층	3,000	104	1995.9.26	–	3%의 기능적 감가요인이 있음
B	철근콘크리트조 슬래브지붕4층	3,000	98	2001.2.1	800,000	최근 신축한 건물로서 최유효 이용 상태임
C	철근콘크리트조 슬래브지붕5층	3,000	95	1996.6.29	–	5%의 기능적 감가와 5%의 경제적 감가요인이 있음

<자료 5> 토지특성에 따른 격차율

1. 이용상황

구분	상업업무	주거용	전
상업업무	1.00	0.90	0.66
주거용	1.11	1.00	0.73
전	1.52	1.37	1.00

2. 접면도로

구분	중로한면	소로한면	세로한면	맹지
중로한면	1.00	0.89	0.77	0.62
소로한면	1.13	1.00	0.87	0.70
세로한면	1.29	1.15	1.00	0.80
맹지	1.62	1.43	1.25	1.00

<자료 6> A빌딩의 현행 임료 등의 내역

층별	임대면적 (㎡)	전유면적 (㎡)	보증금 (㎡당)	월지불임료 (㎡당)	월관리비 (㎡당)	비고
1층	400	250	100,000	10,000	6,000	
2층	600	300	70,000	7,000	6,000	
3층	600	300	50,000	5,000	6,000	
4층	600	300	50,000	5,000	6,000	280㎡는 현재 공실 상태임
5층	600	300	50,000	5,000	6,000	
합계	2,800	1,450				

<자료 7> 인근 빌딩의 임료수준 등

- 인근 빌딩의 적정한 보증금과 월지불임료 수준은 A빌딩의 1.1배 수준이고 최근의 임료 변동추이가 향후에도 계속될 것으로 예측됨.
- A빌딩의 월관리비는 인근 빌딩의 수준과 유사하고, 현행 수준이 향후 5년간 유지될 것을 전제로 함.
- 인근 빌딩의 적정 공실률(대손 포함)은 5%로 조사되고 있으며, 이는 향후에도 지속될 것을 전제로 분석함.
- 제반 영업경비는 월 관리비의 83% 수준임.
- 철근콘크리트조 슬래브지붕 사무실에 적용하는 내용년수는 50년으로 함.
- 영업소득세율 : 과세표준 20%

<자료 8> 지가변동률 및 임료지수

1. 지가변동률

(단위 : %)

구분	주거지역	상업용	전
2001년 1/4분기	2.74	3.09	2.38
2001년 2/4분기	1.52	1.06	1.44

2. 임료지수

월별	임료지수	월별	임료지수
2000.12.	100.00	2001. 4.	101.80
2001. 1.	100.80	2001. 5.	101.50
2001. 2.	101.20	2001. 6.	101.80
2001. 3.	101.70	2001. 7.	102.00

<자료 9> 보증금운용이율 등

- 보증금 운용이율 : 연 10%
- 환원이율(Capitalization rate) : 연 8%
- 요구수익률 : 연 10%
- 저당대출이자율 : 연 8%
- 보증금을 월세로 전환할 경우에 적용하는 이율은 통상적으로 연15%인 것으로 조사되었음.

<자료 10> 복리현가율표

n \ r	8%	9%	10%	11%	12%	13%	14%
1	0.926	0.917	0.909	0.901	0.893	0.885	0.877
2	0.857	0.842	0.826	0.812	0.797	0.783	0.769
3	0.794	0.772	0.751	0.731	0.712	0.693	0.675
4	0.735	0.708	0.683	0.659	0.636	0.613	0.592
5	0.681	0.650	0.621	0.593	0.567	0.543	0.519

<자료 11> 기타

- "갑"은 A빌딩의 현행 임대보증금을 그대로 인수하고, 매입 후 즉시 인근빌딩의 임료수준으로 재계약할 예정임.

- "갑"은 A빌딩의 매수시 12억원을 저당대출금으로 충당하고 저당대출 원금은 빌딩 매각시 일시에 상환할 예정임.
- 2001년 8월 26일 현재의 가격을 소득접근법으로 구하는 경우에는 1차연도의 조소득을 기준으로 하여 환원대상 소득을 직접환원법(direct capitalization method)으로 환원함.
- 5년 후의 매각가격을 구하는 경우에는 환원대상 소득을 직접환원법(direct capitalization method)으로 환원함.
- 매입시점으로부터 5년 후 매각시 매각비용은 매각금액의 5%로 함.
- 지가변동률은 백분율로서 소수점 이하 셋째 자리에서 반올림함.
- 각 단계의 가격산정시 천원 미만은 반올림하고, 최종 감정평가액은 유효숫자 세자리까지로 함.

【문제 2】 감정평가사 A는 2001.8.20자로 중앙토지수용위원회로부터 평가의뢰를 받고 사전조사 및 실지조사를 통하여 <자료 1> 내지 <자료 8>을 수집하였다. 이 자료를 활용하여 다음 물음에 답하시오. (25점)

(1) 가격시점을 정하고 그 이유를 설명하시오.
(2) 대상토지의 평가를 위한 적정한 비교표준지 하나를 선정하고 그 이유를 설명하시오.
(3) 선정된 비교표준지의 연도별 공시지가 중 적정한 것 하나를 선택하고 그 이유를 설명하시오.
(4) 대상토지의 평가를 위한 시점수정률을 구하시오. (백분율로 소수점 셋째자리에서 반올림)
(5) 선정된 비교표준지와 대상토지의 지역요인 및 개별요인을 비교하고 격차율을 구하시오. (백분율로 소수점 둘째자리에서 반올림)
(6) <자료 3>을 참고하여 대상토지의 평가를 위한 기타사항(기타요인)의 보정률을 구하고 그 이유를 설명하시오. (백분율로 소수점 둘째자리에서 반올림)
(7) 대상토지의 적정보상평가액을 도출하시오. (단위면적당 가격은 "10원" 단위에서 반올림)

(8) 물건조서상의 무허가건물이 보상대상으로 된 이유를 설명하고 <자료 6>을 참고하여 그 적정보상평가액을 구하시오.

(9) <자료 7>을 참고하여 관상수의 적정보상평가액을 구하시오.

(10) <자료 8>을 참고하여 소유자가 운영하는 영업이 현행 보상관계 법령에서 영업으로 보는지 여부를 검토하고 적정한 보상평가액을 구하시오.

<자료 1> 감정평가의뢰서

- 사업명 : △△ 택지개발사업
- 사업시행자 : ○○공사 사장
- 수용재결일자 : 2001.7.1
- 평가목적 : 이의재결
- 평가조건 : 공익사업을 위한 토지 등의 취득 및 보상에 관한 법률 제70조 등 보상관계 법령의 규정, 판례 기타 평가의 일반이론, 절차 및 방법 등을 준수하여 평가
- 택지개발예정지구 지정고시일 : 1999.5.25
- 택지개발계획 승인고시일 : 2000.7.10
- 택지개발사업실시계획 승인고시일 : 2001.3.20
- 토지조서

소재지	지번	지목	면적(㎡)		비고
			공부	편입	
S시 P구 K동	105	전	1,200	1,200	

- 물건조서

기호	소재지	지번	물건의 종류	구조 규격	수량	비고
1	S시 P구 K동	105	주택 및 점포	벽돌조슬레이트 지붕	150㎡	무허가건물
2	S시 P구 K동	105	향나무	H : 3.0m W : 1.2m	50주	
3	S시 P구 K동	105	단풍나무	H : 2.0m R : 5cm	30주	

<자료 2> 표준지의 공시지가

일련번호	소재지	면적(m²)	지목	이용상황	용도지역	도로교통	형상지세	공시지가(원/m²)		
								1999.1.1	2000.1.1	2001.1.1
121	S시 P구 K동 115	1,105	전	전	자연녹지	세로(가)	부정형평지	120,000	130,000	145,000
122	S시 P구 K동 150	330	대	주거나지	자연녹지	세로(가)	부정형평지	210,000	230,000	250,000
123	S시 P구 K동 200	250	대	주상용	일반주거	소로한면	세장형평지	330,000	350,000	370,000

※ 위 표준지들은 모두 평가대상토지의 인근지역에 소재하며, 당해 택지개발사업지구 안에 위치하고 있다. 택지개발사업지구 밖 인근지역에는 비교가능한 적정한 표준지가 없는 것으로 조사되었다.

<자료 3> 토지에 대한 조사·확인사항

현지조사일(2001.8.26) 현재 감정평가사 A가 토지에 대하여 조사·확인한 사항은 다음과 같다.

- 이용상황 : 토지소유자가 1997년 5월경 국토의 계획 및 이용에 관한 법률 제46조의 규정에 의한 토지형질변경 및 농지법 제 36조의 규정에 의한 농지전용허가 등을 받지 아니한 상태에서 성토를 한 후 무허가건물을 건립하여 일부는 주택 및 간이음식점 부지로 이용하고 있고 나머지는 나지상태로 있다.
- 도시계획사항 : S시 도시계획구역에 속하며, 당초 자연녹지지역에 속하였으나 2001.3.20자로 당해 택지개발사업 실시계획승인이 고시됨에 따라 일반주거지역으로 용도지역이 변경되었다.
- 기타사항 : 표준지조사사항 및 가격평가의견서 등을 검토하고 실지조사한 결과에 의하면 <자료 2>의 표준지들의 1999.1.1자 및 2000.1.1자 공시지가에는 당해 공익사업으로 인한 개발이익이 현실화·구체화되지 아니하여 개발이익의 반영은 없었고 오히려 택지개발예정지구로 지정됨에 따른 행위제한 등으로 공법상 제한이 10% 반영된 것으로 조사되었으며, 2001.1.1자 공시지가에는 당해 공익사업으로 인한 개발이익이 5% 반영된 것으로 조사되었다.

<자료 4> 시점수정자료

• 지가변동률(건설교통부 조사·공표 "지가동향" 기준)

구분 / 기간별	행정구역별	지가변동률(%)				
		주거	녹지	전	대	
					주거용	상업용
1999년도 (1999.1.1~12.31)	S시	2.66	7.44	9.92	2.85	1.58
	S시 P구	4.56	10.20	13.06	5.27	2.49
2000년도 (2000.1.1~12.31)	S시	0.97	3.43	4.19	0.99	0.89
	S시 P구	2.28	4.83	8.25	2.44	2.02
2001년도 1/4분기 (2001.1.1~3.31)	S시	0.68	0.58	0.77	0.07	-0.04
	S시 P구	0.00	0.73	1.32	0.06	-0.05
2001년도 2/4분기 (2001.4.1~6.30)	S시	0.12	0.80	0.71	0.20	0.22
	S시 P구	0.11	1.37	1.26	0.35	0.48

※ 2001. 3/4분기((2001.7.1~9.30) 지가변동률은 조사·발표되지 아니하였으며, S시는 광역자치단체가 아니다.

• 생산자물가상승률(한국은행 조사 "생산자물가지수" 기준)

1998년 12월 지수	1999년 1월 지수	1999년 12월 지수	2000년 1월 지수
118.5	117.2	119.6	119.5

2000년 12월 지수	2001년 1월 지수	2001년 6월 지수	2001년 7월 지수
121.6	122.2	123.1	123.2

<자료 5> 개별요인 비교자료

현지조사결과 등에 의하여 <자료 2>의 표준지들과 평가대상토지의 개별요인을 비교하여 보면 다음과 같다.

• 일련번호 121 표준지에 비하여 평가대상토지는 다른 조건은 유사하나, 가로조건에서 2% 우세, 접근조건에서 2% 열세, 획지조건에서 5% 우세로 조사되었다.(대상토지를 자연녹지지역내 "전"으로 본 경우이다)

- 일련번호 122 표준지에 비하여 평가대상토지는 다른 조건은 유사하나, 접근조건에서 5% 열세, 환경조건에서 3% 열세, 획지조건에서 7% 열세, 행정적조건에서 15% 열세로 조사되었다.(대상토지를 자연녹지지역내 "대"로 본 경우이다.)
- 일련번호 123 표준지에 비하여 평가대상토지는 다른 조건은 유사하나, 가로조건 5% 열세, 접근조건 5% 열세, 환경조건 2% 열세, 획지조건 15% 열세, 행정적 조건 20% 열세로 조사되었다.(대상토지를 일반주거지역 내 "대"로 본 경우이다.)

<자료 6> 건물에 대한 조사사항

- 건물은 택지개발예정지구 지정 이전에 토지소유자가 건축한 무허가건물(1997.6.30)로서 그 재조달원가는 400,000원/㎡, 경제적 내용년수는 20년, 잔존가치는 없는 것으로 조사되었다.
- 건물은 이전 가능한 것으로 판단되며, 이전에 소요되는 통상비용(이전비)은 다음과 같이 조사되었다.
  - 해체비 : 6,000,000원
  - 운반비 : 2,000,000원
  - 정지비 : 1,500,000원
  - 재건축비 : 33,000,000원
  - 보충자재비 : 4,000,000원
  - 부대비용 : 5,000,000원

  ※ 재건축비에는 건축관계법령 개정으로 인한 건축설비 추가설치비용(관련부대비용 포함) 10,000,000원이 포함되어 있는 것으로 조사되었다.

<자료 7> 관상수에 대한 조사사항

관상수는 이식이 가능한 것으로 조사되었으며, 이식에 소요되는 비용은 다음과 같다.

(단위 : 원/주)

수종	규격	굴취비	운반비	상하차비	식재비	재료비	부대비용	수목가격	비고
향나무	H : 3.0m W : 1.2m	9,000	2,000	1,000	25,000	2,000	8,000	50,000	
단풍나무	H : 2.0m R : 5cm	6,000	1,000	500	15,000	1,500	6,000	45,000	

※ 이식에 따른 고손율은 10%를 적용하는 것이 적정한 것으로 조사되었다.

<자료 8> 기타 조사사항 등

무허가건물 일부에는 그 건물소유자가 소규모 식당을 운영하고 있으며, 현지조사시에 영업장소 이전에 따른 휴업 등에 대한 손실보상을 요구하고 있다. 조사된 영업상황은 다음과 같다.

- 영업의 종류 : 식품위생법상 일반음식점
- 영업개시일 : 1998년 1월
- 영업행위 관련 허가 또는 신고 이행 여부 : 소득세법 제168조의 규정에 의한 사업자등록은 되어 있으며, 다른 허가 또는 신고는 없었던 것으로 조사되었다.
- 최근 3년간 연간 평균소득 : 33,000,000원
  ※ 최근 3년간 연간 평균소득에는 영업을 하고 있는 소유자 부부의 연간 자가노력비상당액 12,000,000원이 포함되어 있다.
- 이전시 적정휴업기간 : 3월
- 휴업기간 중 고정적 비용 계속지출 예상액(화재보험료 등) : 2,000,000원
- 영업시설 및 재고자산 등의 이전비 : 3,600,000원
- 재고자산의 이전에 따른 감손상당액 : 700,000원

【문제 3】 대한민국 정부와 중국 정부간에 한중 어업협정이 체결됨에 따라 조업어장에서 어업활동에 제한을 받는 어업인의 폐업어선 등에 대한 지원사업으로 A호 어선에 대한 폐업지원금 산출 평가를 의뢰받은 감정평가사 L씨는 지원금 산출에 필요한 <자료 1>내지 <자료 7>을 수집하였다. 이 자료를 활용하여 다음의 물음에 답하시오. (가격시점 2001.8.1) (10점)

(1) 어선어업(허가어업)의 취소시 ①보상평가 기준 ②어선의 평가 방법 ③어선평가를 위한 기초자료에 대하여 기술하시오.

(2) 아래의 조사된 자료를 이용하여 A호 어선에 대한 폐업지원금(손실보상금)을 산출하시오.

<자료 1> 선박의 개요

<table>
<tr><td>어선번호</td><td>1</td><td colspan="2">어선명칭</td><td colspan="2">A호</td></tr>
<tr><td>어선종류</td><td>동력선</td><td colspan="2">선체재질</td><td colspan="2">강</td></tr>
<tr><td>총톤수</td><td>79톤</td><td colspan="2">주요치수(M)</td><td colspan="2">길이 : 24.51
너비 : 6.70
깊이 : 2.65</td></tr>
<tr><td>무선설비</td><td>SSB 1기</td><td colspan="2">어업종류</td><td colspan="2">근해통발어업</td></tr>
<tr><td rowspan="2">추진기관</td><td rowspan="2">디젤기관 1대
(500마력)</td><td>형식</td><td colspan="2">제작자</td><td>제작연월일</td></tr>
<tr><td>CAT3412DIT</td><td colspan="2">○○○</td><td>1997. 6월</td></tr>
<tr><td>최대승선인원</td><td colspan="5">어선원 : 12명　기타의 자 : 0명　계 : 12명</td></tr>
<tr><td>선적항</td><td>○○시</td><td colspan="2">조선지</td><td colspan="2">○○시</td></tr>
<tr><td>조선자</td><td>××조선㈜</td><td colspan="2">진수연월일</td><td colspan="2">1997.7월</td></tr>
</table>

<자료 2> 재조달원가 등

- ○○시에 소재하는 조선소에 어선의 재조달원가를 조사한 결과 강선은 4,500,000원/ton 수준이었음.
- 선박의 주기관의 가격조사를 한 결과 평가대상 선박인 1,800rpm의 고속기관은 마력당 200,000원으로 조사되었음.
- 의장품은 선박 건조시 신품으로 장착하였고 재조달원가는 250,000,000원으로 조사되었음.
- 어구는 2000년 6월에 구입하였으며, 재조달원가는 100,000,000원으로 조사되었음.

<자료 3> 내용년수 및 잔존가치율

구분	내용년수(년)	잔존가치율(%)
선체(강선)	25	20
기관	20	10
의장	15	10
어구	3	10

<자료 4> 연도별 어획량

(단위 : kg)

1995년	1996년	1997년	1998년	1999년	2000년	2001년
114,000	111,000	112,000	114,000	110,000	112,000	79,000

<자료 5> 월별 판매 단가

• 2000년

월	1	2	3	4	5	6	7	8	9	10	11	12
단가(원/kg)	5,000	5,000	5,100	5,200	5,200	5,200	5,300	5,300	5,300	5,200	5,200	5,100

• 2001년

월	1	2	3	4	5	6	7	8	9	10	11	12
단가(원/kg)	5,300	5,400	5,400	5,400	5,400	5,300	5,300	5,300	–	–	–	–

<자료 6> 정률표

구분	잔존가치율(10%)			잔존가치율(20%)
내용년수 / 경과년수	3	15	20	25
1	2/0.464	14/0.858	19/0.891	24/0.938
2	1/0.215	13/0.736	18/0.794	23/0.879
3	0.100	12/0.631	17/0.708	22/0.824
4		11/0.541	16/0.631	21/0.773
5		10/0.464	15/0.562	20/0.725
6		9/0.398	14/0.501	19/0.680
7		8/0.341	13/0.447	18/0.637
8		7/0.293	12/0.398	17/0.598
9		6/0.251	11/0.355	16/0.560
10		5/0.215	10/0.316	15/0.525
11		4/0.185	9/0.282	14/0.493

구분	잔존가치율(10%)			잔존가치율(20%)
경과년수 \ 내용년수	3	15	20	25
12		3/0.158	8/0.251	13/0.462
13		2/0.136	7/0.224	12/0.433
14		1/0.117	6/0.200	11/0.406
15		0.100	5/0.178	10/0.381
16			4/0.158	9/0.357
17			3/0.141	8/0.335
18			2/0.126	7/0.314
19			1/0.112	6/0.294
20			0.100	5/0.276
21				4/0.259
22				3/0.243
23				2/0.228
24				1/0.213
25				0.200

<자료 7> 기타

- A호에 적용할 어업 경비율은 85%로 조사되었음.
- 보상의 원인이 되는 “처분일”은 가격시점과 동일함.
- 선체·기관의 단가, 평균 연간어획량, 평년수익액의 산정시 1,000단위 미만은 버림.

【문제 4】 표준지공시지가를 조사평가함에 있어서 일단지의 개념과 판단기준 및 평가방법등을 설명하시오. (10점)

【문제 5】 토지·건물의 담보평가에 있어 대상물건을 현장조사한 결과 물적인 불일치가 있는 경우 그 처리방법을 제시하시오. (10점)

【문제 6】 국가 또는 지방자치단체가 재개발구역안의 국공유토지를 사업시행자인 재개발조합에게 사업시행인가일로 3년 이내에 매각하는 경우의 평가방법에 대하여 약술하시오. (5점)

제13회 감정평가사 2차 국가자격시험문제

교시	시간	시험과목
1교시	100분	① 감정평가실무

수험번호		성 명	

※ 공통유의사항

1. 각 문제는 해답 산정시 산식과 도출과정을 반드시 기재할 것
2. 단가는 유효숫자 셋째자리까지 표시, 지가변동률은 백분율로서 소수점 이하 넷째자리에서 반올림하여 셋째자리까지 표시할 것

【문제 1】 감정평가사 P는 토지와 건물로 구성된 복합부동산에 대한 감정평가 의뢰를 받고 사전조사 및 현장조사를 한 후 <자료 1>~<자료 11>을 수집하였다. 주어진 자료를 활용하여 순서에 따라 다음 물음에 답하시오. (30점)

1. 현장조사시 확인자료에 대하여 설명하시오.
2. 공시지가를 기준으로 감정평가할 경우 비교표준지의 선정원칙을 설명하고 대상토지의 가격결정에 있어 비교표준지의 선정이유를 설명하시오.
3. 감정평가가격을 다음 순서에 따라 구하시오.

   가. 토지가격의 산정

   (1) 공시지가를 기준한 가격

   (2) 거래사례비교법에 의한 비준가격

   (3) 수익환원법에 의한 수익가격

   (4) 토지가격의 결정 및 그 이유

   나. 건물가격의 산정

   다. 대상부동산의 토지와 건물가격

<자료 1> 감정평가의뢰내용

1. 공부내용
   가. 토지 : S시 S구 B동 100번지, 대, 2,000㎡
   나. 건물 : 철근콘크리트조 슬라브지붕 10층, 점포 및 사무실, 건물연면적 11,200㎡
   다. 소유자 : N
2. 구하는 가격의 종류 : 정상가격
3. 감정평가목적 : 일반거래(매매)
4. 가격시점 : 2002.8.25
5. 감정평가의뢰인 : N(소유자)
6. 접수일자 : 2002.8.22
7. 작성일자 : 2002.8.26.

<자료 2> 대상부동산에 대한 자료

1. 본건의 용도지역은 일반주거지역이고 기타 공법상 제한사항은 없음.
2. 현장조사결과 토지와 건물 모두 공부와 현황이 일치함.
3. 지목, 이용상황, 도로교통, 형상 및 지세 : 대, 상업용, 중로한면, 가장형, 평지
4. 대상물건은 최유효이용상태로 판단됨.
5. 건물은 5년전 준공되었으며 총공사비가 6,840,000,000원이 투입되었으나, 공사중에 설계변경이 있어 정상적인 공사비보다 다소 과다한 것으로 조사됨.

<자료 3> 인근의 공시지가 표준지 현황

(공시기준일 : 2002.1.1)

일련번호	소재지	면적(㎡)	지목	이용상황	용도지역	도로교통	형상 및 지세	공시지가(원/㎡)
1	S구B동101	2,000	대	상업용	일반상업	중로한면	정방형 평지	3,500,000
2	S구B동105	2,200	대	상업용	일반주거	중로한면	가장형 평지	3,000,000
3	S구B동110	1,800	대	단독주택	일반주거	소로한면	가장형 완경사	2,000,000

<자료 4> 거래사례

1. 물건 내용
   ① 토지 : S시 S구 B동 113번지, 대, 1,980㎡
   ② 건물 : 철근콘크리트조 슬라브지붕 7층, 사무실 / 건축연면적 8,100㎡
   ③ 지목, 이용상황, 도로교통, 형상 및 지세 : 대, 상업용, 중로한면, 정방형, 평지
2. 거래가격 : 11,205,000,000원
3. 거래일자 : 2002.4.1.

<자료 5> 임대사례

1. 물건내용
   ① 토지 : S시 S구 B동 124번지, 대, 2,100㎡
   ② 건물 : 철근콘크리트조 슬라브지붕 8층, 점포 및 사무실, 건축연면적 9,200㎡
   ③ 지목, 이용상황, 도로교통, 형상 및 지세 : 대, 상업용, 소로한면, 정방형, 완경사
2. 최근 1년간 수지상황

필요제경비(연간)		임대수입(연간 및 월간)	
감가상각비	218,459,520원	보증금운용익(연간)	100,000,000원
유지관리비	50,000,000원	월임료수입	85,000,000원
제세공과금	80,000,000원	주차장수입(월간)	15,000,000원
손해보험료	20,000,000원		
대손준비금	20,000,000원		
장기차입금이자	50,000,000원		
소득세	100,000,000원		

㈜ 1. 본건 사례물건은 100% 임대중임
2. 손해보험료는 전액 소멸성임

<자료 6> 건설사례

1. 수집된 건설사례는 표준적인 자료로 인정됨.
2. 기타사항은 <자료 8>을 참고하시오.

<자료 7> 지가변동률 및 건축비지수

1. 지가변동률(S시 S구)

가. 용도지역별

(단위 : %)

구분	주거지역	상업지역	공업지역	녹지지역	관리지역
2002년 1/4분기	2.54	1.24	4.24	3.20	1.20
2002년 2/4분기	3.00	2.36	1.24	2.40	3.26

나. 지목별

(단위 : %)

구분	전	답	대		임야	공장용지	기타
			주거용	상업용			
2002년 1/4분기	3.12	2.98	3.02	1.26	2.46	3.96	2.24
2002년 2/4분기	2.34	2.46	3.12	2.46	3.12	2.12	2.21

2. 건축비지수

연월일	1997.4.25	1997.8.24	2000.4.25	2002.4.1	2002.8.25
건축비지수	100	105	120	125	130

<자료 8> 대상 및 사례건물개요

항목 \ 건물	대상건물	거래사례	임대사례	건설사례
준공년월일	1997.8.24	2000.4.25	1997.4.25	2002.8.25
건축연면적	11,200m²	8,100m²	9,200m²	9,300m²
부지면적	2,000m²	1,980m²	2,100m²	2,050m²
시공정도	보통	보통	보통	보통
가격시점현재 잔존내용년수 주체부분 부대설치	 45 10	 48 13	 45 10	 50 15
도시계획사항	일반주거지역	일반주거지역	일반주거지역	일반주거지역
건물과 부지와의 관계	최유효이용	최유효이용	최유효이용	최유효이용
가격시점 현재 신축단가의 개별요인비교치	98	100	97	100

㈜ 1. 주체부분과 부대설비부분의 가액비율은 75 : 25　2. 감가수정은 정액법에 의함.
3. 건설사례의 재조달원가는 720,000원/m²임.

<자료 9> 토지에 대한 지역요인 평점

구분	대상물건	거래사례	임대사례
평점	100	102	85

<자료 10> 토지특성에 따른 격차율

1. 도로접면

구분	중로한면	소로한면	세로가
중로한면	1.00	0.83	0.69
소로한면	1.20	1.00	0.83
세로가	1.44	1.20	1.00

2. 형상

구분	가장형	정방형	부정형
가장형	1.00	0.91	0.83
정방형	1.10	1.00	0.91
부정형	1.21	1.10	1.00

3. 지세

구분	평지	완경사
평지	1.00	0.77
완경사	1.30	1.00

<자료 11> 기타사항

1. 2002년 2/4분기 이후의 지가변동률은 2002년 2/4분기 지가변동률을 유추 적용한다.
2. 지가변동률은 토지보상평가지침에 의거 소수점 셋째자리에서 반올림한다.
3. 토지단가는 토지보상평가지침에 의거 100,000원 단위 이상일 때 유효숫자 셋째자리, 그 미만은 둘째자리까지 표시함을 원칙으로 하되 반올림한다.

4. 건물단가는 천원미만을 절사한다.
5. S시 S구의 일반주거지역 상업용에 적용되는 토지의 환원이율 : 연 10%
6. 건물의 환원이율(상각후 세공제전) : 연 12%
7. 건물의 내용년수 만료시 잔가율 : 0
8. 건물의 감가는 만년감가를 한다.
9. 기타사항은 토지보상평가지침 및 일반감정평가이론에 따른다.

【문제 2】 감정평가사 K는 A기업으로부터 적성시설을 보유하고 정상적으로 가동중인 석탄광산에 대한 감정평가를 의뢰받고 사전조사 및 현장조사를 한 후 다음과 같이 자료를 정리하였다. 주어진 자료를 활용하여 다음 물음에 답하시오. (15점)

1. 광산의 감정평가가격과 광업권의 감정평가가격을 구하시오.
2. 광산의 감정평가시 사전조사 및 현장조사할 사항을 설명하시오.
3. 광산의 감정평가시 사용하고 있는 환원이율과 축적이율을 비교 설명하시오.

<자료 1> 연간수지상황

사업수익		소요경비	
정광판매수입		채광비	500,000,000원
		선광제련비	350,000,000원
월간생산량	50,000t	일반관리비, 경비 및 판매비	총매출액의 10%
판매단가	5,000원/t	운영자금이자	150,000,000원
		감가상각비	
		· 건물	30,000,000원
		· 기계기구	70,000,000원

※ 감정평가대상 광산의 연간수지는 장래에도 지속될 것이 예상됨.

<자료 2> 자산명세

자산항목	자산별 가격
토지 건물 기계장치 차량운반구 기타 상각자산	1,000,000,000원 750,000,000원 1,200,000,000원 150,000,000원 200,000,000원
합계	3,300,000,000원

<자료 3> 광산 관련자료

1. 매장광량 - 확정광량 : 5,500,000t   추정광량 : 8,000,000t

2. 가채율

구분	일반광산	석탄광산
확정광량 추정광량	90% 70%	70% 42%

3. 투자비(장래소요기업비)

   적정생산량을 가행최종년도까지 유지하기 위한 제반 광산설비에 대한 장래 총 투자소요액의 현가로서 장래소요기업비의 현가총액은 1,450,000,000원임.

4. 각종이율－환원이율 : 16%, 축적이율 : 10%

5. 기타자료

   ① 가격산정시 천원 미만은 절사함.

   ② 생산량은 전량 판매됨.

   ③ 가행년수(n) 산정시 연 미만은 절사함.

【문제 3】 감정평가사 A는 다음과 같은 조건으로 감정평가의뢰를 받았다. 주어진 자료를 활용하여 각각의 감정평가가격을 구하시오. (20점)

1. 2001.3.31 가격시점의 담보감정평가가격 : <자료 1>~<자료 4>
   가. 담보감정평가가격을 구하시오.
   나. 담보감정평가시 적정성 검토방법을 약술하시오.
2. 2002.3.31 가격시점의 경매감정평가가격 : <자료 5>~<자료 8>
   가. 경매감정평가가격을 구하시오. 단, 제시외건물이 토지와 일괄경매되는 조건
   나. 제시외건물이 타인 소유인 것으로 상정하여 당해 토지(토지대장등본상 C시 S읍 C리 121번지)의 경매감정평가가격을 구하시오.

<Ⅰ. 2001.3.31 가격시점의 자료>

<자료 1> 감정평가 의뢰내용

1. 소재지 : C시 S읍 C리 121번지, 답, 360㎡
2. 도시계획사항 : 도시지역(미지정)
3. 감정평가목적 : 담보

<자료 2> 사전조사사항

1. 등기부 및 토지대장등본 확인사항 : 답, 360㎡
2. 인근의 공시지가 표준지 현황

(공시기준일 2001.1.1)

일련번호	소재지	지목	면적(㎡)	용도지역	이용상항	도로교통	공시지가(원/㎡)
1	C시 126-2	대	500	미지정	상업용	소로한면	40,000
2	C시 119	답	400	미지정	답	세로(불)	18,000
3	C시 226	답	365	자연녹지	답	세로가	20,000

3. 지가변동률(C시)

(단위 : %)

용도지역	주거지역	상업지역	녹지지역	준농림지역	농림지역
2001년 1/4분기	-0.80	-2.00	0.00	1.05	0.95

4. 본 토지 및 유사물건 감정평가사례 : 없음.

<자료 3> 현장조사 사항

1. 지적도 및 이용상태(지적선 : 실선)

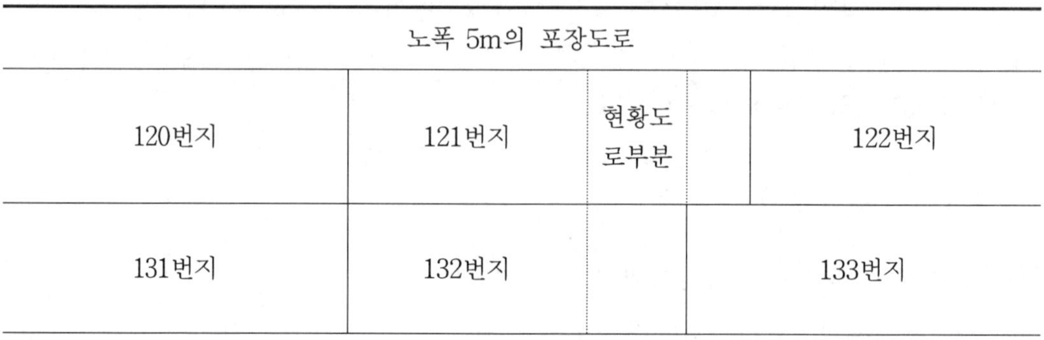

<table>
<tr><td colspan="5">노폭 5m의 포장도로</td></tr>
<tr><td>120번지</td><td>121번지</td><td>현황도로부분</td><td></td><td>122번지</td></tr>
<tr><td>131번지</td><td>132번지</td><td></td><td colspan="2">133번지</td></tr>
</table>

현장조사결과 본 토지 중 50㎡는 현황도로로 이용중이고 현황도로 부분과 C시 S읍 C리 122번지 사이의 토지 10㎡부분은 단독효용성이 희박한 것으로 조사되었음.

2. 거래사례

일련번호	소재지	지목	면적(㎡)	거래가격	거래일자	용도지역
1	C리 126-2	전	500	12,000,000	2001.2.1	미지정
2	C리 125	답	400	6,000,000	2001.1.9	미지정

가. 거래사례1은 외지인이 1년 이내에 음식점을 신축할 목적으로 정상가격보다 21%고가로 매입하였음.

나. 거래사례2는 친척간의 거래로 정상가격보다 저가로 거래되었음.

<자료 4> 기타자료

1. 지역요인 : 동일함
2. 개별요인 평점

구분	대상토지	표준지(1)	표준지(2)	표준지(3)	거래사례(1)	거래사례(2)
평점	100	160	90	100	90	110

※ 단, 대상토지의 평점은 현황도로 및 단독효용성 희박부분 외의 토지를 기준함.

3. 지가변동률은 토지보상평가지침에 의거 소수점 셋째자리에서 반올림함.
4. 토지단가는 토지보상평가지침에 의거 100,000원 단위 이상일 경우 유효숫자 셋째자리, 그 미만은 둘째자리까지 표시함을 원칙으로 하되 반올림함.

<Ⅱ. 2002.3.31 가격시점의 자료>

<자료 5> 감정평가의뢰내용

1. 소재지 : C시 S읍 C리 121번지, 답, 350㎡
2. 도시계획사항 : 자연녹지지역
3. 감정평가목적 : 경매

<자료 6> 사전조사사항

1. 등기부등본 확인사항 : 답, 350㎡
2. 토지대장등본 확인사항 : 토지대장등본을 확인한 바 C시 S읍 C리 121번지의 토지 이동사항은 아래와 같고 소유자는 관련 등기부등본상의 소유자와 동일함.

이동 전	이동 후	비고
답 360㎡	답 350㎡	2001.11.1에 답, 10㎡가 분할되어 C시 S읍 C리 122번지와 합병 (등기부정리 완료)
답 350㎡	답 300㎡	2001.12.1에 답, 50㎡가 분할되어 C시 S읍 C리 121-1번지로 분할

3. 당해토지 용도지역은 2001.12.1에 확정·변경되었음.

4. 인근의 공시지가 표준지 현황

(공시기준일 2002.1.1)

일련번호	소재지	지목	면적(m²)	용도지역	이용상황	도로교통	공시지가(원/m²)
1	C시 126-2	대	500	자연녹지	상업용	소로한면	40,000
2	C시 119	답	400	자연녹지	답	세로(불)	20,000
3	C시 226	답	365	자연녹지	답	세로가	22,000

5. 지가변동률(C시)

(단위 : %)

용도지역	주거지역	상업지역	녹지지역	준농림지역	농림지역
2002년 1/4분기	1.00	0.80	2.00	2.05	1.75

<자료 7> 현장조사사항

1. 지적도 및 이용상태(지적선 : 실선)

노폭 5m의 포장도로			
120번지	121번지 (ㄱ)	121-1번지	122번지
131번지	132번지	132-1번지	133번지

가. 현황도로인 C시 S읍 C리 121-1번지는 C시에서 농로를 개설하기 위해 직권분할하였으며, 보상감정평가는 이루어졌으나 보상금은 미수령 상태인 것으로 조사되었음.

나. 지적도상 C시 S읍 C리 121번지는 부지조성을 공정률 20%정도 진행하다 중단된 상태로 현재까지 지출된 비용은 3,000,000원(제시외건물과는 무관함)이고 이는 적정한 것으로 조사되었음.

2. 제시외건물에 관한 사항
   가. 본 토지상에 기호 (ㄱ)인 제시외건물이 소재하고 있으며 소유자는 알 수 없었음.
   나. 구조, 용도, 면적 : 경량철골조, 판넬지붕, 간이숙소, 30m²
   다. 신축시점 : 탐문결과 2002.1.1에 신축된 것으로 조사됨.

3. 보상선례 : 대상토지의 정상적인 거래시세 및 기타사항 등을 종합 참작한 적정 가격으로 분석되었으며, 공도 등으로 이용되는 대상토지는 보상평가 기준에 의거 감정평가한 것으로 조사되었음.

소재지	지목	면적(m²)	이용상태	가격시점	보상단가(원/m²)
C시 S읍 C리 121-1번지	답	50	도로	2002.3.31	8,500

※ 보상선례를 기준한 단가는 백원 미만을 절사함.

<자료 8> 기타사항

1. 대상토지에 적용되는 건폐율은 60%임.

2. 토지의 지역요인 : 동일함.

3. 토지의 개별요인

구분	대상토지	표준지(1)	표준지(2)	표준지(3)
평점	100	160	90	100

※ 단, 대상토지의 평점은 현황도로 및 단독효용성 희박부분 외의 토지를 기준함.

4. 경량철골조, 판넬지붕, 간이창고건물의 2002.3.31기준 표준적인 신축가격은 150,000원/m²이며 간이수소에 설치하는 난방, 위생설비 등의 설비 단가는 30,000원/m²임(내용연수는 30년)

5. 본 지역 관할법원에서는 토지와 제시외 건물의 소유자가 상이하여 일괄경매가 되지 않을 경우의 토지가격을 별도로 감정평가해줄 것을 요구 하고 있음. 이 경우 해당부분의 토지에 지상권이 설정된 정도의 제한을 감안(30%)하여 감정평가하는 일반적임.

【문제 4】 투자자 P는 감정평가사 K에게 부동산투자에 대한 자문을 구하였다. 감정평가사 K는 적절한 자산포트폴리오 구성을 위하여 150,000,000원 규모의 부동산에 향후 3년간 투자하는 것이 적정하다고 자문하고 2002.7.1에 투자부동산을 추천하였다. 다음 부동산의 투자수익률을 산정하고 투자의사결정을 하시오. 단, 부동산은 감정평가가격에 매입하는 것으로 가정하고 거래비용은 무시하며 투자 수익률은 아래공식을 활용한다. (15점)

$$r_{n=}\frac{NOI_n}{V_n}+\frac{V_{n+1}-V_n}{V_n}$$

r_n : n년의 연간 투자수익률

NOI_n : n년의 연간 순영업소득

V_n : 기초자산가치

V_{n+1} : 기말자산가치

<Ⅰ. A부동산에 관한 자료>

<자료 1> A 부동산의 개요

1. 토지 : C시 D구 E동 50번지, 200㎡, 일반주거지역
2. 건물 : 각층 바닥면적 100㎡, 3층, 상업용
3. 기타사항 : 토지와 건물은 당해지역의 표준적이용과 유사하며 최고최선의 이용상태에 있는 것으로 분석되었음.

<자료 2> A 부동산의 수익자료(2001.7.1~2002.6.30)

1. 2층 임대료 : 매월 5,000원/㎡, 임대면적은 바닥면적의 90%이며 이는 모든 층에 동일함
2. 기타소득 : 주차장 임대료는 연간 3,000,000원이 발생하고 있음.
3. 운영경비(OE) : 유효조소득(EGI)의 40%

<자료 3> A 부동산의 가격자료

A부동산의 적정한 감정평가 선례가 있으며 가격시점은 2002.6.30이고 감정평가 가격은 150,000,000원이다.

<자료 4> 기타자료

1. C시 일반주거지역내 상업용부동산의 순영업소득(NOI)과 부동산가치는 향후 5년간 매년 2%씩 상승하는 것으로 추정되었으며 그 모형은 신뢰할 만한 것임.
2. 시장의 전형적인 공실률 : 3%
3. 대상부동산과 유사한 상업용부동산의 층별효용비는 아래와 같음.

(단위 : %)

구분	1층	2층	3층
층별효용비	100	80	70

<Ⅱ. B 부동산에 관한 자료>

<자료 5> B 부동산의 개요

1. 토지 : F 시 G구 E동 120번지, 100㎡, 일반상업지역
2. 건물 : 연면적 200㎡, 3층, 상업용, 2001.7.1 신축
3. 기타사항 : 토지와 건물은 당해지역의 표준적이용과 유사하며 최고최선의 이용상태에 있는 것으로 분석되었음.

<자료 6> B 부동산의 수익자료(2001.7.1～2002.6.30)

B 부동산의 순영업소득(NOI)은 10,500,000원이고 당해 시장의 표준적인 수익을 시현하고 있는 것으로 조사되었음.

<자료 7> B 부동산의 토지감정평가자료

나지상태였던 본 토지에 대한 감정평가선례(가격시점 : 2000.7.10는 300,000원/㎡이고, 2000.7.1～2002.7.1간의 지가변동률(2% 상승)로 보정한 가격을 가격시점 현재의 공시지가 및 거래사례 등을 기준한 가격과 비교 검토한바 적정한 것으로 판단됨.

<자료 8> B 부동산의 건물감정평가자료

1. 본 건물의 2002.7.1 감정평가가격은 유사거래사례로부터 회귀분석모형을 구축하여 도출하는 것으로 함.

   회귀모형 $y=a+bx$

   회귀상수 $(a)=\dfrac{\sum y \cdot \sum x^2-\sum x \cdot \sum xy}{n\sum x^2-(\sum x)^2}$

   회귀계수 $(b)=\dfrac{n\sum xy-\sum x \cdot \sum y}{n\sum x^2-(\sum x)^2}$

2. 유사거래사례자료

   가. 사례건물은 대상건물과 경과년수 요인을 제외한 제반요인이 거의 동일하며, 건물가격과 경과년수간에는 선형관계가 있고 다른 요인의 건물 가격 영향은 무시함.

   나. 건물거래사례자료

사례	거래가격에서 적절하게 보정된 가격시점의 건물가격(원/㎡)	가격시점 현재의 경과년수
1	580,000	3
2	500,000	10
3	520,000	7
4	560,000	5
5	600,000	0

※ 구축한 모형의 R^2(결정계수)값은 충분히 유의하여 모형채택이 가능하다고 봄.

<자료 9> 기타자료

F시 상업지역내 상업용부동산의 순영업소득(NOI)과 부동산가치는 향후 5년간 매년 4%씩 상승하는 것으로 추정되었으며 그 모형은 신뢰할 만한 것임.

【문제 5】 개발제한구역안 토지의 감정평가를 설명하시오. (10점)

【문제 6】 감정평가사 P는 S법원으로부터 경매감정평가를 의뢰받고 사전조사 및 현장조사를 한 후 감정평가서를 작성하였다. 이 경우 감정평가 가액 산출근거 및 그 결정에 관한 의견에 기재할 핵심적인 사항을 약술하시오. (5점)

【문제 7】 보상선례 등을 적용하여 기타요인 보정률을 산출하는 방법과 보상선례의 참작에 대하여 약술하시오. (5점)

제14회 감정평가사 2차 국가자격시험문제

교 시	시 간	시 험 과 목
1교시	100분	① 감정평가실무

수험번호		성 명	

※ 공통유의사항

1. 각 문제는 해답 산정시 산식과 도출과정을 반드시 기재할 것
2. 단가는 유효숫자 셋째자리까지 표시, 지가변동률은 백분율로서 소수점 이하 넷째자리에서 반올림하여 셋째자리까지 표시할 것

【문제 1】 감정평가사 홍길동은 의뢰인 벽계수씨로부터 부동산 매입타당성 검토를 의뢰받고 예비조사와 실질조사를 통하여 <자료 1>~<자료 2>를 수집하였다. 주어진 자료를 활용하여 다음 물음에 답하시오. (40점)

1. 감정평가 3방식을 적용하여 대상부동산의 정상가격을 구하시오.
2. 대상부동산에 대하여 ○○은행에서 제시하는 조건의 저당대출을 받을 경우 cash equivalence(금융조건을 고려한 대상부동산의 가치)를 구하시오.
3. 저당대출을 받을 경우의 대상부동산에 대한 매입타당성 여부를 검토하고 그 이유를 설명하시오.

<자료 1> 대상부동산의 기본자료

1. 소재지 : A시 B구 C동 100번지
2. 토지 : 지목 : 대, 면적 : 600m²

3. 건물
   - 구조 및 용도 : 철근콘크리트조 슬라브 지붕 7층 점포 및 사무실(상업용), 건축 연면적 : 3,200㎡
   - 건물은 1998.8.31에 준공되었으며, 총공사비는 2,000,000,000원이 투입되었으나 시공회사와 건축주의 분쟁으로 정상적인 공사비보다 다소 과다한 것으로 조사됨.
   - 건물의 물리적 내용년수는 55년이며 경제적 내용년수는 50년으로 판단됨.
4. 토지이용계획확인서상의 도시계획사항
   - 일반상업지역, 도시계획도로에 접함.

5. 임대수지내역

임대수입(연간)		필요제경비(연간)	
보증금 운용이익	50,000,000원	장기차입금이자	15,000,000원
지불임료	384,000,000원	유지관리비	8,000,000원
		제세공과(토지,건물)	2,500,000원
		손해보험료(소멸성)	1,000,000원
		대손준비금	10,000,000원
		감가상각비	직접 산정할 것

6. 대상부동산에 대한 저당대출 조건
   가. 벽계수씨는 저당대출을 받는 조건으로 3,900,000,000원에 대상부동산의 매수 제안을 받았음.
   나. 저당대출 조건
      1) 대출금액 : 감정평가액의 60%
      2) 대출이자율 : 6%/연
      3) 대출기한 : 30년(만기까지 존속)
      4) 상환방법 : 매년 원리금 균등분할상환
      5) 시장이자율 : 12%/연

7. 가격조사 완료일 : 2003.8.25
8. 조사결과 대상부동산의 임대수지는 인근수준 대비 적정하며 앞으로도 현 수준을 유지할 것으로 파악됨.

<자료 2> 인근의 표준지공시지가 현황

(공시기준일 2003.1.1)

일련번호	소재지	면적(㎡)	지목	이용상황	용도지역	주위환경	도로교통	형상지세	공시지가(원/㎡)
1	A시B구C동 103	500	대	상업용	일반상업	상가지대	중로한면	정방형 평지	3,800,000
2	A시B구C동 107	550	대	상업용	일반주거	주택 및 상가지대	중로한면	가로장방형 평지	2,900,000
3	A시B구C동 109	600	대	단독주택	일반주거	주택 및 상가지대	소로한면	정방형 평지	2,200,000

<자료 3> 거래사례(㉮)

1. 물건내용
   가. 토지 : A시 B구 D동 98 대 580㎡, 일반상업지역
   나. 건물 : 철근콘크리트조 슬라브 지붕 2층 점포 및 사무실, 건축연면적 700㎡

2. 거래가격 : 2,100,000,000원

3. 거래일자 : 2002.4.1

4. 기타사항
   가. 위 건물은 1974년에 준공된 노후 건물로 최유효이용상태에 미달하여 매입 직후 철거되고 현장조사일 현재 6층 건물을 신축중임.
   나. 계약당시 매수인은 건물의 잔재(폐재)가치를 20,000,000원, 건물의 철거 및 잔재처리비를 50,000,000원으로 예상하고 이를 매입하였음.
   다. 건축업자가 건물신축 후 분양을 위해 신속한 명도조건으로 정상가격보다 5% 높게 매매한 것임.

<자료 4> 거래사례(㉯)

1. 물건내용
   가. 토지 : A시 B구 D동 113 대 500㎡, 일반상업지역
   나. 건물 : 철근콘크리트조 슬라브 지붕 6층 점포 및 사무실, 건축연면적 2,500㎡
2. 거래가격 : 4,150,000,000원
3. 거래일자 : 2002.8.31
4. 기타사항 : 본건 거래사례는 대상부동산에 비해 개별요인(수량요소 포함)에서 5% 우세하며, 이 부동산의 과거 1년간 가격상승률은 10%임.

<자료 5> 임대사례(㉰)

1. 물건내용
   가. 토지 : A시 B구 D동 115 대 550㎡, 일반상업지역
   나. 건물 : 철근콘크리트조 슬라브 지붕 6층 점포 및 사무실, 건축연면적 2,700㎡
2. 임대시점 및 기간 : 2002.1.1부터 2년간
3. 임대수지 내역
   가. 총 임대수입(연간) : 430,000,000원
   나. 필요제경비 : 총 임대수입의 20%임(감가상각비 포함)
4. 기타
   본건 사례물건은 100% 임대중임.

<자료 6> 건설사례(㉱)

1. 인근지역에서 대상물건과 시공재료·구조 등 제반 물적 사항이 유사한 상업용 건물의 건설사례를 조사한 결과 가격시점 현재 표준적인 건축비용은 평당 2,500,000원으로 파악되었음.
2. 기타사항은 <자료 7>을 참고할 것

<자료 7> 대상 및 사례건물 개요

항목 \ 건물	대상건물	거래사례(㉯)	임대사례(㉰)	건설사례
준공일자	1998.8.31	2001.3.31	2000.6.30	2003.8.31
대지면적	600㎡	500㎡	550㎡	520㎡
건축연면적	3,200㎡	2,500㎡	2,700㎡	2,200㎡
시공정도	보통	보통	보통	보통
가격시점 현재 잔존내용연수	45	48	47	50
도시계획사항	일반상업지역	일반상업지역	일반상업지역	일반상업지역
건물과 부지와의 관계	최유효이용	최유효이용	최유효이용	최유효이용
가격시점 현재 재조달원가(신축단가)의 개별요인비교치	98	96	100	100 (2,500,000원/평)

※ 감가수정은 정액법에 의하며 만년 감가함.(잔가율=0)

<자료 8> 지역요인 비교

비교표준지	대상물건	거래사례(㉮)	거래사례(㉯)	임대사례(㉰)
100	100	102	105	110

<자료 9> 개별요인 비교

비교표준지	대상물건	거래사례(㉮)	거래사례(㉯)	임대사례(㉰)
100	90	100	–	100

<자료 10> 지가변동률, 임료지수, 건축비지수

1. 지가변동률

<A시 B구>

(단위 : %)

구분	주거지역	상업지역	대		기타
			주거용	상업용	
2002년1/4분기	5.12	3.12	5.10	5.50	3.12
2002년2/4분기	2.35	3.26	2.20	3.30	1.56
2002년3/4분기	9.01	7.91	7.0	10.10	5.95
2002년4/4분기	6.23	3.28	5.30	7.15	2.01
2003년1/4분기	2.25	2.50	2.80	3.10	2.10
2003년2/4분기	2.00	2.20	2.12	2.15	1.60

2. 임료지수

연월일	2001.01.01	2002.01.01	2002.07.01	2003.01.01	2003.08.31
임료지수	100	110	115	120	127

3. 건축비지수

연월일	2001.01.01	2002.01.01	2002.07.01	2003.01.01	2003.08.31
임료지수	100	129	133	137	141

<자료 11> 보증금운용이율 및 환원이율

보증금운용이율	B구 상업지역 상업용토지의 환원이율	상각 후 세공제전 건물 환원이율
5%/연	8%/연	10%/연

<자료 12> 복리현가계수, 연금현가계수, 저당상수

(r = 연이율, n = 년)

1. 복리현가계수$\left(\frac{1}{(1+r)^n}\right)$

n \ r	0.06	0.12
1	0.9433	0.8928
30	0.1741	0.3337
60	0.0303	0.0011

2. 연금현가계수$\left(\frac{1-(1+r)^{-n}}{r}\right)$

n \ r	0.06	0.12
1	0.9433	0.8928
30	13.7648	8.0551
60	16.1614	8.3240

3. 저당상수$\left(\frac{r}{1-(1+r)^{-n}}\right)$

n \ r	0.06	0.12
1	1.0600	1.1200
30	0.0726	0.1241
60	0.0618	0.1201

<자료 13> 기타

1. 지가변동률은 백분율로서 소수점이하 셋째자리에서 반올림함.
2. 토지 및 건물의 단가와 금액은 천원미만을 절사함.
3. 토지에 귀속하는 순이익의 시점수정은 임료지수를 활용할 것.
4. 가격시점은 의뢰인이 제시한 2003.08.31임.

【문제 2】 감정평가사 J는 K씨로부터 ○○천 정비사업과 관련하여 보상목적의 감정평가를 의뢰받았다. 주어진 자료를 활용하고 보상 관련법규의 제 규정을 참작하여 세목별 보상가격을 구하시오. (시점수정치는 백분율로서 소수점이하 셋째자리에서, 격차율은 소수점이하 셋째자리에서 반올림하고 단가는 십원단위에서 반올림 하시오.) (35점)

<자료 1> 감정평가 의뢰내역

① 사업명 : ○○천 정비사업
② 시행자 : K 시장
③ 실시계획 인가일 : 2003.5.1
④ 가격시점 : 현장조사 완료일(2003.8.28.)

<자료 2> 토지조서

일련번호	소재지 지번	지목	면적(m²)		실제이용 상황	소유자	관계인	
			공부	편입			성명	권리내역
1	K시P구 I동151	답	2,200	300	전	A	–	
2	K시P구 I동152	전	800	150	전	A	한국전력공사	구분지상권
3	K시P구 I동153	전	200	120	전	B	–	
4	K시P구 I동154	대	400	100	관리사 및 전	C	○○농협	근저당권
5	K시P구 I동155	전	2,500	40	도로	D	–	

<자료 3> 물건조서

일련번호	소재지 지번	물건의 종류	구조, 규격	수량(m²)	소유자	비고
1	K시P구 I동151	비닐하우스	철파이프, 비닐 6.0m×5.0m	30.0	A	일부편입
2	K시P구 I동151	비닐하우스	철파이프, 비닐 6.0m×5.0m	30.0	A	일부편입
3	K시P구 I동153	관리사	조립식판넬 철파이프 보온덮개 3.0m×15m	45.0	C	일부편입

<자료 4> 표준지공시지가 자료

일련번호	소재지 지번	면적(㎡)	지목	이용상황	용도지역	도로교통	형상지세	공시지가(원/㎡)	
								2002.1.1	2003.1.1
가	K시P구I동 101	350	대	주거나지	개발제한 자연녹지	세로(가)	사다리형 평지	120,000	150,000
나	K시P구I동 159	1,000	답	전	개발제한 자연녹지	세로(불)	부정형 평지	45,000	58,000
다	K시P구I동 301	650	잡종지	전기타	개발제한 자연녹지	중로한면	부정형 평지	100,000	120,000
라	K시P구M동 20	400	대	단독	개발제한 자연녹지	세로(가)	사다리형 평지	180,000	210,000
마	K시P구M동 150	1,200	전	전	개발제한 자연녹지	세로(가)	부정형 평지	40,000	50,000

※ I동과 M동은 유사지역임.

<자료 5> 시점수정 자료

• 지가변동률(건설교통부 조사발표 『지가동향』, K시 P구)

(단위 : %)

구분 / 지가	P구 평균	녹지지역	전	답	대(주거용)
2001.4.1~12.31	0.62	0.66	0.32	0.24	0.99
2002.1.1~12.31	20.68	23.28	24.27	23.61	19.02
2002.7.1~12.31	14.14	15.04	16.23	16.22	13.13
2003.1.1~3.31	1.36	1.17	1.33	0.0	1.99
2003.4.1~6.30	1.13	1.95	2.28	0.79	1.02
2003.1.1~6.30	2.51	3.14	3.64	0.79	3.03

※ 2003년 3/4분기 지가변동률은 조사·발표되지 않았음.

• 생산자 물가상승률(한국은행조사, 『생산자물가지수』 기준)

(1999=100)

2001.3	2001.4	2001.12	2002.12	2003.1	2003.7
122.9	123.2	120.8	126.4	127.7	128.8

<자료 6> 토지특성에 따른 격차율 자료

• 대상토지는 개발제한구역내 "전" 지대에 소재하는 토지로서 비교표준지 대비 지목·접면도로 이외의 요인은 유사함.

지목		대	전	답
	대	1.0	0.80	0.78
	전	1.25	1.0	0.98
	답	1.28	1.02	1.0

접면도로		소로한면	세로(가)	세로(불)
	소로한면	1.0	0.97	0.92
	세로(가)	1.03	1.0	0.95
	세로(불)	1.08	1.05	1.0

<자료 7> 토지에 대한 조사·확인 자료

현장조사일 현재 감정평가사 J가 토지에 대해 조사·확인한 자료는 다음과 같음.

1) 주위환경

인근지대는 채소 등 농작물을 재배하는 근교농경지대임.

2) 토지이용 및 접면도로 상태

구분 일련번호	이용상황	접면도로	비고
1	하우스 작물 재배	세로(가)	
2	노지 채소 재배	세로(불)	
3	전(휴경지)	세로(가)	
4	관리사 및 과 재배	세로(가)	
5	현황 도로	세로(가)	

3) 토지에 대한 기타사항

① 본건 토지 일대는 광역도시계획수립지침에 의한 환경보전가치가 2등급지 내지 3등급지인 것으로 확인됨.

② 일련번호2 토지의 구분지상권 설정사항에 대하여 한국전력공사에 문의한 결과 다음과 같은 내용을 통보 받음.

송전선로 명칭	선하지 면적	구분지상권 내역	
		설정시기	보상금액
○○ 구간 35kV	200㎡	2001.4.1	2,400,000원

일련번호2 토지의 선하지 면적 중 당해 사업에 편입된 부분은 80㎡임.

③ 일련번호3 토지는 2002.11.20 농업용창고 신축허가(철골조, 100㎡)를 적법하게 받은 상태이며 가격시점 현재 동일 종류의 허가를 받는데 소요되는 비용은 5,000원/㎡인 것으로 조사됨.

- 본건 일대에서 농업용창고 신축허가를 받은 상태의 "전"은 그렇지 아니한 "전"보다 약 15% 정도 높게 거래되는 것이 일반적임.

④ 일련번호4 토지의 ○○농협 근저당권 설정액은 45,000,000원임.

- 본건 토지는 개발제한구역지정 당시부터 지목이 "대"임
- 본건 토지를 대지로 조성하는데 소요되는 적정비용은 12,000원/㎡인 것으로 조사됨.

⑤ 일련번호5 토지는 새마을사업에 의하여 도로부지를 편입된 것으로 편입당시 지적도 및 현황도를 확인한 바 접면도로는 세로(불)이며, 좁고 긴 토지로 약 10%의 추가 감가 요인이 있는 것으로 조사됨.

<자료 8> 지장물에 대한 자료

① 일련번호1, 일련번호2 비닐하우스는 이전이 가능한 것으로 판단되고 이전에 소요되는 통상비용은 5,000원/㎡이며 잔여부분의 보수비는 50,000원/동으로 조사됨

② 본건 건물 중 일련번호3 관리사(1998.5.30 신축, 무허가)는 이전이 가능하고 재조달원가는 180,000원/㎡이며 경제적 내용년수는 20년, 잔존가치는 없음.

- 본건 중 일련번호3 건물은 구조상 편입부분을 철거한 경우 잔여부분의 보수가 사실상 불가능할 것으로 판단되며 전체면적은 97.5㎡임.

• 관리사 전체의 이전에 소요되는 통상비용

(단위 : 원)

해체·운반비	정지비	재건축비	부대비용
2,700,000	500,000	10,500,000	1,800,000

※ 재건축비에는 보충자재비 1,500,000원 및 연탄난로를 유류난로로 교체하는데 소요되는 추가비용 1,000,000원이 포함되어 있음.

<자료 9> 선하지 공중사용에 따른 사용료 평가시 적용되는 보정률 산정자료

• 입체이용배분율표(공중부분 사용에 따른 토지의 이용이 입체적으로 저해되는 정도)

해당지역	고층시가지	중층시가지	저층시가지	주택지	농지·임지
용적률 / 이용률구분	800% 이상	550~750%	200~500%	100% 내외	100% 이하
건물 등 이용률(α)	0.8	0.75	0.75	0.7	0.8
지하 이용률(β)	0.15	0.10	0.10	0.15	0.10
기타 이용률(γ)	0.05	0.15	0.15	0.15	0.10
γ의 상하 배분비율	1 : 1~2 : 1	1 : 1~3 : 1	1 : 1~3 : 1	1 : 1~3 : 1	1 : 1~4 : 1

※ γ의 상하배분비는 최고치를 적용함.

• 감정평가사 J는 송전선로 건설로 인한 선하지의 공중부분 사용에 따른 사용료 평가시 입체이용저해 외에 토지의 경제적가치가 감소되는 정도에 대한 적용보정률을 다음과 같이 판단함.

추가보정률	쾌적성 저해요인	시장성 저해요인	기타 저해요인
16%	4%	8%	4%

※ 감정평가사 J는 추가보정률 외에 영구사용에 따른 보정률을 4% 추가하는 것이 타당하다고 판단함.

<자료 10> 기타사항 보정자료

1. 거래사례

소재지 지번	지목	이용 상황	면적 (㎡)	금액(원)	거래시점	비고
M시 P구 I동 140	답	전	1,200	91,200,000	2003.4.1	1) 거래내용에 대해 조사한바 마을 주민간의 정상적 거래로 판단됨. 2) 대상토지(일련번호1)는 사례대비 개별요인 3% 열세임.

2. 보상평가 선례

소재지 지번	지목	이용상황	편입면적(㎡)	금액(원)	가격시점	사업명
M시 P구 H동 130	전	전	100	7,500,000	2002.7.1	○○도로공사

※ 대상토지(일련번호1)는 보상평가선례와 비교할 때 개별요인에서 5% 열세임.
※ I동 H동보다 지역요인에서 10% 열세임.

【문제 3】 보상평가시 개발이익의 배제방법에 관하여 구체적으로 기술하시오. (10점)

【문제 4】 아래의 자료를 이용하여 2002.12.31자 비상장회사인 ○○주식회사의 영업권의 가치를 평가하시오. (10점)

<자료 1> 수정 후 잔액시산표

계정과목	금액(원)	계정과목	금액(원)
현금예금	380,000,000	외상매입금	1,950,000,000
유가증권	530,000,000	차입금	9,500,000,000
외상매출금	1,100,000,000	대손충당금	210,000,000
이월상품	2,000,000,000	퇴직급여충당금	2,120,000,000
토지	8,500,000,000	감가상각충당금(건물)	650,000,000
건물	6,500,000,000	감가상각충당금	1,876,000,000
기계기구	3,500,000,000	(기계기구)	
판매관리비	1,157,000,000	자본금	3,400,000,000
매입	2,900,000,000	매출	6,861,000,000
계	26,567,000,000	계	26,567,000,000

<자료 2>

- 동종업종의 정상수익률은 영업권을 제외한 순자산의 10%임.
- 초과수익은 영업이익기준이며 장래초과수익은 제반여건을 고려할 때 향후 3년간 지속될 것으로 판단됨.
- 시장할인율은 연 9%임.
- 평가금액은 백만원 단위까지 산정.

【문제 5】 ○○아파트 단지내 동일평형 아파트가 층·향·위치 등의 차이에 따라 서로 다른 가격으로 거래되고 있다. 그 가격격차 발생요인을 약술하시오. 단, 단지내 아파트의 외부요인 및 건물요인을 동일한 것으로 본다. (5점)

제15회 감정평가사 2차 국가자격시험문제

교 시	시 간	시 험 과 목
1교시	100분	1 감정평가실무

수험번호		성 명	

※ 공통유의사항
1. 각 문제는 해답 산정시 산식과 도출과정을 반드시 기재할 것
2. 단가는 유효숫자 셋째자리까지 표시, 지가변동률은 백분율로서 소수점 이하 넷째자리에서 반올림하여 셋째자리까지 표시할 것

【문제 1】 감정평가사 K씨는 복합부동산에 대한 감정평가를 의뢰받고 사전조사와 현장조사를 통해 다음과 같은 자료를 수집하였다. 주어진 자료를 활용하여 다음 물음에 답하시오. (40점)

(1) 토지와 건물 각각의 가격을 산출하여 복합부동산의 가격을 구하시오.

(2) 현금흐름할인분석법(DCF법)에 의하여 토지와 건물의 일괄평가 가격을 구하시오.

(3) 시산가격의 조정을 통한 평가액 결정시 각 평가방법에 내재되어 있는 특징을 통하여 가격결정의견을 제시하고, 복합부동산의 일괄평가에 확대 적용할 수 있는 산정기법 및 유의사항을 서술하시오.

<자료 1> 평가대상물건 개요

1. 토지
   1) 소재지 : S시 K구 A동 100번지
   2) 용도지역 : 일반상업지역
   3) 토지특성 : 대, 820㎡, 가로장방형, 평지, 소로한면

2. 건물 : 철근콘크리트조 슬라브지붕 지하1층 지상5층

	면적(㎡)	이용상황
지하 1층	287	점포 및 주차장
지상 1층	574	점포
2층	574	점포
3층	574	병원
4층	574	병원
5층	574	학원
계	3,157	

3. 조사기간 : 2004년 8월 24일~2004년 9월 1일

4. 감정평가목적 : 일반거래(매매참고용)

<자료 2> 공시지가 표준지 내역

(S시 K구)

번호	소재지 지번	면적(㎡)	지목	이용 상황	용도지역	도로교통	형상지세	공시지가(원/㎡)
1	A동 80	89	대	상업용	일반상업	중로한면	사다리 평지	3,200,000
2	A동 90	800	대	상업용	일반상업	세로(가)	정방형 평지	2,100,000
3	B동 70	120	대	주상용	준주거	세로(가)	정방형 평지	2,100,000
4	B동 75-1	750	대	주상용	준주거	소로한면	가장형 평지	1,800,000
5	B동 90-2	900	대	상업용	일반상업	세로(가)	사다리 평지	2,500,000

㈜ 2번 표준지는 일부(30%)가 도시계획시설(도로)에 저촉되고 있음.

<자료 3> 거래사례

1. 거래사례 1
   1) 토지 : S시 K구 B동 200번지, 대, 750㎡, 일반상업지역, 사다리, 평지, 소로한면
   2) 건물 : 위 지상 조적조 기와지붕 단층 창고, 면적 180㎡
   3) 거래일자 : 2004년 6월 1일
   4) 거래금액, 거래조건 등
      ① 채권최고액을 7억5천만원으로 하는 근저당권이 설정되어 있으며, 매수인이 미상환 대부액 4억원을 인수하는 조건으로 18억3천만원을 현금으로 지급함.
      ② 저당대출조건
      - 대출기간 : 2002.6.1~2012.5.31
      - 원리금 상환방법 : 매년 원리금 균등상환
   5) 기타사항
      거래 당시 지상에 소재하는 창고의 철거에 따른 비용 12,000,000원은 매도인이 철거 용역회사에 지불하기로 함.

2. 거래사례 2
   1) 토지 : S시 K구 C동 150번지, 대, 900㎡, 일반상업지역, 정방형, 평지, 세로(가)
   2) 건물 : 위 지상 철근콘크리트조 슬라브지붕 상업용 건물 (지하1층, 지상5층), 지하층 315㎡, 지상층 연면적 3,150㎡
   3) 거래가격 : 48억원
   4) 거래일자 : 2003년 10월 5일
   5) 기타사항 : 매도자의 급한 사정으로 약 5% 저가로 거래되었음.

3. 거래사례 3
   1) 토지 : S시 K구 C동 250번지, 대, 780㎡, 일반상업지역, 세장형, 평지, 소로한면
   2) 거래가격 : 23억 5천만원
   3) 거래일자 : 2002년 8월 1일
   4) 기타사항 : 별도의 사정보정 요인이 없는 정상적인 거래임.

4. 거래사례 4
   1) 토지 : S시 K구 D동 240번지, 대, 750㎡, 일반상업지역, 사다리, 평지, 중로한면
   2) 거래가격 : 16억원
   3) 거래일자 : 2004년 5월 10일
   4) 기타사항 : 별도의 사정요인이 없는 정상적인 거래임.

<자료 4> 조성사례

1. 소재지 등 : S시 K구 B동 50번지, 대, 700㎡, 일반상업지역, 세로장방형, 평지, 소로한면

2. 조성전 토지매입가격 : 2,000,000원/㎡(토지매입시 지상에 철거를 요하는 조적조 슬라브지붕 2층 건물 연 240㎡가 소재하여 이를 매수자가 철거하는 조건으로 거래하였으며, 매입당시 예상철거비는 50,000원/㎡, 예상폐재가치는 5,000,000원이었으나 실제 철거비는 60,000원/㎡, 실제 폐재가치는 4,000,000원이 발생된 것으로 조사됨)

3. 조성공사비 : 4억5천만원(매분기초에 균등분할지급)

4. 일반관리비 : 조성공사비 상당액의 10%(공사 준공시 일괄 지급)

5. 적정이윤 : 조성공사비 상당액과 일반관리비 합계액의 8%(공사 준공시 일괄 지급)

6. 공사일정 등
   1) 조성전 토지 매입시점 : 2002년 8월 1일
   2) 공사착공시점 : 2003년 1월 1일
   3) 공사준공시점 : 2004년 1월 1일
   4) 토지매입비는 공사착공시의 조성원가로 함.

<자료 5> 최근 임대사례

1. 토지
   1) 소재지 : S시 K구 D동 70번지
   2) 용도지역 : 일반상업지역
   3) 토지특성 : 대, 920㎡, 사다리, 평지, 소로한면

2. 건물
   철근콘크리트조 슬라브지붕 지하1층 지상6층, 상업용건물 연면적 3,400㎡

3. 임대수입자료
   1) 보증금 : 3,000,000,000원
   2) 지불임료 : 660,000,000원(3년분이며 임대개시시점에 일시불로 지불하는 조건임)

4. 영업경비자료
   1) 손해보험료 : 30,000,000원(3년분이며 일시불로 기초에 지불하고, 그 중 40%는 비소멸성이며 보험만료기간은 3년임)
   2) 공조공과 : 20,000,000원/연
   3) 공실손실상당액 : 2,500,000원/월
   4) 유지관리비 : 50,000,000원/연

5. 자본회수기간
   1) 임대사례 인근지역에서 표본 추출하여 분석한 표준적인 상업용부동산의 자본회수기간은 다음과 같음.

표본	자본회수기간 (년)
가	9.9
나	9.7
다	10.3
라	10.0
마	10.2
바	9.0

   2) 위 자본회수기간은 상각전 순이익을 기준으로 한 자료임.

<자료 6> 지가변동률 등

1. 지가변동률

	평균	용도지역별(%)				이용상황별(%)						
		주거	상업	공업	녹지	전	답	대		임야	공장용지	기타
								주거	상업			
2001년	2.10	1.87	1.76	2.73	1.28	2.93	3.28	1.36	1.02	2.02	2.63	2.04
2002년	1.84	2.15	1.71	1.19	0.27	3.05	2.65	1.54	1.15	2.44	1.76	1.91
2003년	3.88	4.20	3.30	4.00	3.20	5.10	5.60	3.40	2.70	3.10	2.73	1.80
2004년 1/4분기	1.21	1.20	1.36	0.50	0.84	1.92	1.50	0.70	0.71	0.42	0.77	0.30
2004년 2/4분기	1.12	1.15	1.22	0.60	0.76	1.58	0.52	1.21	1.37	0.59	0.92	1.27

㈜ 2004년 3/4분기 지가변동률은 미고시 상태임.

2. 생산자물가지수

시점	2002.1	2003.1	2004.1	2004.7
지수	130	132	139	141

3. 건축비지수

시점	2002.1	2003.1	2004.1	2004.7
지수	102	109	114	117

<자료 7> 지역요인 비교자료

1. K구 같은 동의 사례는 지역요인이 동일함.
2. K구 A동과 B동은 인근지역으로서 지역요인 동일하나, A동 또는 B동을 기준으로 한 C동과 D동은 동일수급권내 유사지역으로서 지역요인이 상이하고 그 격차를 알 수 없음.
3. 건물의 경우에는 지역격차를 별도로 고려하지 아니함.

<자료 8> 개별요인비교자료

1. 도로접면

	광대한면	중로한면	소로한면	세로(가)
광대한면	1.00	0.93	0.86	0.83
중로한면	1.07	1.00	0.92	0.89
소로한면	1.16	1.09	1.00	0.96
세로(가)	1.20	1.12	1.04	1.00

2. 형상

	정방형	가로장방형	세로장방형	사다리형	부정형	자루형
정방형	1.00	1.05	0.99	0.98	0.95	0.90
가로장방형	0.95	1.00	0.94	0.93	0.90	0.86
세로장방형	1.01	1.06	1.00	0.99	0.96	0.91
사다리형	1.02	1.08	1.01	1.00	0.97	0.92
부정형	1.05	1.11	1.04	1.03	1.00	0.95
자루형	1.11	1.16	1.10	1.09	1.05	1.00

3. 지세

	평지	완경사	급경사	고지	저지
평점	1.00	0.97	0.92	0.90	0.96

<자료 9> 표준건축비 등

1. 표준건축비와 내용년수

	목조	조적조	철골조	철근콘크리트조
지상층의 표준건축비(원/평)	1,800,000	2,000,000	1,700,000	2,500,000
물리적 내용년수	60	60	60	100
경제적 내용년수	45	45	40	50

㈜ 지하층의 표준건축비(재조달원가)는 지상층의 70% 수준임.

2. 건물의 개별격차 등

	거래사례2 건물	임대사례 건물	대상 건물
사용승인일자	2002.5.10	2001.12.5	2001.10.20
개별요인비교	97	105	100

㈜ 건물개별요인은 지하층과 지상층을 포함한 것이고, 잔가율은 미반영된 것임.

<자료 10> 대상부동산의 임대자료

1. 대상부동산은 현재 최유효이용상태이고, 대상부동산은 조사한 결과 최근에 계약갱신된 4층(병원)의 임대자료가 포착되었으며 이는 적정한 것으로 판단됨.

2. 4층 임대자료
   1) 4층 전체의 연간 지불임료는 165,000원/㎡이며, 당해 지역의 일반적인 공실률은 3% 수준임.
   2) 부가사용료 및 공익비는 적정수준이며 지불임료와는 별도로 징수하고 있음.

3. 4층 각종 지출내역
   지난 1년간 소유자가 4층 부분에 지출한 내역은 다음과 같고, 향후에도 동일한 수준에서 지출될 것으로 조사됨.
   1) 부가물설치비 : 10,000,000원
   2) 수도료 : 50,000원/월
   3) 전기료 : 150,000원/월
   4) 연료비 : 200,000원/월
   5) 소유자급여 : 1,500,000원/월
   6) 손해보험료 : 3,000,000원/연(보험료 중 2,500,000원은 비소멸성)
   7) 소득세 : 2,500,000원/연
   8) 수선비 : 1,500,000원/연
   9) 건물관리자 급여 : 1,300,000원/월
   10) 저당이자 : 2,500,000원/월
   11) 기타 영업경비 : 1,000,000원/월

<자료 11> 층별효용비 등

1. 저층시가지에 있어 본건과 유사한 건물의 층별효용비는 다음과 같음. 이는 건물가격과 토지가격의 입체분포가 같은 것을 전제로 한 것임.

	지상1층	지상2층	지상3층	지상4층	지상5층
효용비	100	60	42	38	36

2. 임대면적과 층별면적은 동일한 것으로 하고, 지하층은 별도로 고려하지 아니함.

<자료 12> 수익변동자료 등

1. 순영업소득은 향후 5년간 매년 5%씩 상승하다 6년차부터는 매년 2%씩 상승할 것으로 추정되며, 이는 적정한 것으로 판단됨.
2. 적정가격 도출을 위하여 보유기간을 5년으로 상정함.

<자료 13> 시장이자율 등

1. 보증금 및 지불임료 운용이율 : 연 10%
2. 시장이자율 : 연 8%(분기당 2% 별도 적용 가능)
3. 자본수익률 : 8%
4. 저당대부이자율 : 연 6%
5. 보험만기 약정이자율 : 연 4%
6. 5년후 재매도시 적용할 환원이율 : 12%

<자료 14> 기타유의사항

1. 환원이율, 수익률, 이자율, 시점수정치 등의 산정시 백분율로 소수점 셋째자리에서 반올림할 것.
2. 지역요인 및 개별요인 격차율은 백분율로 소수점 둘째자리에서 반올림할 것.
3. 각 단계의 가격(금액) 산정시 천원 미만은 반올림하고, 최종 감정평가액은 유효숫자 네 자리까지로 함.
4. 주어진 자료를 충분히 활용하여 가격을 산출하되, 문(1)에 대하여는 <자료 2>~<자료 9>를, 문(2)에 대하여는 <자료 10>~<자료 12>를 주로 활용하고, <자료 13>은 공통으로 활용할 것.

5. 비교표준지, 거래사례 등의 선정시와 각 단계의 시산가격 결정시에는 그 논리적 근거를 명기할 것.

<자료 15> 복리증가율표 등

1. 복리증가율표

$(1+r)^n$

n	r = 2%	r = 4%	r = 6%	r = 8%	r = 10%
1	1.020	1.040	1.060	1.080	1.100
2	1.040	1.082	1.124	1.166	1.210
3	1.051	1.125	1.191	1.260	1.331
4	1.082	1.170	1.262	1.360	1.464
5	1.104	1.217	1.338	1.469	1.611
6	1.126	1.265	1.419	1.587	1.772
7	1.149	1.316	1.504	1.714	1.949
8	1.172	1.369	1.594	1.851	2.144
9	1.195	1.423	1.689	1.999	2.358
10	1.219	1.480	1.791	2.159	2.594

2. 복리현가율표

$\frac{1}{(1+r)^n}$

n	r = 2%	r = 4%	r = 6%	r = 8%	r = 10%
1	0.980	0.962	0.943	0.926	0.909
2	0.961	0.925	0.890	0.857	0.826
3	0.942	0.889	0.840	0.794	0.751
4	0.924	0.855	0.792	0.735	0.683
5	0.906	0.822	0.747	0.681	0.621
6	0.888	0.790	0.705	0.630	0.564
7	0.871	0.760	0.665	0.583	0.513
8	0.853	0.731	0.627	0.540	0.467
9	0.837	0.703	0.592	0.500	0.424
10	0.820	0.676	0.558	0.463	0.386

3. 복리연금현가율표

$$\frac{(1+r)^n-1}{r\times(1+r)^n}$$

n	r = 2%	r = 4%	r = 6%	r = 8%	r = 10%
1	0.980	0.962	0.943	0.926	0.909
2	1.942	1.886	1.833	1.783	1.736
3	2.884	2.775	2.673	2.577	2.487
4	3.808	3.630	3.465	3.312	3.170
5	4.713	4.452	4.212	3.993	3.791
6	5.601	5.242	4.917	4.623	4.355
7	6.472	6.002	5.582	5.206	4.868
8	7.325	6.733	6.210	5.747	5.335
9	8.162	7.435	6.802	6.247	5.759
10	8.983	8.111	7.360	6.710	6.145

4. 연부상환율표

$$\frac{r\times(1+r)^n}{(1+r)^n-1}$$

n	r = 2%	r = 4%	r = 6%	r = 8%	r = 10%
1	1.020	1.040	1.060	1.080	1.100
2	0.515	0.530	0.545	0.561	0.576
3	0.347	0.360	0.374	0.388	0.402
4	0.263	0.275	0.289	0.302	0.315
5	0.212	0.225	0.237	0.250	0.264
6	0.179	0.191	0.203	0.216	0.230
7	0.155	0.167	0.179	0.192	0.205
8	0.137	0.149	0.161	0.174	0.187
9	0.123	0.134	0.147	0.160	0.174
10	0.111	0.123	0.136	0.149	0.163

5. 복리연금증가율표

$$\frac{(1+r)^n-1}{r}$$

n	r = 2%	r = 4%	r = 6%	r = 8%	r = 10%
1	1.000	1.000	1.000	1.000	1.000
2	2.020	2.040	2.060	2.030	2.100
3	3.060	3.122	3.184	3.246	3.310
4	4.122	4.246	4.375	4.506	4.641
5	5.204	5.416	5.637	5.857	6.105
6	6.308	6.633	6.975	7.336	7.716
7	7.434	7.898	8.394	8.923	9.487
8	8.583	9.214	9.897	10.637	11.486
9	9.755	10.583	11.491	12.488	13.579
10	10.950	12.006	13.181	14.487	15.937

6. 상환기금률표

$$\frac{r}{(1+r)^n-1}$$

n	r = 2%	r = 4%	r = 6%	r = 8%	r = 10%
1	1.000	1.000	1.000	1.000	1.000
2	0.495	0.490	0.485	0.481	0.476
3	0.327	0.320	0.314	0.308	0.302
4	0.243	0.235	0.229	0.222	0.215
5	0.192	0.185	0.177	0.170	0.164
6	0.159	0.151	0.143	0.136	0.130
7	0.135	0.127	0.119	0.112	0.105
8	0.117	0.109	0.101	0.094	0.087
9	0.103	0.094	0.087	0.080	0.074
10	0.091	0.083	0.076	0.069	0.063

【문제 2】 부동산에 투자를 고려하고 있는 투자자가 당신에게 자문을 요청하였다. 투자자가 자문을 의뢰한 부동산은 상업용으로 인근유사지역의 부동산 A,B,C 3건이다. 부동산 A,B,C는 동일한 가격으로 매입할 수 있고 투자자가 투자할 수 있는 현금보유액은 450,000,000원이며 나머지 부족분은 K은행으로부터 대출받아 연간 저당지불액 255,000,000원으로 해결할 계획이라고 한다. 부동산 A를 조사한 결과 첫해의 예상 수익자료를 아래와 같이 얻을 수 있었다.

조사항목 \ 시나리오	비관적으로 보는 경우	일반적으로 보는 경우	낙관적으로 보는 경우
잠재적 총소득(PGI)	500,000,000원	530,000,000원	560,000,000원
공실률(Vacancy)	8%	6%	5%
영업경비비율(OER)	42%	38%	35%
확률(Probability)	25%	50%	25%

다음 물음에 답하시오. (25점)

(1) 확률을 고려한 부동산 A의 자기지분환원율(R_E : Equity Capitalization Rates)과 부동산 A의 시나리오별 R_E에 대한 표준편차를 구하시오. (12점)

- 공식 : 표준편차(Standard Deviation) = $\sqrt{\text{분산(Variance)}}$

  분산(Variance) = $\sum_{i=1}^{n} P_i (X_i - \overline{X})^2$

  (P_i : Return을 달성할 확률, $\overline{x}$: 분포의 평균, n : 관측의 수)

(2) 부동산 B와 부동산 C도 같은 방법으로 조사 분석하여 다음과 같은 결과를 얻었다.

	가중평균 R_g	표준편차(%)
부동산B	11.6%	4.5
부동산C	12.5%	6.2

어느 부동산에 투자하는 것이 바람직한 선택인지를 위험(Risk)을 고려하여 부동산 상호간을 각각 비교 설명하시오. (5점)

(3) 부동산 A 인근에 공공시설이 들어선다는 소문이 사실로 확인될 경우 부동산 A의 시나리오는 확률이 비관적인 경우 10%, 일반적인 경우 60%, 낙관적인 경우 30%로 수정되어야 한다고 한다. 투자자의 선택에는 어떠한 변화가 일어나는가? (4점)

(4) 국내경기의 후퇴에 따라 가계의 유동성이 축소되고 소비여력이 감소하면서 부동산 A는 당초 예상수익자료보다 공실률이 각각 3% 포인트씩 증가하고, 영업경비비율(OER)은 각각 1% 포인트씩 감소하는 것으로 분석되었다. 다른 조건이 동일한 상황에서 자기지분환원률(RE)을 산정한 결과 비관적인 경우 1.7%, 일반적인 경우 10.9%, 낙관적인 경우 18.9%로 나타났다. 이 경우 가중평균 RE가 10.2%, 표준편차는 6.8%인 동일 수급권내의 부동산 D(매입조건과 금융조건은 부동산 A와 동일)와 비교하여 투자대안을 검토 하시오. (4점)

【문제 3】 다음을 설명하시오. (20점)

(1) 무허가건축물 및 그 부지, 무허가건축물에서의 영업보상, 무허가건축물과 관련된 생활 보상등에 대해 현행 손실보상관련법령에서 정하는 처리방법(10점)

(2) 손실보상평가시 가설건축물 및 그 부지에 대한 처리의견(5점)

(3) 손실보상평가시 불법형질변경토지의 판단기준 및 평가방법(5점)

【문제 4】 감정평가사 L씨는 S시장으로부터 도시계획도로에 편입된 토지 및 지장물에 대한 보상감정평가액 산정을 의뢰받았다. 다음의 자료를 활용하고 보상관련 제 규정을 참작하여 다음 물음에 답하시오. (15점)

(1) 토지의 보상감정평가액을 구하시오.

(2) 건축물의 보상감정평가액을 구하시오.

(3) 영업과 관련한 손실보상액을 산정하시오.

<자료 1> 감정평가의뢰 내역

1. 사업의 종류 : ○○도시계획도로 개설
2. 도시계획시설 결정고시일 : 2003.5.20
3. 도시계획 실시계획의 고시일 : 2004.2.5
4. 가격시점 : 2004.8.29

<자료 2> 감정평가의뢰 조서

1. 토지조서

기호	소재지	지번	지목	면적(m^2)	용도지역
1	S시 M동	29-5	전	350	자연녹지

2. 지장물조서

기호	소재지	지번	물건의 종류	구조·규격	수량	비고
1	S시 M동	29-5	점포	블록조 스레트 지붕 단층	80m^2	무허가건축물 88년 1월 신축
2	S시 M동	29-5	우리슈퍼	–	1식	영업손실

<자료 3> 인근지역의 공시지가 표준지 현황

기호	소재지	지번	면적(m^2)	지목	이용상황	용도지역	도로교통	형상지세	2003.1.1공시지가(원/m^2)	2004.1.1공시지가(원/m^2)
A	S시 M동	47-3	300	전	전	자연녹지	세로(가)	부정형 평지	280,000	320,000
B	S시 M동	60-5	375	전	전기타(창고)	자연녹지	소로한면	부정형 평지	300,000	350,000
C	S시 M동	100-7	120	대	단독주택	자연녹지	세로(가)	가장형 평지	520,000	630,000
D	S시 M동	123-4	150	대	상업용	자연녹지	소로한면	정방형 평지	950,000	1,100,000

<자료 4> 지가변동률

구분	녹지지역(단위 : %)
2003년 1/4분기	1.85
2003년 2/4분기	1.04
2003년 3/4분기	0.71
2003년 4/4분기	0.56
2004년 1/4분기	1.98
2004년 2/4분기	2.30
2004년 3/4분기	미고시

<자료 5> 대상토지 및 보상평가선례에 대한 조사사항

1. 대상 토지는 무허가건축물(점포) 부지로 이용중임.
2. 대상 토지는 소로한면에 접하며, 형상은 가로장방형, 지세는 평지임.
3. 인근지역 보상평가선례
   1) 사업명 : △△도시계획도로 개설
   2) 가격시점 : 2003.5.7
   3) 소재지 : S시 M동 142-5번지
   4) 지목 및 면적 : 대, 600㎡
   5) 용도지역 : 자연녹지지역
   6) 토지특성 : 상업용, 소로한면에 접하며 형상은 부정형, 지세는 평지임.
   7) 보상단가 : 1,250,000원/㎡

<자료 6> 토지특성에 따른 격차율

1. 도로접면

	중로한면	소로한면	세로(가)	세로(불)
중로한면	1.00	0.85	0.70	0.60
소로한면	1.18	1.00	0.80	0.65
세로(가)	1.43	1.25	1.00	0.76
세로(불)	1.67	1.53	1.32	1.00

2. 형상

	정방형	가로장방형	부정형
정방형	1.00	1.05	0.85
가로장방형	0.95	1.00	0.80
부정형	1.18	1.25	1.00

<자료 7> 건설사례 등

	건설사례A	건설사례B	대상건물
사용승인일	2004.4.20	–	–
연면적	100㎡	90㎡	80㎡
가격시점현재의 내용년수	40	35	–
건물개별요인	98	125	100
건축비(신축당시)	39,000,000	45,000,000	27,000,000
적법여부	적법	무허가	무허가

<자료 8> 건물구조 등

1. 건설사례A, B는 표준적인 건축비로 판단됨.
2. 건설사례A와 대상건물은 동일한 구조이나 건설사례B는 철근콘크리트구조임.
3. 건축비지수는 변동이 없는 것으로 가정함.
4. 대상건물은 소유자의 이해관계인이 건축하여 다소 저가의 건축비로 판명되었음.
5. 본건 대상건물의 이전비용은 건설사례B의 재조달원가의 45%로 산정되었음.
6. 건물의 잔가율은 0임.

<자료 9> 영업보상 관련자료

1. 본 건물 소유자가 1996년 5월경부터 슈퍼마켓을 영업해오고 있었음.
2. 본건 점포의 부가가치세 과세표준액 기준 매출액 등

1) 기간별 매출액

기간	매출액(원)
2000.1.1~2000.12.31	123,251,000
2001.1.1~2001.12.31	159,446,000
2002.1.1~2002.12.31	172,075,000
2003.1.1~2003.12.31	180,246,000

2) 표준소득률

기본 : 6.4%, 자가 : 7.2%

3. 인근 동종 유사규모업종의 영업이익 수준

본건을 포함하여 인근지역내 동종 유사규모업종의 매출액(외형)을 탐문조사한 바 월평균 약 15,000,000~17,000,000원 수준이고 매출액 대비 영업이익률은 약 10%인 것으로 조사됨.

4. 이전 관련자료

1) 상품재고액 : 5,000,000원

2) 상품운반비 : 1,200,000원

3) 진열대 등 해체, 운반, 설치비 : 850,000원

4) 진열대 증설비 : 300,000원

5) 상품의 이전에 따른 감손상당액 : 상품가액의 10%

6) 간판 : 장부상가격 200,000원, 이전비 350,000원

7) 현 사업장에 소재하는 상품 등에 대하여 1년간 보험료 200,000원을 2003.12.27. 자로 지출하였음.

<자료 10> 기타사항

1. 지가변동률은 백분율로서 소숫점이하 셋째자리에서 반올림함.
2. 가격산정시 천원미만은 반올림함.
3. 토지의 평가시 인근의 보상평가선례와의 균형을 위해서 적정한 보정이 필요함.

제16회 감정평가사 2차 국가자격시험문제

교 시	시 간	시 험 과 목
1교시	100분	① 감정평가실무

수험번호		성 명	

※ 공통유의사항

1. 각 문제는 해답 산정시 산식과 도출과정을 반드시 기재할 것
2. 단가는 유효숫자 셋째자리까지 표시, 지가변동률은 백분율로서 소수점 이하 넷째자리에서 반올림하여 셋째자리까지 표시할 것

【문제 1】 당해 부동산 소유자 A씨는 현재의 적정가격을 파악한 후 현 상태대로 매도할 것인지, 아니면 개발업자들로부터 제시받은 여러 개발방안 중의 하나를 선택하여 개발할 것인지를 판단하기 위해 Q감정평가법인에 감정평가를 의뢰하였다. Q감정평가법인에 소속된 S감정평가사는 A씨의 부동산을 평가하기 위해 아래와 같이 관련 자료를 수집·정리하였다. 제시된 자료를 활용하여 아래의 물음에 답하시오. (35점)

(1) A씨가 개발업자들로부터 제시받은 개발방안 자료 및 공통자료를 활용하여 부동산에 대한 개발방안의 타당성 분석을 행하여 최종 개발방안을 제시하되, 분석 및 판단에 대한 근거를 최유효이용과 관련하여 설명하시오.

(2) 부동산의 감정평가자료 및 공통자료를 활용하여 현재 상태의 대상부동산에 대한 가격을 산정하고 (1)에 제시한 개발대안의 가격과 비교하여 대상부동산의 시장가격을 결정하시오.

<자료 1> 대상부동산 기본자료

1. 소재지 : K시 B구 A동 100번지
2. 토지 : 대, 500㎡, 소로한면, 세로장방형, 평지
3. 건물 : 조적조 슬래브지붕 2층 건물로 면적은 1층 350㎡, 2층 100㎡
4. 이용상황 : 1층 전자대리점, 2층 주거용
5. 도시관리계획사항 : 일반상업지역
6. 가격시점 : 2005년 8월 1일

<자료 2> A씨가 개발업자들로부터 제시받은 개발방안 자료

<자료 2-1> 개발계획안 1

1. 건물구조 및 층수 : 철근콘크리트조 슬래브 지붕 지하1층 지상6층 건물 1개동
2. 면적 : 지하 280㎡, 지상 각층 340㎡
3. 이용상황 : 업무용
4. 건축계획 : 건축허가 및 건축설계기간 2개월, 공사기간 8개월
5. 공사비지급조건 : 가격시점 현재의 총건축비를 기준으로 완공시 100%지급함.
6. 건축 후 임대계획 : 건물건축과 동시에 국내유명보험회사의 지역영업본부에 임대할 예정이며 임대조건은 임대보증금 10억원, 월 임대료 2천4백만원, 계약기간은 5년임.
7. 추가조건 : 5년 임대 후 보험회사에 채권 3억5천만원과 현금 21억원에 매각한다. (채권은 한국은행이 2000년 6월 1일 발행한 만기10년, 복리이자율 5%, 만기일시 지급 조건의 채권임)
8. 영업경비 : 연간 총임료의 30% 수준

<자료 2-2> 개발계획안 2

1. 건물구조 및 층수 : 철골조 슬래브지붕 지하1층 지상6층 건물 4개동
2. 면적 : 각동 각층 87.5㎡
3. 이용상황 : 상업용

4. 건축계획 : 건축허가 및 건축설계기간 2개월, 공사기간 10개월
5. 공사비지급조건 : 가격시점 현재의 총건축비를 기준으로 착공부터 완공까지 순차적으로 지급하는 조건임.
6. 건축 후 분양계획 : 착공과 동시에 각 동별 대지귀속면적에 따라 지적 분할하여 분양을 시작하며, 매 2개월마다 1동씩 분양될 것으로 예상하고, 분양가액은 동당 5억원임.

<자료 2-3> 개발계획안 3

1. 건물구조 및 층수 : 철근콘크리트조 슬래브지붕 지하2층 지상6층 건물 1개동
2. 면적 : 지하·지상 각 350㎡
3. 이용상황 : 지상1층 대형마트, 지상2층~6층 소형아파트(각층 7개호)
4. 건축계획 : 건축허가 및 건축설계기간 2개월, 공사기간 15개월
5. 공사비지급조건 : 가격시점 현재의 총건축비를 기준으로 착공시 50%, 완공시 50%를 지급함.
6. 건축 후 분양계획 : 대형마트는 보증금 없이 매월 임대료 1천만원에 임대한 후 10년 뒤 9억원에 임차인에게 매각할 예정이고, 소형아파트는 착공과 동시에 분양을 시작하여 순차적으로 완공시까지 분양이 완료되며, 소형아파트 분양가는 2층 기준 1호당 4천5백만원에 분양할 예정이고, 소형아파트 분양가를 기준한 층별효용비는 다음과 같음.

구분	2층	3층	4층	5층	6층
층별효용비	100	105	105	105	107

<자료 2-4> 개발계획안 4

1. 건물구조 및 층수 : 철골조 슬래브지붕 지하2층 지상7층 건물 1개동
2. 면적 : 지하 각300㎡, 지상 1층 180㎡, 지상2층~7층 각각 320㎡
3. 이용상황 : 지하1,2층은 주차장, 지상층은 상업용 복합영화관
4. 건축계획 : 건축허가 및 건축설계기간 2개월, 공사기간 12개월
5. 공사비 지급조건 ; 가격시점 현재의 총건축비를 기준으로 완공시 개발부동산을 담보로 S은행으로부터 전액 대출받아 지급한다. 대출조건은 저당기간 10년 기준으로

임대기간 동안 매년 원리금을 균등분할하여 상환하되, 부동산처분시에는 잔금을 일시상환하는 조건임(S은행 대출이자율 8%).

6. 건축 후 임대계획 : 국내 유명 복합영화관을 유치할 예정이며, 임대주인 건축주는 유치조건으로 옥상에 가로5m, 세로4m의 대형광고스크린을 건물 완공과 동시에 설치해 주기로 했다(완공시 설치비용 2억원 발생). 임차인은 매월초에 월 1,200만원의 임대료를 지불하되, 영화관 매출액의 10%를 추정 임대료로 지불하여야 한다. 영화관의 매출액은 연 20억원 수준으로 예상되며, 대상부동산의 관리에 따른 영업경비는 총임료의 25%수준이다. 또한 5년 임대계약 후에는 24억원에 임차인에게 매각하는 조건으로 임대차계약이 가능함.

<자료 2-5> 개발계획안 5

1. 건물구조 및 층수 : 철골조 슬래브지붕 지하3층 지상9층 건물 1개동
2. 면적 : 지하 각층 350㎡, 지상1층 300㎡, 지상2층~9층 각각 350㎡
3. 이용상황 : 지하1층~지하3층은 주차장, 지상 각층은 상업용 쇼핑몰(지상1층은 대형점포 1개, 2~7층은 각층 소형점포 15개)
4. 건축계획 : 건축허가 및 건축설계기간 3개월, 공사기간 15개월
5. 공사비 지급조건 : 가격시점 현재의 총건축비를 기준으로 착공시 60%, 완공시 40%를 지급함.
6. 건축 후 분양계획 : 착공시부터 완공시까지 순차적으로 분양되며, 1층 대형 점포의 분양가액은 7억5천만원, 소형점포의 분양가액은 층별로 차이가 없이 점포당 1억5천만원임.

<자료 2-6> 기타자료

1. 개발안 중 건물을 임대하는 경우는 건물 완공시에 사용승인 및 임대가 완료 되는 것으로 가정함.
2. 모든 개발계획안에 있어 지하층 중 1개층은 주차장 설치가 필수적임.
3. 개발계획에 있어 건축허가 및 설계기간이 완료되면 즉시 착공하는 것으로 가정함.
4. 건물은 착공과 동시에 철거하되, ㎡당 60,000원이 소요되고 잔재가치는 없음.
5. 인근지역의 모든 개발안의 자본수익률은 10%임.

<자료 3> 대상부동산의 감정평가자료

<자료 3-1> 인근 공시지가자료(2005년 1월 1일)

기호	소재지	면적(㎡)	지목	용도지역	이용상황	도로교통	형상·지세	공시지가 (원/㎡)
1	A동 190	500	대	일반상업	상업용	중로한면	세장형·평지	1,400,000
2	A동 250	550	대	중심상업	상업용	세로(가)	사다리·평지	1,850,000
3	B동 80	420	대	일반상업	주상나지	중로한면	가장형·평지	1,150,000
4	B동 150	460	대	일반상업	주상용	세로(가)	정방형·평지	1,300,000
5	B동 300	850	대	일반상업	주상기타	소로한면	자루형·평지	750,000

※ 표준지 기호(1)은 약 20%가 도시계획시설(도로)에 저촉되며, 표준지 기호(5)는 건부감가가 10% 발생되고 있는 토지임.

<자료 3-2> 인근지역 거래사례

1. 거래사례(1)
   1) 사례부동산
      ① 토지 : K시 B구 A동 300번지 대, 500㎡, 세로(가), 사다리형, 평지
      ② 건물 : 위지상 철근콘크리트조 슬래브지붕 지하1층 지상6층(상업용, 연면적 2,350㎡)
   2) 거래시점 : 2005년 6월 15일
   3) 거래가격 : 23억원
   4) 도시관리계획사항 : 일반상업지역
   5) 기타사항 : 당해 사례는 거래당시의 제반 상황이 반영되어 정상적으로 매매가 이루어진 전형적인 거래사례로 조사되었음.

2. 거래사례(2)
   1) 사례부동산
      ① 토지 : K시 B구 B동 120번지 대 520㎡, 소로한면, 가로장방형, 평지
      ② 건물 : 위지상 조적조 슬래브지붕 2층(주상용, 연면적 400㎡)
   2) 거래가격 : 9억원

3) 거래시점 : 2005년 6월 5일
4) 도시관리계획사항 : 일반상업지역
5) 기타사항 : 당해사례는 거래당시의 제반 상황이 반영된 거래사례임.

3. 토지·건물가격구성비
현황을 기준으로 사례(1)은 3 : 7, 사례(2)는 7.5 : 2.5인 것으로 조사되었으나, 대상부동산은 파악이 곤란한 상황임.

<자료 3-3> 임대관련 자료

1. 대상부동산의 임대자료
대상부동산의 1층은 보증금 7억원, 월임대료 500만원에, 2층은 보증금 1억원, 월임대료 50만원에 각각 임대되고 있으며, 소유자는 대상부동산의 관리를 연간임대료의 3%를 지급하는 조건으로 부동산관리회사에 위탁관리하고 있다. 또한 연간임대료의 20%가 유지관리비 등의 비용으로 지출되고 있고, 대상부동산의 토지 및 건물분 재산세 및 소유자급여가 각 연간임대료의 1%이다. 이러한 대상부동산의 임대상황은 현황을 기준한 일반적인 수준으로 판단됨.

2. 최유효이용을 기준한 인근 부동산의 1, 2층 최근임대자료

구분	월순임대료(원/㎡)	비고
1층	250,000	
2층	125,000	

3. 대상부동산의 현황을 기준한 자본환원이율은 15%임.

<자료 3-4> 대상 및 사례건물상황

구분	대상건물	거래사례(1)	거래사례(2)
사용승인(신축)일자	1995.7.1	2003.4.15	1996.10.30
가격시점현재 잔존내용년수	35	48	36
건물과 부지와의 관계	건부감가	최유효이용	건부감가
건축당시 신축가격	–	–	–

<자료 4> 공통자료

<자료 4-1> 인근지역의 지역개황 등

대상토지가 속해 있는 인근지역은 지질 및 지반상태가 대부분 연암인 것으로 조사되었고, 최근 임대수요의 상승으로 인한 부동산 개발이 가속화되어 5층 내외의 상업·업무용 건물이 밀집하여 형성된 전형적인 상업지대인 것으로 조사되었다. 또한 상업·업무용 건물의 신축으로 기존 건물들의 임대료는 하락하고 있는 상황이며, 인근지역 주민들을 대상으로 표본조사를 실시한 결과 지역의 급속한 상업지로의 이행이 진행됨에 따라 공개공지 및 근린공원 등의 부족으로 주거지로서의 기능은 대체로 상실된 것으로 조사되었다. 또한 최근 당해지역의 표준지공시지가를 평가한 담당감정평가사의 K시 B구 지역분석보고서에서도 이러한 지역상황이 재확인되었음.

<자료 4-2> 건축비 및 경제적 내용년수

구분	내용년수	가격시점 기준 건축비(원/m²)	
		상업·업무용	주상용
철근콘크리트조	50	750,000	800,000
철골조	40	480,000	540,000
조적조	45	600,000	660,000

※ 건축비자료는 지상·지하층(주차장부분 포함) 구분 없이 적용 가능함.

<자료 4-3> K시의 건축 및 도시계획관련 조례

1. 대지의 최소면적 : 주거지역 90m², 상업지역 150m², 공업지역 200m², 녹지지역 200m², 기타지역 90m²

2. 건축물의 최고높이 : 인근 상업지역은 도시경관조성을 위하여 필요하다고 인정되는 구역으로 지정되어 건축물의 높이를 30m이하로 하되, 이는 광고탑, 송신탑 등과 같은 옥상구조물의 높이를 포함한 것임.

3. 건폐율 : 전용주거지역 40%, 제2종일반주거지역 50%, 준주거지역 60%, 중심상업지역 80%, 일반상업지역 70%, 근린상업지역 60%, 유통상업지역 60%

4. 용적률 : 전용주거지역 100%, 제2종일반주거지역 150%, 준주거지역 400%, 중심상업지역 1,000%, 일반상업지역 600%, 근린상업지역 600%, 유통상업지역 400%

5. 층고 : 3.5m

<자료 4-4> 지반에 따른 건축가능층수

구분	풍화토	풍화암	연암	경암
지상층	3	5	10	15
지하층	1	1	2	3

<자료 4-5> 지가변동률 및 건축비지수

1. 지가변동률(K시 B구, %)

구분		주거지역	상업지역
2004년 누계		3.15	2.14
2005년	3월 (누계)	0.043 (1.045)	0.121 (1.000)
	6월 (누계)	0.165 (2.130)	0.126 (1.540)
	7월 (누계)	0.100 (2.560)	0.075 (1.980)

2. 건축비지수

건축비지수는 2003년 상승 이후 2004년 1월 1일부터는 보합세를 유지하고 있음.

<자료 4-6> 개별요인 비교자료

1. 접면도로

비고	중로한면	소로한면	세로(가)
중로한면	1.00	0.93	0.86
소로한면	1.08	1.00	0.93
세로(가)	1.15	1.08	1.00

2. 형상

비고	정방형	가로장방형	세로장방형	사다리형	부정형·자루형
비교치	1.00	1.03	0.95	0.90	0.81

3. 지세

비고	저지	평지	완경사	급경사	고지
비교치	1.00	1.04	0.95	0.89	0.80

4. 인근지역의 표준적인 토지규모는 450㎡~600㎡임.

<자료 4-7> 기타자료

1. 보증금운용비율 및 지불임료운용비율 : 1%/월

2. 개별요인비교치는 백분율로서 소수점 이하 첫째자리까지, 지가변동률은 소수점 이하 셋째자리까지 표시하되, 반올림할 것.

3. 단위가격결정시 백원단위에서 반올림할 것.

【문제 2】 W씨는 소유부동산을 T주식회사에 출자하기위해 Q감정평가법인에서 감정평가서를 발급받아 제출하였으나, 일부 주주들이 Q감정평가법인의 감정평가서가 토지평가 및 건물감가에 문제가 있다고 지적하면서 전체적으로 적정한 시장가격평가가 이루어지지 못했다고 주장하여 T주식회사가 직접 S감정평가법인에 감정평가를 재의뢰하였다. 배정을 받은 담당감정평가사는 사전·실지조사 등을 통하여 아래와 같은 자료를 수집하였다. 주어진 자료를 활용하여 다음의 물음에 답하시오. (30점)

(1) 대상부동산의 토지가격결정을 위한 지역요인을 분석하고, 비교표준지 공시지가의 선정이유를 설명하시오.
(2) 대상부동산의 건물평가를 위한 경제적 내용년수를 확정하시오.
(3) 대상부동산의 가격을 개별평가방법($V_O=V_L+V_B$)에 의해 결정하시오.

<자료 1> 평가 대상부동산의 개요

1. 평가목적 : 일반거래(현물출자를 위한 감정평가)
2. 가격시점 : 2005.6.30(소급감정)
3. 조사기간 : 2005.8.20~8.28
4. 주위환경
   대상부동산이 위치하는 지역은 상업지대와 주거지대의 완충적 공간을 형성하고 있으며, 학원, 사무실 등 업무용의 3~5층 철근콘크리트조 건물이 표준적 이용이라고 볼 수 있는 노선상가지대로 1층에는 식당, 슈퍼, 화원 등의 근린생활시설이용이 많으나 공실률이 높아 최근 리모델링을 행하고 있는 건물이 많이 소재한 지역임.
5. 토지
   ① 소재지 : D시 H구 N동 1455번지
   ② 지목, 면적, 용도지역 : 대, 780㎡, 준주거지역
   ③ 특성 : 가로장방형, 평지, 중로한면
6. 건물내역
   ① 사용승인일 및 당시 건물신축단가 : 1990.3.30, @321,000원/㎡
   ② 철근콘크리트조 슬래브지붕 5층, 교육관련시설
   ③ 연면적 : 1,850㎡

<자료 2> 시장자료

1. 거래사례A

⑴ 주위환경

주위환경 및 표준적 이용이 대상부동산이 속해 있는 지역과 유사하나 인근에 30만평 규모의 택지개발이 이루어지고 있으며, 건물상태가 대상부동산이 속해 있는 지역보다 양호함.

⑵ 토지

① 소재지 : D시 H구 L동 876번지

② 지목, 면적, 용도지역 : 대, 840m^2, 준주거지역

③ 특성 : 세로장방형, 평지, 중로한면

⑶ 건물내역

① 사용승인일 및 당시 건물신축단가 : 1996.6.30, @534,000원/m^2

② 철근콘크리트조 슬래브지붕 3층, 사무실

③ 연면적 : 1,589m^2(기계실 등의 비수익공간이 협소)

⑷ 거래내역

① 거래일자 : 2005.4.30

② 거래금액 : 1,360,000,000원

③ 거래조건 등 : 거래당시 시공사에 견적을 받은 결과 배관시설 교체비용으로 매수자가 35,000,000원을 부담하기로 되어 있었음.

2. 거래사례B

⑴ 주위환경 : 표준적 이용이 대상부동산이 속해있는 지역과 유사함.

⑵ 토지

① 소재지 : D시 H구 M동 1242번지

② 지목, 면적, 용도지역 : 대, 650m^2, 준주거지역

③ 특성 : 가로장방형, 평지, 중로각지

⑶ 건물내역

① 사용승인일 및 당시 건물신축단가 : 1988.3.31, @234,000원/m^2

② 철근콘크리트조 슬래브지붕 4층, 사무실

③ 연면적 : 1,100㎡

(4) 거래내역

① 거래일자 : 2005.3.31

② 거래금액 : 현금지불액 700,000,000원

③ 거래조건 등 : 매도자가 이용하고 있던 다음과 같은 은행의 대출금을 매수자가 인수하는 조건이며, 5년 전 은행의 대출금은 225,490,000원, 대출이자율 연 7.2%, 10년간 매월 원리금을 균등분할하여 상환하는 조건이었으나 매수인의 금융신용도가 낮아 이자율이 7.8%로 상승되었다. 다만, 시장이자율은 12%임.

3. 거래사례C

(1) 주위환경

표준적 이용이 대상부동산이 속해 있는 지역과 유사하나 접면도로가 다소 좁으며, 대상지역보다 늦게 개발이 완료되어 건물상태가 양호한 지역임.

(2) 토지

① 소재지 : D시 H구 P동 48-2번지

② 지목, 면적, 용도지역 : 대, 960㎡, 준주거지역

③ 특성 : 사다리형, 평지, 소로한면

(3) 건물내역

① 사용승인일 및 당시 건물신축단가 : 1999.6.30, @389,000원/㎡

② 철골조 및 일부 철근콘크리트조 슬래브지붕 3층, 사무실 등

③ 연면적 : 1,671㎡

(4) 거래내역

① 거래일자 : 2005.5.1

② 거래금액 : 현금지불액 1,400,000,000원

③ 거래조건 등 : 매도자와 매수자는 과거에 거래한 적이 있었으며, 지난 번 거래시 매수자가 도와준 사정으로 매도자는 4%를 할인해준 것으로 확인되었음.

4. 거래사례D

(1) 주위환경

주위성숙도 및 표준적 이용이 대상부동산이 속해 있는 지역과 유사하나 대상지역보다 개발이 늦게 완료되어 건물상태가 양호한 지역임.

(2) 토지

① 소재지 : D시 H구 O동 232-1번지

② 지목, 면적, 용도지역 : 대, 725㎡, 준주거지역

③ 특성 : 정방형, 평지, 중로한면

(3) 건물내역

① 사용승인일 및 당시 건물신축단가 : 1999.2.28, @518,000원/㎡

② 철근콘크리트조 슬래브지붕 5층, 교육관련시설 등

③ 연면적 : 1,357㎡

(4) 거래내역

① 거래일자 : 2005.5.31

② 거래금액 : 현금지불액 1,250,000,000원

③ 거래조건 등 : 본 건물은 임대세대수를 늘리기 위해 불필요한 3개층 칸막이시설을 매수자가 철거하는 조건으로 계약되었으며 예상철거비가 120,000,000원이었던 것으로 조사되었음.

<자료 3> 표준지 공시지가내역(2005년1월1일)

기호	소재지(D시)	면적(㎡)	지목	이용상황	용도지역	도로	형상지세	공시지가 (원/㎡)
1	H구L동217	650	대	업무용	준주거	중로한면	가장형 평지	610,000
2	H구M동192	890	대	업무용	준주거	소로한면	세장형 평지	640,000
3	H구N동181	1,200	대	주상용	제3종 일반주거	소로각지	정방형 평지	420,000
4	H구O동306	960	대	업무용	준주거	소로한면	사다리 평지	650,000
5	H구P동912	780	대	업무용	준주거	중로한면	가장형 평지	960,000

<자료 4> 지가변동률 및 건축비지수

1. 지가변동률(H구, %)

구분	2004년 2/4	2004년 3/4	2004년 4/4	2005년					
				1월	2월	3월	4월	5월	6월
주거지역	0.35	2.36	1.06	0.342	0.468	0.564	1.122	0.260	0.320

2. 건축비 상승지수

(1) 사용승인일부터 가격시점까지의 상승지수

사례별 / 구조별	거래사례A (1996.6.30) ~(2005.6.30)	거래사례B (1988.6.30) ~(2005.6.30)	거래사례C (1999.6.30) ~(2005.6.30)	거래사례D (1999.2.28) ~(2005.6.30)	대상부동산 (1990.3.30) ~(2005.6.30)
철근콘크리트조	1.3165	2.8198	–	1.3376	2.2437
철골조	–	–	1.2447	–	–

(2) 사용승인일부터 거래시점까지의 상승지수

사례별 / 구조별	거래사례A (1996.6.30) ~(2005.4.30)	거래사례B (1988.6.30) ~(2005.5.31)	거래사례C (1999.6.30) ~(2005.5.1)	거래사례D (1999.2.28) ~(2005.5.31)	대상부동산 (1990.3.30) ~(2005.6.30)
철근콘크리트조	1.3122	2.7928	–	1.3333	2.2437
철골조	–	–	1.2340	–	–

<자료 5> 지역요인 격차율 산정을 위한 자료

1. 평가대상 인근 및 거래사례인근의 수익성 부동산을 조사한 결과 건물 바닥면적당 연간 평균소득과 평균 영업경비에 대한 조사가 다음과 같이 이루어졌으며, 조사지역의 환원이율은 동일 또는 유사한 것으로 파악되었음.

구분	L동	M동	N동	O동	P동
PGI(원/㎡)	125,000	148,000	150,000	136,000	154,000
공실률(Vacancy)	10%	12%	12%	6%	5%
영업경비(원/㎡)	46,000	56,000	55,000	47,000	45,000

2. 건물의 경우에는 D시내에서 지역격차 없이 거래가 이루어지고 있음.
3. 각 동별로 개발시기 및 생애주기가 상이하여 소득과 경비에서 차이가 있음.
4. 같은 동네에서는 지역요인이 동일함.

<자료 6> 개별요인 비교자료

1. 도로(각지는 한면보다 5% 우세)

구분	대로	중로	소로	세로(가)	맹지
비교치	1.10	1.00	0.95	0.78	0.45

2. 형상

구분	정방형	가장형	세장형	부정형	사다리형
비교치	1.00	0.98	0.94	0.84	0.89

3. 지세

구분	저지	평지	완경사	급경사	고지
비교치	0.82	1.00	0.96	0.89	0.87

4. 용도지역

   용도지역이 상이한 경우는 H구 지역특성상 일정한 격차를 파악하기 어려움.

<자료 7> 기타사항

1. 한국은행은 2005년 6월 15일 콜금리인하를 발표하였고 H부동산연구원에서 이를 분석한 결과 콜금리 인하가 향후 D시의 토지가격상승에 미치는 영향이 5%인 것으로 분석되었으며, 이는 지가변동률에도 반영되지 않은 것으로 조사되었음.
2. 지가변동률은 백분율로서 소수점 이하 셋째자리까지 표시하되, 반올림할 것.
3. 토지단가 및 건물단가(재조달원가) 산정 시 백원단위에서 반올림할 것.
4. 지역요인 격차율은 백분율로서 소수점 이하 첫째자리까지 표시하되, 반올림할 것.

5. Q감정평가법인의 당초 감정평가가액은 다음과 같이 평가하였던 것으로 조사되었음.

가. 토지평가
표준지공시지가×시점수정×지역요인×개별요인 ≒ 단가
※ 표준지공시지가기준가격이 적정하다고 판단하여 기타요인은 반영하지 않음.
나. 건물평가
재조달원가×{(내용년수－경과년수) / 내용년수} ≒ 단가
※ 내용년수는 건물구조에 따라 결정함.

【문제 3】 실무수습 감정평가사 B씨는 담보평가를 위한 실지조사 후 지도감정평가사 S씨로부터 아래 평가목적별 감정평가액을 산정하여 제출하라는 과제를 부여 받았다. 주어진 자료를 활용하여 동일 부동산에 대한 평가목적별 감정평가가액을 결정하시오. (20점)

1. 대상부동산의 담보감정평가액
2. 대상부동산의 경매감정평가액
3. 대상부동산이 국유재산 중 잡종재산일 경우 처분목적의 감정평가액
4. 대상부동산의 공익사업(도시계획도로개설공사) 시행을 위한 보상(협의)목적의 감정평가액

<자료 1> 대상부동산의 기본자료

1. 소재지 : A시 B구 C동 108번지
2. 형상 및 지세 : 자루형 평지
3. 도시관리계획사항 : 제2종일반주거지역, 도시계획도로저촉, 문화재보호구역
4. 당해 건축물의 사용승인일은 1998.6.30이며 건물과 토지는 최유효이용상태에 있는 것으로 조사되었음.
5. 건물의 내용년수는 50년이며, 경제적 내용년수는 45년으로 판단되었음.
6. 대상부동산은 전체가 도시계획도로 및 문화재보호구역에 저촉된 상태임.

7. 해당 구청으로부터 발급받은 지적도상 축척은 1 : 1,200임
8. 가격시점은 평가목적별로 2005.8.28.자임.

<자료 2> 사전조사내용

1. 토지 관련자료

구분	소재지	지목	면적
토지대장등본	A시 B구 C동 108번지	대	532㎡
토지등기부등본	A시 B구 C동 108번지	답	150평

2. 건물 관련자료

구분	일반건축물대장등본	건물등기부등본
소재지	A시 B구 C동 108번지	A시 B구 C동 108번지
구조	철근콘크리트조 슬래브 지붕 지하1층 지상5층	철근콘크리트조 슬래브 지붕 지하1층 지상5층
지하1층	(주차장) 250㎡	(주차장) 250㎡
1~4층	(근린생활시설)각 230㎡	(근린생활시설)각 230㎡
5층	(단독주택) 210㎡	(단독주택) 180㎡

3. 인근지역의 표준지공시지가

(공시기준일 2005.1.1)

일련번호	소재지	면적(㎡)	지목	이용상황	용도지역	주위환경	도로교통	형상지세	공시지가(원/㎡)
1	A시B구C동 107	550	대	주상용	제2종 일반주거	주택 및 상가지대	중로한면	가로장방형 평지	2,000,000

※ 비고시 항목 중 확인내용 : 도시계획도로 저촉률 20%, 문화재보호구역이 아님.

4. 지가변동률

<A시 B구>

(단위 : %)

구분	주거지역	상업지역	대		기타
			주거용	상업용	
2005년 1월	0.512	0.312	0.511	0.552	0.312
2005년 2월	0.235	0.326	0.221	0.331	0.156
2005년 3월	0.901	0.791	0.701	0.101	0.595
2005년 4월	0.623	0.328	0.531	0.715	0.201
2005년 5월	0.225	0.251	0.282	0.312	0.212
2005년 6월	0.237	0.254	0.297	0.323	0.232
2005년 7월	0.237	0.252	0.298	0.324	0.282

5. 생산자물가지수(한국은행조사)

(1995=100)

2004.12	2005.1	2005.3	2005.5	2005.6	2005.7
108.4	108.6	109.5	109.6	109.0	109.9

<자료 3> 실지조사내용

1. 실지조사결과 대상토지중 약 50㎡는 현황도로(소유자가 스스로 자기토지의 편익증진을 위해 개설하였으나 개설이후 도시계획시설(도로)결정이 이루어졌음)이며, 약 30㎡는 타인이 점유하고 있는 것으로 조사되었고, 일반적으로 도시계획도로에 저촉된 부동산은 인근지역의 표준적인 가격에 비하여 30% 정도 감가되어 거래되는 것으로 조사되었음.

2. 보상평가선례
   ① 토지 : A시 B구 C동 136번지 대 550㎡
   ② 가격시점 : 2005.6.1

③ 보상단가 : @2,300,000원/㎡

④ 토지특성 : 제2종일반주거지역, 중로한면, 가로장방형 평지임

3. 건설사례

인근지역에서 대상건물 및 표준지 지상 건물과 구조·시공자재·시공정도 등 제반 건축조건이 유사한 주상복합용 건물의 건설사례를 조사한 결과 가격시점 현재의 표준적인 건축비용은 ㎡당 750,000원으로 파악되었음.

4. 제시외 건물에 관한 사항

① 대상토지에 소재하는 제시외 건물은 일반건축물대장에 미등재된 상태로서 종물에 해당되는 것으로 판단되며, 대상부동산 소유자의 소유인 것으로 조사되었음.

② 구조·용도·면적 : 시멘트벽돌조 슬래브지붕단층, 화장실 및 창고, 30㎡

③ 신축시점 : 구두조사결과에 의하면 1998.7.1에 신축된 것으로 보임.

④ 가격시점 현재 건축비 : 291,000원/㎡

⑤ 제시외 건물의 물리적 내용년수는 45년이며, 경제적 내용년수는 40년으로 판단되었음.

<자료 4> 평가조건, 지역 및 개별요인 등

1. 대상토지는 보상평가선례대비 현황도로, 타인 점유로 인한 영향을 제외한 개별 요인이 10%열세이며, 표준지와 보상선례와의 개별요인 격차는 1.0이고 같은 구 같은 동의 지역요인격차는 없음.

2. 지도감정평가사가 소속되어 있는 감정평가법인과 대상부동산의 담보 감정평가서 제출처인 금융기관 사이에 체결한 협약서에는 현황도로 및 타인 점유부분은 평가대상면적에서 제외하도록 규정되어 있음.

3. 문화재보호구역 가치하락률

저촉정도	0~20%	21~40%	41~60%	61~80%	81~100%
감가율	3%	5%	7%	9%	10%

4. 대상토지 중 타인점유부분은 노후 건물이 소재하여 점유강도가 다소 약한 것으로 판단되며, 이에 따른 가치하락률은 5% 정도인 것으로 판단되었음.
5. 대상부동산이 국유재산 중 잡종재산일 경우 지상에 소재하는 제시외 건물의 매각 여부는 국유재산법에 따라 처리할 것.
6. 대상부동산을 국유재산의 처분목적으로 감정평가하는 경우 타인점유부분은 건물 철거 후 나지상태로 처분하는 것을 전제로 하고, 도로부분은 분할 후 매각대상에서 제외하는 것으로 할 것.
7. 대상부동산을 보상목적으로 감정평가할 경우 실시계획인가고시일은 2005.3.25이며, 지장물의 이전비는 취득가격을 상회하는 것으로 조사·분석되었음.

<자료 5> 기타참고자료

1. 지가변동률은 백분율로서 소수점이하 넷째자리에서 반올림하여 셋째자리까지 표시하고, 단가는 100만원단위 이상일 경우에는 유효숫자 넷째자리, 그 미만은 셋째자리까지 표시함을 원칙으로 하되 반올림하시오.
2. 기타요인보정치는 소수점 이하 셋째자리에서 반올림하여 둘째자리까지 표시할 것.
3. 건물의 감가수정은 정액법에 의함.
4. 토지의 면적을 환산할 경우 소수점 이하 첫째자리에서 반올림할 것.

【문제 4】 ○○도 B군은 공익사업에 편입되는 토지 및 지장물에 대하여 감정평가를 하여 손실보상금지급통보를 하였고, 이후 협의가 이루어졌으나 자료2의 통계자료를 기준으로 ○○도 B군이 직접 산정·통보한 농업손실보상금은 협의가 아직 이루어지지 않고 있다. 사업시행자인 B군은 농작물실제소득인정기준에서 정하는 기관으로부터 발급받은 거래실적 증명서류를 제출받았으나 당초 통보한 금액과 농작물실제소득산정기준에 의한 금액과의 차이가 너무 크고, 현행법령에 따른 농업손실보상대상 여부에도 의문이 있어 사업시행자는 토지 및 지장물 평가를 담당했던 S감정평가법인에 농업손실보상을 추가로 의뢰하였다. 다음 물음에 답하시오. (10점)

(1) ○○도 B군이 산정·통보한 농업손실보상액 및 실제소득산정기준에 의한 농업손실보상액
(2) 현행 법령에 따른 합리적인 손실보상 처리방법을 설명하시오.

<자료 1> 평가대상 관련 조사자료

1. 토지 : ○○도 B군 △△리 123번지, 900㎡, 공부상 "전", 관리지역, 부정형평지, 세로(가)

2. 건축물 : 위지상 경량철골조 칼라강판지붕 단층 버섯재배사, 333㎡, 본 건축물은 1999.9.12 신축한 신고대상 건축물로 신고 완료하였음.

3. 버섯재배사 내에는 이전후 재설치가 가능한 버섯재배시설이 있음. 2.5톤 트럭 기준 9대분

4. 보상계획의 공고일 : 2005.1.1, 소유자 : 홍길동

5. 실제소득인정기준에서 정하는 기관(농협)에서 발급받은 거래실적 자료

기간	출하주	출하처	품목	중량(kg)	평균판매 단가(원)	판매 금액(원)	발급 기관
2003.1.1～2003.12.31	홍길동	서울청과 외 5개소	느타리버섯	6,560	4,300	28,208,000	농협
2004.1.1～2004.12.31	홍길동	농산물공판장 외 8개소	느타리버섯	6,420	5,500	35,310,000	농협

<자료 2> 통계청 농가경제조사 통계자료(도별 연간 농가평균 단위경작면적당 농작물 조수입)

행정구역	면적기준	2004년농작물 조수입(원)	2004년 경지면적(㎡)	단위면적당 농작물조수입 (원/㎡)	2년기준농업 손실보상액 (원/㎡)
○○도	㎡	18.055.000	17,045.19	1,059	2,118

<자료 3> 농작물실제소득인정기준(건설교통부고시 제2003-44호)

제2조(용어의 정의) 이 기준에서 사용하는 용어의 정의는 다음 각 호와 같다.

1. "농작물 총수입"이라 함은 통지 또는 사업인정의 고시가 있은 날 이전 2년간의 연간평균총수입을 말한다.

제3조(실제소득의 산정방법)

※ 연간 단위경작면적당 실제소득＝농작물 총수입÷경작농지 전체면적×소득률

제5조(소득률의 적용기준) ① 제3조의 규정에 의한 소득률은 다음 각호의 우선순위에 의하여 적용한다.

1. 농촌진흥청장이 매년 조사·발표하는 농축산물소득자료집의 전국 작물별 소득률

제6조(사업시행자의 재조사) 사업시행자는 제3조의 규정에 의하여 산정한 연간 단위경작면적당 실제소득이 소득자료집의 전국 작물별 단위면적당 소득의 130퍼센트를 초과하는 경우

<자료 4> 지장물 평가에 포함되지 않은 버섯재배용 이전대상시설 이전비자료

구분	운반규모	운반비	인부노임	시설재배치 및 설치(50%)	합계
2.5톤	9대	554,000원	650,000원	602,000원	1,806,000원

<자료 5> 2004농축산물소득자료집중 전국 느타리버섯 소득률

(기준 : 년/100평)

비목별	수량(kg)	단가(원)	금액(원)	비고
조수입	5,620	5,200	29,224000	상품화율 : 92.% 연재배회수 : 2.6회
경영비	–	–	12,859,000	종균비, 광열비 등
소득			16,365,000	
소득률			56%	

【문제 5】 다음은 감정평가실무에서 일반적으로 사용되는 용어이다. 다음 용어에 대하여 약술하시오. (5점)

1. 건축법상의 “대지”와 지적법상의 "대(垈)"
2. 다가구주택과 다세대주택
3. 소재불명, 확인불능

제17회 감정평가사 2차 국가자격시험문제

교 시	시 간	시 험 과 목
1교시	100분	① 감정평가실무

수험번호		성 명	

※ 공통유의사항
1. 각 문제는 해답 산정시 산식과 도출과정을 반드시 기재할 것
2. 단가는 유효숫자 셋째자리까지 표시, 지가변동률은 백분율로서 소수점 이하 넷째자리에서 반올림하여 셋째자리까지 표시할 것

【문제 1】 베스트부동산투자회사는 주식발행과 차입을 통해 회사를 설립하면서 오피스 빌딩 2동을 매입, 임대하여 얻은 소득을 주식소유자에게 배당할 계획이다. 다음 제시자료를 활용하여 물음에 답하시오. (40점)

1. 각 오피스 빌딩의 예상 매입가격을 결정하시오.

2. 매입부동산의 1차년도 현금흐름을 예상하고 1주당 예상 배당수익률을 산정하시오.

3. 각 오피스 빌딩의 1차년도 지분배당률(equity dividend rate)을 계산하시오.

4. 2차년도의 현금흐름을 경기상황에 대한 시나리오에 기초하여 예상하고, 주당 배당수익률을 1차년도와 동일한 수준으로 유지한다고 가정할 때 2차년도 기초의 이론적 주당가치를 예상하시오. 이 때 다른 요인은 모두 변동하지 않는다고 가정한다.

<자료 1> 매입 예정 부동산

구분	대상부동산 A	대상부동산 B
토지면적(㎡)	1,500	1,200
건물연면적(㎡)	6,000	3,600
잔존 경제적 내용년수(년)	50	45
가격시점	2006.8.27	

<자료 2> 거래사례부동산

구분	사례1	사례2	사례3	사례4
토지면적(㎡)	1,600	1,100	1,450	1,350
건물연면적(㎡)	6,500	3,100	5,800	3,800
잔존경제적 내용년수(년)	48	44	46	43
거래시점	2005.8.27	2006.2.27	2006.5.27	2005.11.27
거래조건	거래 대금을 거래 시점 3개월 후부터 매 3개월마다 20%, 30%, 30%, 20%로 분할 지불함	－대출비율 40% －시장평균 금리보다 2% 낮은 고정금리 －잔여만기 5년	거래 시점에 전액 현금지급	－대출 비율80% －시장 평균 금리보다 2% 높은 고정금리 －잔여만기 3년
거래가격(원)	9,900,000,000	5,800,000,000	8,000,000,000	4,800,000,000

<자료 3> 대상부동산과 사례부동산 기본자료

1. 유사한 시장지역이라고 판단되는 S시 K구에 소재

2. 이용상황 : 업무용

3. 도시관리계획 : 중심상업지역

4. 인근지역과 유사지역의 전형적인 토지 : 건물 가격비율은 65 : 35임.

<자료 4> 대상부동산과 사례부동산의 요인 비교

구분	대상 A	대상 B	사례 1	사례 2	사례 3	사례 4
지역요인	100	95	105	110	95	90
개별요인	100	100	100	105	105	95

<자료 5> 시장 이자율 등

1. 시장 할인율 : 8%
2. 시장 평균 이자율 : 6.5%
3. 시장 평균 대출조건 : 만기 5년, 연 1회 이자지급, 만기일시원금상환
4. 인근지역의 지난 1년간 오피스 빌딩 가격 연평균 상승률 : 6%

<자료 6> 부동산 투자회사 설립에 관한 사항

1. 주식발행 : 액면가 5,000원, 1,000,000주
2. 오피스 빌딩 매입가격 중 주식발행액으로 부족한 자금은 차입하여 조달
3. 대출조건 : 시장 평균 조건
4. 배당가능금액의 95%를 배당 예정
5. 경비비율 - 총소득 기준

구분	영업경비(%)	위탁수수료(%)	기타 관리비용(%)
대상부동산 A	40	5	2.5
대상부동산 B	35	5	2.0

6. 배당가능금액은 순영업소득에서 지급이자를 차감한 것임.

<자료 7> 대상부동산 시장임대료

1. 시장임대료는 월세 형태로 건축 연면적 기준으로 징수하며, 관리비 등 다른 부대 경비는 지불하지 않음.

2. 대상부동산의 공실률은 모두 0%라고 가정하고, 순영업소득 산정시 자연공실률을 고려하지 말 것.
3. 임대사례 : 거래사례와 동일한 부동산으로 임대내역 등은 다음과 같음.

구분	대상 A	대상 B	사례 1	사례 2	사례 3	사례 4
공실률(%)	0	0	2	3	5	4
전용률(%)	68	70	60	70	70	80
지하철역과 거리(km)	1.0	1.0	0.7	0.9	1.3	1.2
월임대료(원/㎡)			17,500	17,800	17,100	17,000

4. 인근지역에서 통용되는 시장 월 임대료 산식은 다음과 같음.

구분	공실률차이	전용률차이	지하철역과 거리차이
격차율	0.01	0.03	0.05

※ 월 임대료=사례부동산 월 임대료×(1+격차율×공실률 차이+격차율×전용률 차이 +격차율×지하철역과 거리 차이)

<자료 8> 2차년도 경기상황에 대한 시나리오

경기상황	발생확률	임대료 변동률(%)	
		대상부동산 A	대상부동산 B
호황	0.4	10	8
보통	0.4	5	3
불황	0.2	-3	-2

<자료 9> 기타

1. 대상 오피스 빌딩의 거래사례비교법에 의한 시산가격은 거래가격을 토지면적당 단가와 건축면적당 단가를 비교단위로 하여 각 오피스 빌딩의 두 시산가격을 평균하여 산정할 것
2. 매입 대상 부동산의 가격 및 임대료를 구할 때 둘 이상의 사례를 사용하는 경우 각 사례에서 구한 시산가격을 평균하여 결정할 것

3. 건물 감가상각은 정액법에 의함.
4. 오피스 빌딩의 지분배당률을 구할 때 종합환원율 공식은 원금을 만기에 일시 상환하는 대출관행을 고려해 Ross의 방법을 적용할 것
5. 각 대상부동산에 대한 지분 및 차입금 투자비율은 동일한 것으로 가정할 것
6. 배당은 매년 8월 27일 실시한다고 가정할 것
7. 배당수익률과 지분배당률은 백분율로서 소수점 이하 셋째자리에서 반올림하여 둘째자리까지 표시할 것

【문제 2】 감정평가사 김씨는 『도시 및 주거환경 정비법』에 의한 A시 B구 C동 XX지구 주택재개발조합으로부터 조합원 P씨의 권리변환 및 정산을 위한 평가를 의뢰받아 다음 자료를 조사수집하였다. 이 자료를 활용하여 다음 물음에 답하시오. (25점)

1. P씨의 종전자산 가격을 구하시오.
2. 조합 전체의 분양예정자산 가격을 구하시오.
3. 비례율, 권리액 등을 산정하여 P씨의 정산금을 구하시오.

<자료 1> P씨 소유 토지와 건물내용

1. 토지

소재지	지목	면적	용도지역	도로교통	형상지세
A시 B구 C동 250번지	대	120㎡	제2종일반 주거지역	세로(가)	사다리형 평지

2. 건물

소재지	구조	면적	신축일자	비고
A시 B구 C동 250번지	블록조 슬래브 지붕	90㎡	1985.2.1	무허가건축물

<자료 2> 재개발사업 계획

1. 사업일정
   1) 재개발구역지정 고시일 : 2003.7.1
   2) 주택재개발조합 설립일 : 2004.3.1
   3) 주택재개발사업시행인가 고시일 : 2005.8.1
   4) 관리처분계획 인가일 : 2006.8.27
   5) 준공 인가일 : 2007.12.31

2. 건축계획
   철근콘크리트조 슬래브지붕 15층 아파트 2개동
   32평형(전용면적 85m²), 각층 1-4호, 총 120세대

3. 분양계획
   일반분양 : 각층 1호 30세대, 분양가는 인근 아파트시세와 비교 결정
   조합원분양 : 각층 2-4호 90세대, 분양가는 350,000,000원으로 동일
   분양아파트 층별 및 호별 효용도

층별	1층	2층	3-14층	15층
	100	106	110	104
호별	1호	2호	3호	4호
	100	103	103	100

<자료 3> 현장조사 기간

1. 종전자산 : 2005.12.10~2006.2.1

2. 분양예정자산 : 2006.5.1.~2006.7.1

<자료 4> 인근지역의 표준지 공시지가 자료

일련 번호	소재지 지번	면적 (㎡)	지목	이용상황	용도지역	도로상황	형상지세	비고
1	A시 B구 C동 119	250	대	단독주택	제2종 일반주거	세로(가)	사다리형 평지	XX주택재개발지구 내
2	A시 B구 C동 200	200	대	단독주택	제2종 일반주거	소로한면	세장형 평지	XX주택재개발지구 외
3	A시 B구 C동 300	300	대	단독주택	제3종 일반주거	소로한면	사다리형 완경사	XX주택재개발지구 외
4	A시 B구 C동 305	200	대	상업용	제2종 일반주거	세로(가)	사다리형 완경사	XX주택재개발지구 내

일련번호	공시지가(원/㎡)			
	2003년	2004년	2005년	2006년
1	2,200,000	2,300,000	2,400,000	2,500,000
2	2,000,000	2,100,000	2,200,000	2,300,000
3	1,900,000	2,000,000	2,300,000	2,400,000
4	2,100,000	2,200,000	2,500,000	2,700,000

<자료 5> A시 B구 지가변동률

기간	용도지역별(%)			
2003.01.01~2003.07.01	주거	상업	공업	녹지
2003.07.02~2003.12.31	1.102	1.051	1.200	1.301
2004.01.01~2004.03.01	1.101	1.022	1.051	1.251
2004.03.02~2004.12.31	1.120	1.031	1.022	1.301
2005.01.01~2005.08.01	1.501	2.007	1.032	1.053
2005.08.02~2005.12.31	2.000	1.054	2.002	1.023
2006.01.01~2006.02.01	0.500	1.031	0.023	2.005
2006.02.02~2006.08.27	0.500	2.001	1.054	0.053

<자료 6> 토지가격비준표

1. 도로상황

	광로	중로	소로	세로(가)	세로(불)	비고
광로	1.00	0.90	0.81	0.73	0.66	각지인 경우 10% 가산
중로	1.11	1.00	0.90	0.81	0.73	
소로	1.23	1.11	1.00	0.90	0.81	
세로(가)	1.36	1.23	1.11	1.00	0.90	
세로(불)	1.51	1.36	1.23	1.11	1.00	

2. 형상

	정방형	장방형	사다리형	부정형
정방형	1.00	0.95	0.85	0.70
장방형	1.05	1.00	0.95	0.75
사다리형	1.17	1.05	1.00	0.85
부정형	1.42	1.33	1.17	1.00

3. 지세

	평지	저지	완경사	급경사	고지
평지	1.00	0.97	0.95	0.85	0.80
저지	1.03	1.00	0.97	0.95	0.85
완경사	1.05	1.03	1.00	0.97	0.95
급경사	1.17	1.05	1.03	1.00	0.97
고지	1.25	1.17	1.05	1.03	1.00

<자료 7> 건물신축단가 등

구분	블럭조 슬레이트지붕	블럭조 기와지붕	블럭조 슬래브지붕
내용년수(년)	35	40	40
잔존가치(원)	0	0	0
신축단가(원/㎡)	400,000	450,000	500,000

<자료 8> 인근지역 아파트 거래사례

소재지	사례물건	평형	건축시점	거래시점	거래가격
A시 B구 C동 201번지	D아파트 10층 1호	32평형 (전용면적 85㎡)	2003.5.6	2006.3.2	350,000,000원

<자료 9> 아파트 비교요인

1. 도로조건, 접근조건, 획지조건, 환경조건 등의 개별요인은 거래사례 아파트 대비 분양예정 아파트(10층 1호)가 5% 우세

2. 인근 지역 고층아파트의 경과년수별 아파트 시세비율

경과년수	2년 이하	2년 초과 5년 이하	5년 초과 10년 이하	10년 초과 20년 이하	20년 초과
아파트시세비율	100	85	70	65	60

3. 거래시점 이후 3·30 종합부동산대책의 영향으로 인근지역 아파트가격시세는 10% 하락한 것으로 조사됨.

<자료 10> 기타

1. 추정 총사업비 : 사업에 소요되는 총사업비는 230억원으로 추산함.
2. P씨의 종전자산가액은 조합 전체 종전자산가액의 1%에 해당함.
3. 비례율은 백분율로서 소수점 이하 셋째자리에서 반올림하여 둘째자리까지 표시할 것.

【문제 3】 감정평가사 L씨는 S법원으로부터 토지소유자와 지상 건물소유자간에 발생한 분쟁으로 제기된 소송의 판결을 위한 토지사용료 산정을 의뢰 받았다. 다음 자료를 활용하여 적정 토지사용료를 구하시오. (10점)

<자료 1> 감정평가의뢰 내용

1. 토지

소재지	지번	지목	면적(㎡)	용도지역
S시 Y동	30	대	600	일반상업지역

2. 건물

소재지	지번	구조	면적(㎡)	용도
S시 Y동	30	철골조 철판지붕 단층	400	아파트 모델하우스

3. 가격시점 : 2006.8.27

4. 평가할 사항 : 가격시점으로부터 향후 1년간 토지사용료

<자료 2> 현장조사 내용

1. 평가대상 토지는 광대로에 접하며 세로장방형 평지

2. 인근지역은 노선을 따라 업무용 빌딩, 백화점, 병원 등이 소재
   도로후면은 소규모 점포 및 주택 등이 혼재

3. 유사토지의 적정 임대사례를 찾지 못함.

4. 건물은 최근 신축, 건축비용은 3억원

<자료 3> 인근지역 공시지가 표준지 현황

(공시기준일 2006.1.1)

일련 번호	소재지	지번	면적 (㎡)	지목	이용상황	용도지역	도로교통	형상지세	공시지가 (원/㎡)
1	S시 Y동	15	550	대	상업나지	일반상업지역	소로각지	가장형 평지	1,000,000
2	S시 Y동	25	15,000	대	아파트	일반상업지역	광대한면	세장형 평지	750,000
3	S시 Y동	70	180	대	단독주택	일반상업지역	소로한면	정방형 평지	700,000
4	S시 Y동	95	750	대	업무용	일반상업지역	광대소각	가장형 평지	1,400,000

※ 표준지 일련번호 1과 4는 도시계획시설 '도로'에 각각 25%, 30%가 저촉되며, 표준지공시지가 산정시 적용된 도시계획시설 '도로'의 공법상 제한 감안율은 15%임.

<자료 4> S시 지가변동률

기간 \ 용도지역	상업지역(%)
2006년 6월	0.005
누계(2006년 1월~6월)	1.200

<자료 5> 개별요인비교

대상토지	표준지 1	표준지 2	표준지 3	표준지 4
100	75	55	50	110

※ 상기 요인비교에 공법상 제한은 고려되지 않았음.

<자료 6> 기대이율 적용 기준율표

토지용도 (최유효이용)		실제이용상황		
		최유효이용	임시적이용	나지
상업용지	업무·판매시설	7~10%	4~6%	3~4%
	근린생활시설(주택·상가겸용포함)	5~8%	3~4%	2~3%
주거용지	아파트·연립·다세대	4~7%	2~4%	1~2%
	다중·다가구 주택	3~6%	2~3%	1~2%
	일반단독주택	3~5%	1~3%	1~2%
공업용지	아파트형공장	4~7%	2~4%	1~2%
	기타공장	3~5%	1~3%	1~2%
농지	경작여건이 좋고 수익성 있는 순수농경지	3~4%		
	도시근교 및 기타 농경지	2% 이내		
임지	조림지·유실수단지·죽림지	1.5% 이내		
	자연림지	1% 이내		

<자료 7> 필요제경비

1. 필요제경비 : 종합토지세 등 조세공과

2. 연간 조세부담액 : 기초가격의 0.3%

<자료 8> 기타

1. 비교표준지 선정 및 기대이율 적용 사유를 충분히 기술할 것

2. 범위로 된 기대이율의 적용시 범위의 중앙값으로 적용할 것

【문제 4】 감정평가사 K씨는 ㈜ABC로부터 도입기계에 대한 평가의뢰를 받고 다음과 같은 자료를 수집하였다. 도입기계의 평가액을 구하시오. (10점)

<자료 1> 감정 개요

1. 평가대상 : Lathe 1대
2. 가격시점 : 2006.8.27
3. 평가목적 : 공장저당법에 의한 담보평가

<자료 2> 평가기준

1. CIF, 원산지화폐 기준
2. 국내시장가격은 고려하지 않음.
3. 대상기계의 내용년수는 15년, 내용년수만료시 잔가율은 10%

<자료 3> 외화환산율

적용시점	통화	해당통화당 미(달러)	미$당 해당통화	해당통화당 한국(원)
2004년 7월	JPY	0.9140(100엔당)	109.4081	1,059.02(100엔당)
2004년 8월	JPY	0.9522(100엔당)	105.0198	1,059.05(100엔당)
2006년 8월	JPY	0.8735(100엔당)	114.4877	832.28(100엔당)

<자료 4> 기계가격보정지수

구분	연도 / 국명	2005	2004
일반기계	미국	1.0000	1.0606
	영국	1.0000	1.0358
	일본	1.0000	0.9979
전기기계	미국	1.0000	0.9982
	영국	1.0000	0.9954
	일본	1.0000	0.9490

<자료 5> 수입신고서

수 입 신 고 서

(갑지)

(USD) 1,177.5200 (보관용)

① 신고번호	② 신고일	③ 세관.과	⑥ 입항일	※ 처리기간 : 3일
11797-06-3000149	2004/08/01	020-11	2004/07/26	
④ B/L(AWB)번호 EURFLH06803INC	⑤ 화물관리번호 06KMTCHN094-0021-008		⑦ 반입일 2004/07/28	⑧ 징수형태 11

⑨ 신 고 자 지평관세사무소(민경대)
⑩ 수 입 자 ㈜ ABC(A).
⑪ 납세의무자 (에이비씨-1-01-1-01-1 /220-04-75312)
(주소) 서울 중구 충무로 1가 123
(상호) ㈜ ABC
(성명) 홍길동
⑫ 무역대리점
⑬ 공 급 자 AGEHRA VELVET (CO LTD)
JPAGE0002A(JP)

⑭ 통관계획 D 보세구역장치후	⑱ 원산지증명서 유무 X	⑳ 총중량 95,487.0 KG
⑮ 신고구분 A 일반P/L신고	⑲ 가격신고서 유무 Y	㉑ 총포장갯수 1 GT
⑯ 거래구분 11 일반형태수입	㉒ 국내도착항 INC 인천항	㉓ 운송형태 10-FC
⑰ 종류 K 일반수입(내수용)	㉔ 적출국 JP (JAPAN)	
	㉕ 선기명 (LONG HE(CN)	
㉖ MASTER B/L 번호		㉗ 운수기관부호

㉘ 검사(반입)장소 02011123-060039603A (대한통운국제물류)

● 품명 · 규격 (란번호/총란수 : 1/1)

㉙ 품 명 LATHE FOR REMOCING METAL
㉚ 거래품명 LATHE
㉛ 상표 NO

㉜ 모델 · 규격	㉝ 성분	㉞ 수량	㉟ 단가(USD)	㊱ 금액(USD)
LATHE (NUMERICALLY CCNTRCLLED)		1 U	100,000	100,000

㊲ 세번 부호	8458.11-0000	㊴ 순중량	5.000.0 KG	㊷ C/S 검사		㊹ 사후확인기관	
㊳ 과세가격(CIF)	$100,000	㊵ 수 량	1 U	㊸ 검사변경			
	\117,752,250	㊶ 환급물량	1.000 GT	㊻ 원산지표시	JP-Y-Z-N	㊼ 특수세액	
㊺ 수입요건확인 (발급서류명)							

㊽ 세종	㊾ 세율(구분)	㊿ 감면율	51 세액	52 감면분납부호	감면액	* 내국세종부호
관	8.00(A 기가)	50.000	4,710,080	A09500010401	4,710,080	
농	20.00(A)		942,016			
부	10.00(A)		12,340,409			

53 결제금액(인도조건-통화종류-금액-결제방법)	CIF - USD 100,000-LS			55 환 율	1,177.5200
54 총과세가격	$ 100,000	56 운임 942,016	58 가산금액	63 납부번호	-------------
	\ 117,752,250	57 보험료 17,662	59 공제금액	64 부가가치세과표	123,404,096

60 세 종	61 세 액
관 세	4,710,080
특 소 세	
교 통 세	
주 세	
교 육 세	
농 특 세	942,010
부 가 세	12,340,400
신고지연가산세	999,999,999,99 9
62 총세액합계	17,992,490

※ 관세사기재란

65 세관기재란

66 담당자		67 접수일시		68 수리일자	

업태 : 종목 : 세관 · 과 : 020-11 신고번호 : 11797-06-3000149 page 1/1

<자료 6> 부대비용

1. 관세, 농어촌특별세, 부가가치세 및 관세감면율 : 도입시점과 동일
2. 설치비 : 도입가격의 1.5%
3. L/C개설비 등 기타 부대비용 : 도입가격의 3%
4. 운임 및 보험료 : 도입시점과 동일

<자료 7> 정률법에 의한 잔존가치율

(잔가율 : 10%)

연간감가율	0.206	0.189	0.175	0.162	0.152	0.142	0.134	0.127	0.120	0.114	0.109
내용년수 / 경과년수	10	11	12	13	14	15	16	17	18	19	20
1	9/0.794	10/0.811	11/0.825	12/0.838	13/0.848	14/0.858	15/0.866	16/0.873	17/0.880	18/0.886	19/0.891
2	8/0.630	9/0.657	10/0.680	11/0.702	12/0.719	13/0.736	14/0.749	15/0.762	16/0.774	17/0.784	18/0.793
3	7/0.500	8/0.533	9/0.561	10/0.588	11/0.609	12/0.631	13/0.649	14/0.665	15/0.681	16/0.695	17/0.707
4	6/0.397	7/0.432	8/0.463	9/0.493	10/0.517	11/0.541	12/0.562	13/0.580	14/0.599	15/0.616	16/0.630
5	5/0.315	6/0.350	7/0.382	8/0.413	9/0.438	10/0.464	11/0.487	12/0.507	13/0.527	14/0.545	15/0.561
6	4/0.250	5/0.284	6/0.315	7/0.346	8/0.371	9/0.398	10/0.421	11/0.442	12/0.464	13/0.483	14/0.500
7	3/0.196	4/0.230	5/0.260	6/0.290	7/0.315	8/0.341	9/0.365	10/0.386	11/0.408	12/0.428	13/0.445
8	2/0.157	3/0.187	4/0.214	5/0.243	6/0.267	7/0.293	8/0.316	9/0.337	10/0.359	11/0.379	12/0.397
9	1/0.125	2/0.151	3/0.177	4/0.203	5/0.226	6/0.251	7/0.273	8/0.294	9/0.316	10/0.336	11/0.353
10	0.1	1/0.123	2/0.146	3/0.170	4/0.192	5/0.215	6/0.237	7/0.257	8/0.278	9/0.298	10/0.315
11		0.1	1/0.120	2/0.143	3/0.163	4/0.185	5/0.205	6/0.224	7/0.245	8/0.264	9/0.280
12			0.1	1/0.119	2/0.138	3/0.158	4/0.177	5/0.195	6/0.215	7/0.233	8/0.250
13				0.1	1/0.117	2/0.136	3/0.154	4/0.171	5/0.189	6/0.207	7/0.223
14					0.1	1/0.117	2/0.133	3/0.149	4/0.167	5/0.183	6/0.198
15						0.1	1/0.115	2/0.130	3/0.146	4/0.162	5/0.117
16							0.1	1/0.113	2/0.129	3/0.144	4/0.157
17								0.1	1/0.113	2/0.127	3/0.140
18									0.1	1/0.113	2/0.125
19										0.1	1/0.111
20											0.1

【문제 5】 Y시로부터 보상평가 의뢰를 받고 다음과 같은 자료를 수집하였다. 보상평가 관련 제 규정에 의하여 적정 보상평가액을 산정하시오. (10점)

<자료 1> 감정개요

1. 사업명 : 근린공원조성사업
2. 평가대상
   (1) 주택(토지는 사유지)

소재지	지번	건물구조	면적(m^2)	신축일자
Y시 K동	10	목조 기와지붕 단층(한식구조)	100	1986.1.31

   (2) Y시 K동 12번지 지상 배나무 50주(근원경 10, 수고 4)

3. 사업인정 고시일 : 2006.2.5
4. 가격시점 : 2006.8.27.

<자료 2> 당해 공공사업의 이주대책

1. 당해 공공사업에 편입된 주거용 건물 소유자에 대해 주택입주권 부여
2. 주택입주권 가치 : 30,000,000원

<자료 3> 이전공사비율

공사비내역 구조및 용도	신축공사비 (원/m^2)	이전공사비율				내용년수
		해체공사	운반공사	보충자재	재축공사	
목조한식지붕틀 한식기와잇기 주택	630,000	0.142	0.030	0.168	0.538	45
목조지붕틀 시멘트기와잇기 주택	549,000	0.114	0.023	0.169	0.589	35
철골조철골지붕틀 칼라피복철판잇기 공장	524,000	0.168	0.014	0.170	0.502	35
통나무구조 －풀너치방식 주택－	988,000	0.086		0.064	0.277	45
통나무구조 －포스트앤빔 주택－	943,000	0.094		0.097	0.273	45
스틸하우스 －주택－	865,000	0.139	0.021	0.212	0.388	40

<자료 4> 당해 공공사업지구 내 주택 거래사례

1. 사례물건 : Y시 K동 15번지 주택(토지는 사유지)
2. 사례건물 내용

건물구조	면적(㎡)	신축일자
목조 기와지붕 단층(한식구조)	105	1986.12.5

3. 거래가격 : 80,000,000원
4. 거래시점 : 2006.5.1(거래이후 인근지역 주택가격 변동은 없음)
5. 건물개별요인 비교치(면적비교 제외) : 0.95

<자료 5> 이식비 품셈표

규격	굴취		운반	상하차비(원)	식재		재료비	부대비용	수익액(원)	수목가격(원)
	조경공	보통인부			조경공	보통인부				
H2.0R6	0.11	0.01	0.008	357	0.11	0.07	(굴취비+식재비)의 10%	전체이식비의 20%	10,000	55,000
H3.0R8	0.19	0.02	0.015	1,017	0.23	0.14	(굴취비+식재비)의 10%	전체이식비의 20%	15,000	80,000
H4.0R10	0.30	0.04	0.030	2,000	0.40	0.25	(굴취비+식재비)의 10%	전체이식비의 20%	20,000	120,000

<자료 6> 수목이식 관련자료

1. 정부노임단가 : 조경공 45,000원, 보통인부 30,000원

2. 구역화물자동차운임 : 43,000원(4.5t, 30Km내)

<자료 7> 수종별 이식적기 및 고손율

구분	이식적기	고손율	비고
일반사과	2월 하순~3월 하순	15% 이하	그 밖의 수종은 유사수종에 준하여 적용
왜성사과	2월 하순~3월 하순, 11월	20% 이하	
배	2월 하순~3월 하순, 11월	10% 이하	
복숭아	2월 하순~3월 하순, 11월	15% 이하	
포도	2월 하순~3월 하순, 11월	10% 이하	
감귤	6월 장마기, 11월, 12월 하순~3월 하순	10% 이하	
감	2월 하순~3월 하순, 11월	20% 이하	
밤	11월 상순~12월 상순	20% 이하	
자두	2월 하순~3월 하순, 11월	10% 이하	
호두	2월 하순~3월 하순, 11월	10% 이하	
살구	2월 하순~3월 하순, 11월	10% 이하	

【문제 6】 대지권이 미등기된 구분건물이 경매평가로 의뢰된 경우에 다음에 대하여 약술하시오. (5점)

1. 평가 처리방법
2. 1과 같이 평가 처리하는 이유
3. 감정평가서에 기재해야 할 사항

제18회 감정평가사 2차 국가자격시험문제

교 시	시 간	시 험 과 목
1교시	100분	① 감정평가실무

수험번호		성 명	

※ 공통유의사항
1. 각 문제는 해답 산정시 산식과 도출과정을 반드시 기재할 것
2. 단가는 유효숫자 셋째자리까지 표시, 지가변동률은 백분율로서 소수점 이하 넷째자리에서 반올림하여 셋째자리까지 표시할 것

【문제 1】 감정평가사 '甲'은 아래 부동산에 대한 평가의뢰를 받고 감정평가가격을 산정하고자 한다. 주어진 자료를 활용하여 아래의 물음에 답하시오. (35점)

1) 표준지 공시지가를 기준으로 하여 토지가격을 산정하시오.
2) 거래사례를 활용하여 토지가격을 산정하시오.
3) 조성사례를 활용하여 토지가격을 산정하시오.
4) 임대사례를 활용하여 토지가격을 산정하시오.
5) 토자가격을 결정하고 원가법을 적용하여 건물가격을 결정한 후 대상 부동산의 감정평가가격을 구하시오.

<자료 1> 대상부동산의 개황

소 재 지	A시 B구 C동 197번지
평가목적	일반거래
가격시점	2007.08.26

토지에 관한사항	• 지역개황 : 평가대상토지는 주간선도로와 연계되는 보조간선도로변에 소재하며, 인근지역은 현재 상권이 잘 형성되어 있는 성숙한 노선상가지대임 • 용도지역 : 제3종 일반주거지역 • 접면도로상태 : 남측으로 15m도로에 동측으로 2m 정도의 골목길에 양면접함 • 지목 : 대, 면적 : 500㎡ • 형상, 고저 : 세장형, 평지 • 약 35㎡는 도시계획시설 도로에 저촉됨
건물에 관한 사항	• 구조, 면적 : 철근콘크리트조 슬래브 지붕 10층 근린생활시설 1,200㎡ • 준공일자 : 1996.09.20 • 건물증축 : 11층 60㎡(구조 - 적벽돌조슬래브 지붕, 용도 - 직원숙소) • 증축일자 : 2003.05.03 • 건물 총 공사비 : 670,000,000원(공사비 중 50,000,000원은 기초 터파기공사시 예상치 못한 지하암반 노출로 이를 제거하는데 소요된 공사비임) • 부대설비 : 냉난방설비, 승강기, 화재탐지설비 • 증축부분을 제외한 기존 건물은 관리상태가 다소 불량하여 3년 정도의 관찰감가를 요함

<자료 2> 인근 표준지 공시지가(고시기준일 : 2007.01.01)

(단위 : 원/㎡)

기호	소재지	지번	면적(㎡)	이용상황	용도지역	도로교통	형상지세	주위환경	공시지가
1	C동	10	510	상업용	3종일주	중로한면	세장형 평지	미성숙상가지대	970,000
2	C동	20	483	업무용	3종일주	중로각지	정방형 평지	성숙중인상가지대	1,030,000
3	C동	30	451	상업나지	3종일주	중로한면	가장형 평지	노선상가지대	1,100,000
4	C동	40	3,135	상업용	3종일주 근린상업	중로각지	세장형 평지	노선상가지대	1,050,000
5	C동	80	420	상업나지	3종일주	소로각지	정방형 평지	번화한 상가지대	1,000,000

<자료 3> 지가변동률

1) 용도지역별, 이용상황별 지가변동률

(단위 : %)

구분	상업지역	주거지역	대		기타
			상업용	주거용	
2005년	2.378	3.193	1.154	2.156	3.004
2006년	1.26	2.158	1.487	1.389	1.167
2007년 1월	0.045	0.136	0.327	0.841	0.324
2007년 2월	0.069	0.519	0.423	0.346	0.813
2007년 3월	0.148	0.328	0.238	0.518	0.193
2007년 4월	0.085	0.137	0.327	0.542	0.426
2007년 5월	0.043	0.420	0.409	0.209	0.823
2007년 6월	0.166	0.256	0.178	0.218	0.204

※ 2005년도와 2006년도의 지가는 연중 균등하게 상승하였다.

<자료 4> 생산자 물가지수

2006년 1월	105.3	2006년 7월	107.6	2007년 1월	108.9
2006년 2월	105.8	2006년 8월	107.5	2007년 2월	109.3
2006년 3월	106.7	2006년 9월	107.9	2007년 3월	108.7
2006년 4월	106.3	2006년 10월	108.1	2007년 4월	108.6
2006년 5월	106.9	2006년 11월	108.0	2007년 5월	109.0
2006년 6월	107.3	2006년 12월	108.4	2007년 6월	109.6

<자료 5> 토지 개별 요인

1) 형상별 개별요인표

가장형	정방형	세장형
1.00	0.95	0.93

2) 도시계획 저촉여부에 따른 개별요인표

미저촉	저촉
1.00	0.85

<자료 6> 사례자료

구분	거래사례		조성사례	임대사례
	사례 1	사례 2	사례 1	사례 1
용도지역	3종 일주	3종 일주	3종 일주	3종 일주
비교치(대상지/사례지)	1.05	1.25	0.97	0.97
건물구조 등	철근콘크리트조 슬래브지붕 11층	철근콘크리트조 슬래브지붕 20층	-	철근콘크리트조 슬래브지붕 13층
용도	판매시설	사무실	-	근린생활시설
부대설비	승강기 화재탐지설비 스프링쿨러 냉난방설비	승강기 화재탐지설비 냉난방설비 스프링쿨러	-	승강기 화재탐지설비 스프링쿨러 냉난방설비 주차타워
내용년수	주체부분 : 40년 부대설비 : 20년	주체부분 : 40년 부대설비 : 20년	-	주체부분 : 40년 부대설비 : 20년
준공시점	1998.09.27	2003.10.17	2006.01.01	2001.08.05
거래시점	2007.01.13	2006.12.16	2006.07.13	-
사례의 특징	거래가격을 분석한 결과 통상적인 건물 감정평가액보다 10% 높은 금액으로 거래된 것으로 판단됨.	정상거래	토지매입비 : 900,000,000원 조성공사비 : 400,000,000원 공사비는 착공시점(2004.01.01)에 1/2지급, 2005.01.01에 1/2지급 판매관리비 및 부대비용 : 조성공사비의 20%(준공시점에 지급) 토지매입시점 : 2003.01.01 공사착공시점 : 2004.01.01 공사준공시점 : 2006.01.01 공사비 등은 표준적이며 시장 이자율은 연 8%를 적용	-
토지 건물의 규모	대지 : 505㎡ 건물연면적 : 1,232㎡	대지 : 1,231㎡ 건물연면적 : 2,328㎡	대지 : 1,770㎡ 건물연면적 : 3,321㎡	대지 : 550㎡ 건물연면적 : 1,200㎡
거래가격	1,235,000,000원	2,860,000,000원	-	-

<자료 7> 임대사례 내역 : 최근 1년간 임대내역 및 필요 제경비

(단위 : 원)

지출항목(연간)		수입항목(연간)	
유지관리비 :	6,000,000	보증금 운용익 :	10,000,000
제세공과금 :	8,000,000	임료 수입 :	144,000,000
손해보험료 :	3,000,000	주차료 수입 :	14,000,000
대손상각액 :	15,000,000		
공실손실상당액 :	2,000,000		
장기 차입이자 :	1,500,000		

㈜ 1. 손해보험료는 소멸성임.
2. 감가상각비는 별도 계산을 요함.

<자료 8> 건물신축단가

	재조달원가(원)	내용년수	잔가율
철근콘크리트조	600,000	40년	10%
적벽돌조 슬래브	510,000	35년	10%

<자료 9> 건물부대설비 보정단가

부대설비 구분	적용단가	비고
승강기	50,000원/㎡	12층 미만
	60,000원/㎡	12층 이상
화재탐지설비	4,000원/㎡	
스프링쿨러	6,000원/㎡	
냉난방설비	65,000원/㎡	
주차타워	150,000,000원/식	12층 미만
	180,000,000원/식	12층 이상

<자료 10>

1) 토지의 환원이율 : 연 8%

2) 건물의 상각후 세공제전 환원이율 : 연 10%

3) 단가는 백원 단위에서 반올림하여 천원 단위까지 구함.
4) 지가변동률 산정시 미고시 기간은 직전월의 변동률을 연장 적용하며, 백분율로 소수점 넷째자리에서 반올림할 것
5) 비교표준지 선정시 도로조건에 유의할 것

【문제 2】 감정평가사 K는 H은행 B지점으로부터 담보감정평가를 의뢰받고 사전조사 및 실지조사를 다음과 같은 자료를 수집·정리하였다. 제시된 자료를 활용하여 아래의 물음에 답하시오. (30점)

1) 담보물건에 대한 평가를 하는 감정평가사와 그가 소속된 감정평가업자가 준수하여야 할 사항을 5가지 이상 간략히 설명하시오.
2) 대상 부동산의 등기부상 권리내역을 분석하고 H은행이 대출 가능금액을 판단하는데 필요한 사항을 기술하시오.
3) 감정의 목적을 감안하여 다음 순서에 따라 대상부동산의 감정평가 가격을 구하시오. (16점)
   가) 토지가격 산정
   나) 건물가격 산정
   다) 대상부동산의 감정평가 가격
4) 위 '3)의 순서에 따라 작성된 감정평가서를 발송하기 전에 미리 심사(검토)하여야 할 사항을 5가지 이상 기술하시오.

<자료 1> 감정평가의 기본적 사항

1) 감정평가 의뢰물건 : 경기도 A시 B구 C동 321-12 소재 토지 및 건물
2) 감정평가 의뢰일자 : 2007.8.20
3) 현장조사일자 : 2007.08.23~07.08.25
4) 감정평가사 작성일자 : 07.08.26

<자료 2> 실지조사결과 확인내용

1) 토지 : 대상토지 남측에 접한 321-13(잡)은 시설녹지이며 지상에는 3미터 높이의 조경수목이 밀식되어 있음.

2) 건물

가) 이용상황 : 지층－창고, 1층－근린생활시설(소매점)
2층－다가구주택(2가구), 3층－다가구주택(1가구)

나) 지층 및 1,2층의 면적은 공부와 일치하나, 3층 부분의 실제면적은 60㎡임.

다) 지상층에는 위생설비가 되어 있고, 2층과 3층에는 도시가스에 의한 개별난방 설비가 되어 있음.

3) 임대차 내역 : 임대차 내역은 아래와 같이 조사됨.

구 분	임대차 내역	비고
지층 및 1층	전체를 소유자가 이용중임	
2층	201호 : 김갑동 (보증금 65,000,000원) 202호 : 이을동 (보증금 60,000,000원)	전체 임대
3층	박병동 (보증금 50,000,000원)	전체 임대

<자료 3> 인근의 공시지가 표준지 현황 (공시기준일 : 2007.01.01)

일련번호	소재지	면적(㎡)	지목	이용상황	용도지역	도로교통	형상 및 지세	공시지가(원/㎡)
1	C동 313-2	300	대	주·상 복합용지	제1종일반 주거지역	세로한면	가장형 평지	2,000,000
2	C동 320-8	230	대	주·상 복합용지	제1종일반 주거지역	소로각지	가장형 평지	2,250,000
3	C동 321-2	260	대	주·상 복합용지	제1종일반 주거지역	세로한면	가장형 평지	2,150,000
4	C동 350-5	250	대	주거용지	제1종일반 주거지역	소로한면	부정형 평지	1,800,000

<자료 4> 지가변동률

구 분	상업지역	주거지역	녹지지역
2007년 6월 (1~6월 누계	0.015% (1.421%)	0.246% (1.373%)	0.322% (1.537%)

<자료 5> 토지에 대한 지역요인 평점

구 분	대상토지	공시지가표준지
평 점	100	100

<자료 6> 토지에 대한 개별요인 평점

구 분	대상 토지	공시지가 표준지1	공시지가 표준지2	공시지가 표준지3	공시지가 표준지4
평 점	100	95	105	96	90

<자료 7> 기타요인자료

1) 인근지역의 평가사례

소재지	평가목적	가격시점	평가액(원/m²)	비고
B구 C동 318-6	담보	2007.7.29	2,170,000	적정가격으로 판단됨

※ 평가대상토지와 인근 평가사례의 개별요인은 대등함.

2) 대상토지와 유사한 이용가치를 지닌 인근 토지의 가격시점 현재 적정 지가수준은 2,150,000원/m²~2,250,000원/m² 정도임.

<자료 8> 건물 표준단가 (가격시점 현재)

분류번호	용도	구조	급수	표준단가 (원/m^2)	내용년수
2-3-5-2	다가구주택	철근콘크리트조 경사슬래브지붕	3	800,000	50년
4-1-5-7	점포 및 상가	철근콘크리트조 경사슬래브지붕	4	600,000	50년

㈜ 지하부분의 재조달원가는 1층 표준단가의 70%를 적용함.

<자료 9> 건물 부대설비 보정단가 (가격시점 현재)

1) 위생설비 : 근린생활시설 : 20,000원/m^2, 일반주택 및 다가구주택 : 40,000원/m^2
2) 난방시설(유류 및 도시가스 온수식) : 일반주택 및 다가구주택 : 50,000원/m^2

<자료 10> 평가대상 부동산의 공부

1) 토지이용계획확인서 내용 : 제1종 일반주거지역, 소로2류에 접함
2) 지적도 등본 : 1부 첨부
3) 토지등기부등본 및 건물등기부등본 : 각 1부 첨부
4) 토지대장 : 1부 첨부
5) 일반건축물 대장 : 1부 첨부

<자료 11> 유의사항

1) 시점수정치 산정시 백분율로 소수점 넷째자리에서 반올림할 것.
2) 각 단계의 가격(금액) 산정치 천원 미만은 절사할 것.
3) 건물의 감가수정은 정액법으로 하여 만년감가하고 내용년수 만료시 잔가율은 0%임.
4) 비교표준지 선정시 도로조건에 유의할 것.
5) 기타요인 보정시 산출근거를 제시할 것.

지적도 등본

발급번호	20070817-0010-00001	처리시각	15시 25분 38초	작성자	김소연
토지소재	경기도 A시 B구 C동	지번	321-12	축척	등록:1/1000 출력:1/1000

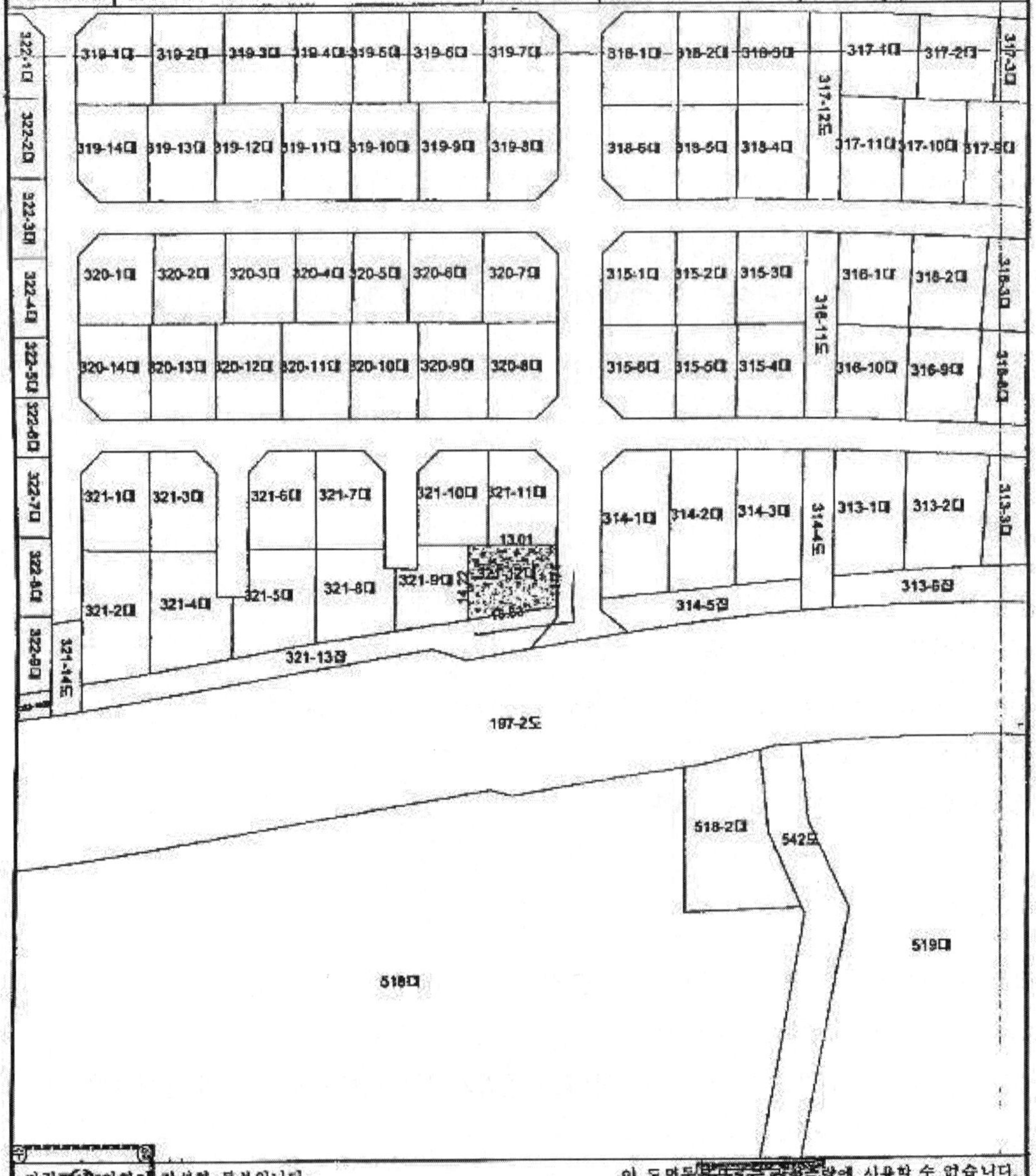

322-1대 322-2대 322-3대 322-4대 322-5대 322-6대 322-7대 322-8대 322-9대

319-1대 319-2대 319-3대 319-4대 319-5대 319-6대 319-7대 318-1대 318-2대 318-3대 317-1대 317-2대 317-3대

319-14대 319-13대 319-12대 319-11대 319-10대 319-9대 319-8대 318-6대 318-5대 318-4대 317-12도 317-11대 317-10대 317-9대

320-1대 320-2대 320-3대 320-4대 320-5대 320-6대 320-7대 315-1대 315-2대 315-3대 316-1대 316-2대 316-3대

320-14대 320-13대 320-12대 320-11대 320-10대 320-9대 320-8대 315-6대 315-5대 315-4대 316-11도 316-10대 316-9대 316-8대

321-1대 321-3대 321-6대 321-7대 321-10대 321-11대 314-1대 314-2대 314-3대 314-4도 313-1대 313-2대 313-3대

321-2대 321-4대 321-5대 321-8대 321-9대 321-12대 314-5잡 313-6잡

321-14도 321-13잡

197-2도

518-2대 542도 519대 518대

지적도에 의하여 작성한 등본입니다.

20 년 8월 25일

A시 B구청장

A시 700원 20 .08.25 SBD003

이 도면등으로는 측량에 사용할 수 없습니다.

[01141173302007081715253810S.2.51.46]-[1/1]

발급자 : 김소연

152045:15204

등기부 등본 (말소사항 포함) - 토지

[토지] 경기도 A시 B구 C동 321-12 고유번호 1356-1996-075718

【 표 제 부 】 (토지의 표시)					
표시번호	접 수	소 재 지 번	지 목	면 적	등기원인 및 기타사항
1 (전 3)	1995년8월28일	경기도 A시 B구 C동 321-12	대	215.8㎡	
					부동산등기법 제177조의 6 제1항의 규정에 의하여 2001년 01월 03일 전산이기

【 갑 구 】 (소유권에 관한 사항)				
순위번호	등 기 목 적	접 수	등 기 원 인	권 리 자 및 기 타 사 항
1 (전 3)	소유권이전	1996년3월20일 제35222호	1993년4월29일 매매	소유자 김○○ 4****** - ******* A시 B구 C동 321-12
				부동산등기법 제177조의 6 제1항의 규정에 의하여 2001년 01월 03일 전산이기
2	소유권이전	2001년5월28일 제36934호	2001년4월24일 매매	소유자 이○○ 5****** - ******* A시 B구 C동 517 P마을 612-1502
3	소유권이전	2002년11월22일 제106947호	2002년9월20일 매매	소유자 박○○ 6****** - ******* A시 B구 C동 526 P마을 707-403

문서 하단의 바코드를 스캐너로 확인하거나, 인터넷등기소(http://www.iros.go.kr)의 발급확인 메뉴에서 발급확인번호를 입력하여 위·변조 여부를 확인할 수 있습니다. 발급확인번호를 통한 확인은 발행일부터 3개월까지 5회에 한하여 가능합니다.

발행번호 13520013506197080109601715W0757524D0H11850011122 1/2 발급확인번호 ANKA-HGNJ-7185 발행일 2007/08/25

[토지] 경기도 A시 B구 C동 321-12 고유번호 1356-1996-075718

[을 구] (소유권 이외의 권리에 관한 사항)				
순위번호	등 기 목 적	접 수	등 기 원 인	권리자 및 기타사항
1	근저당권설정	2007년7월27일 제46678호	2007년7월27일 설정계약	채권최고액 금336,000,000원 채무자 홍길동 경기도 A시 B구 C동 526 P미을 707-403 근저당권자 IBK은행 110136-0027690 서울특별시 K구 S동 75 (B지점) 공동담보 건물 경기도 A시 B구 C동 321-12

-- 이 하 여 백 --

수수료 1,000원 영수함 관할등기소 S지방법원 A지원 B등기소 / 발행등기소 S지방법원 A지원 B등기소

이 등본은 부동산 등기부의 내용과 틀림 없음을 증명합니다.

서기 2010년 8월 25일

법원행정처 등기정보중앙관리소 전산운영책임관 강한수

• 실선으로 그어진 부분은 말소사항을 표시함. • 등기부에 기록된 사항이 없는 갑구 또는 을구는 생략함.

문서 하단의 바코드를 스캐너로 확인하거나, 인터넷등기소(http://www.iros.go.kr)의 발급확인 메뉴에서 발급확인번호를 입력하여 위·변조 여부를 확인할 수 있습니다. 발급확인번호를 통한 확인은 발행일부터 3개월까지 5회에 한하여 가능합니다.

발행번호 11520013506197086010960171SWB0757524D0H31850011122 2/2 발급확인번호 ANKA-HGNJ-7185 발행일 2007/08/25

등기부 등본 (말소사항 포함) - 건물

[건물] 경기도 A시 B구 C동 321-12

고유번호 1356-1996-076170

【 표 제 부 】 (건물의 표시)

표시번호	접 수	소재지번 및 건물번호	건 물 내 역	등기원인 및 기타사항
1 (전 1)	1997년2월14일	경기도 A시 B구 C동 321-12	철근콘크리트조 경사슬라브지붕 주택및 근린생활시설 지층 106.70㎡ 1층 106.70㎡ 2층 107.48㎡ 3층 107.48㎡	부동산등기법 제177조의 6 제1항의 규정에 의하여 1997년 01월 03일 전산이기

【 갑 구 】 (소유권에 관한 사항)

순위번호	등 기 목 적	접 수	등 기 원 인	권 리 자 및 기 타 사 항
1 (전 1)	소유권보존	1997년2월14일 제19205호		소유자 김○○ 4****** - ******* A시 B구 C동 321-12 부동산등기법 제177조의 6 제1항의 규정에 의하여 1997년 01월 03일 전산이기
2	소유권이전	2001년5월28일 제36934호	2001년4월24일 매매	소유자 이○○ 5****** - ******* A시 B구 C동 517 F아파트 612-1502

문서 하단의 바코드를 스캐너로 확인하거나, 인터넷등기소(http://www.iros.go.kr)의 발급확인 메뉴에서 발급확인번호를 입력하여 위 변조 여부를 확인할 수 있습니다. 발급확인번호를 통한 확인은 발행일부터 3개월까지 5회에 한하여 가능합니다.

발행번호 13520013506197085010960171SWB0761524D0H17049011122   1/3   발급확인번호 ANKA-HGNI-1709   발행일 2007/08/25

[전문] 경기도 A시 B구 C동 321-12　　　　　　　　　　고유번호 1356-1996-076170

순위번호	등 기 목 적	접 수	등 기 원 인	권 리 자 및 기 타 사 항
3	소유권이전	2002년11월22일 제106947호	2002년9월20일 매매	소유자 박○○ 6****** - ******* A시 B구 C동 526 P마을 707-403

【 을 구 】	(소유권 이외의 권리에 관한 사항)			
순위번호	등 기 목 적	접 수	등 기 원 인	권 리 자 및 기 타 사 항
1	근저당권설정	2007년7월27일 제46678호	2007년7월27일 설정계약	채권최고액 금336,000,000원 채무자 홍길동 경기도 A시 B구 C동 526 P마을 707-403 근저당권자 IBK은행 110136-0027680 서울특별시 K구 S로 75 (B지점) 공동담보 토지 경기도 A시 B구 C동 321-12

[건물] 경기도 A시 B구 C동 321-12 고유번호 1356-1996-076170
수수료 1,000원 영수함 관할등기소 S지방법원 A지원 B등기소 / 발행등기소 S지방법원 A지원 B등기소

이 등본은 부동산 등기부의 내용과 틀림 없음을 증명합니다.

서기 2010년 8월 25일

법원행정처 등기정보중앙관리소 전산운영책임관 강한수

- 실선으로 그어진 부분은 말소사항을 표시함. * 등기부에 기록된 사항이 없는 갑구 또는 을구는 생략함.

문서 하단의 바코드를 스캐너로 확인하거나, 인터넷등기소(http://www.iros.go.kr)의 발급확인 메뉴에서 발급확인번호를 입력하여 위·변조 여부를 확인할 수 있습니다. 발급확인번호를 통한 확인은 발행일부터 3개월까지 5회에 한하여 가능합니다.

발행번호 13520013506197086010960171SWB0761524D0H47049011122 3/3 발급확인번호 ANKA-HGNI-1709 발행일 2007/08/25

토지 대장

고유번호	4113510700-10321-0012		
토지소재	경기도 A시 B구 C동		
지 번	321-12	축 척	수치

도면번호	26	발급번호	20 0817-0192-0001
장 번 호	1-1	처리시각	15시 22분 00초
비 고		작 성 자	김소연

토지 표시			소유자		
지 목	면 적 (㎡)	사 유	변 동 일 자 변 동 원 인	주 소 성명 또는 명칭	등록번호
(08) 대	*215.8	(62)1995년8월3일 구획정리 완료	2002년11월22일 (03)소유권이전	526 P마을 707-403 박○○	6******-*******
		--- 이하 여백 ---		--- 이하 여백 ---	

등 급 수 정 연 월 일	1995년8월3일 설정							
토 지 등 급 (기준수확량등급)	221							
개별공시지가기준일	2002년1월1일	2003년1월1일	2004년1월1일	2005년1월1일	2006년1월1일	2007년1월1일		용도지역 등
개별공시지가(원/㎡)	721,000	793,000	1,170,000	1,470,000	1,840,000	2,020,000		

A 시
500원
2007.08.25
SBD003

토지대장에 의하여 작성한 등본입니다.
20 년 8월 25일

경기도 A시 B구청장

[200708171522002007081701920001001]

152036 : 152037

일반건축물대장(갑)

고유번호	4113510700-1-03210012			장번호	1-1

대지위치	경기도 A시 B구 C동			지번	321-12	명칭및번호		특이사항	
대지면적	215.8㎡	연면적	428.36㎡	지역	일반주거지역(도시설계지역)	지구		구역	
건축면적	107.46㎡	용적률산정용 연면적	㎡	주구조	철근콘크리트조	주용도	주택및근린생활시설	층수	지하 1층/지상 3층
건폐율	49.97%	용적률	149.05%	높이	10.5m	지붕	경사슬라브	부속건축물	동 ㎡

건축물현황

구분	층별	구조	용도	면적(㎡)
주	지층	철근콘크리트조	근린생활	63.92
주	지층	철근콘크리트조	대피소	42.78
주	1층	철근콘크리트조	근린생활시설	106.7
주	2층	철근콘크리트조	다가구주택(2가구)	107.46
주	3층	철근콘크리트조	다가구주택(1가구)	107.46
		- 이하 여백 -		

소유자현황

성명(명칭) / 주민등록번호 (부동산등기용등록번호)	주소	소유권 지분	변동일자 / 변동원인
김○○ / 4***** - *******	321-12		1997.02.14 / 소유권보존
이○○ / 5***** - *******	517 P마을 [illegible]		2001.05.28 / 소유권이전
박○○ / 6***** - *******	526 P마을 707-403		2002.11.22 / 소유권이전
	- 이하 여백 -		

이 등(초)본은 건축물대장의 원본내용과 틀림없음을 증명합니다.

A시 1,000원 2007.08.25 98D003

2007년 08월 25일

경기도 A시 B

3D304-18631일 '97.10.9 승인 [10500205104620070817152048010 01]

152057:152101

고유번호	4113510700-1-03210012			장번호	2 - 1

구 분	성명 또는 명칭	면허(등록)번호
건 축 주	김○○	4****** - *******
설 계 자	극진건축사사무소 박철훈	******
공사감리자	극진건축사사무소 박철훈	
공사시공자	김○○	4****** - *******

	주 차 장		
옥내	자주식	대	㎡
옥내	기계식	대	㎡
옥외	자주식	3대	34.5㎡
옥외	기계식	대	㎡

승강기	
승 용	대
비상용	대

*오수정화시설	
형 식	
용 량	인용

허 가 일 자	1996 18.08
착 공 일 자	1996 08.16
사용승인일자	1996 12.26
관 련 지 번	
기 타 기 재 사 항	

변 동 사 항

변동일자	변동내용 및 원인	변동일자	변동내용 및 원인
2001.10.11	소유권이전		
2003.01.14	소유권이전		
	- 이하 여백 -		

【문제 3】 경기도 태평시 춘향동에 사는 K씨는 6년전 자신의 주택이 근린공원조성사업에 편입되어 손실보상을 받고 인접지로 이주하였다. 그 후 K씨가 새로 이주한 주택이 다시 ○○공사가 시행하는 택지개발사업지구에 편입되었다. 택지개발사업에 따른 기대심리로 사업지구내의 토지가격이 상당히 상승하였고, 이와는 별도로 2006. 12.20자 정부의 도로사업(서울~태평고속화도로 건설공사)계획 발표로 인하여 사업지구를 포함한 인근지역의 토지가격이 약 10%상승하였다.
다음 자료를 활용하여 ○○공사가 K씨에게 지급하여야 할 토지 및 지장물의 총보상금액을 산정하시오. (20점)

<자료 1> 택지개발사업 개요

1) 택지개발예정지구 지구지정일 : 2004.6.22
2) 택지개발계획 승인고시일 : 2005.8.3
3) 택지개발사업 실시계획인가일 : 2006.3.08
4) 보상평가 현장조사일 : 2007.1.11.~2007.1.20

<자료 2> 편입대상물건의 상황

1) 토지
가. 소재지 : 태평시 남구 춘향동 71, 대, 500㎡(토지대장상 면적)
나. 용도지역 : 자연녹지지역
다. 기타제한 : 군사시설보호구역, 도시계획시설 도로 저촉(저촉비율은 전체면적의 약 15%)
라. 형상, 고저 : 사다리, 완경사
마. 접면도로상태 : 세로한면
2) 지장물

기호	용도	공부	현황	건축년도
1	주택	적벽돌조 슬래브 50㎡	시멘벽돌조 슬래브 45㎡	1990.9.1
2	주택	블록조 기와 18㎡	공부와 동일	1993.7.6
3	축사	–	블록조 슬레이트 155㎡	1996.8.20 무허가

<자료 3> 공시지가 표준지 현황

1) 택지개발사업지구 내 표준지

(단위 : 원/㎡)

기호	소재지	지번	면적(㎡)	이용상황	용도지역	도로교통	형상지세	공법상 제한사항	각 연도별 공시지가		
									2004	2005	2006
1	촌향동	19	429	전	자연녹지	세로한면	세장형 저지	군사시설보호구역, 도로저촉	130,000	150,000	170,000
2	촌향동	33-1	530	단독	자연녹지	세로각지	부정형 완경사	군사시설보호구역, 도로저촉	160,000	175,000	195,000
3	촌향동	53	501	주거나지	자연녹지	세로한면	세장형 평지	군사시설보호구역, 도로저촉	150,000	180,000	198,000
4	촌향동	69	483	단독	자연녹지	세로(불)	사다리 평지	–	155,000	175,000	187,000

2) 택지개발사업지구 외 인근지역 표준지

(단위 : 원/㎡)

기호	소재지	지번	면적(㎡)	이용상황	용도지역	도로교통	형상지세	공법상 제한사항	각 연도별 공시지가		
									2004	2005	2006
5	촌향동	201	853	단독	자연녹지	세로한면	세장형 평지	군사시설보호구역, 도로저촉	145,000	148,000	151,000
6	촌향동	256	428	주거기타(교회)	자연녹지	세로각지	부정형 평지	군사시설보호구역	150,000	153,000	158,000
7	촌향동	289	360	단독	자연녹지	세로한면	세장형 완경사	군사시설보호구역, 도로저촉	155,000	158,000	161,000
8	촌향동	321-3	411	주거나지	자연녹지	세로한면	사다리 평지	–	150,000	153,000	155,000

<자료 4> 지가변동률

구 분	행정구역	상업지역	주거지역	녹지지역	공업지역
2005년	태평시 남구	2.945	3.051	2.365	2.197
2006년	태평시 남구	1.425	2.208	3.016	1.511
2007년 1월~3월 누계	태평시 남구	1.425	1.097	2.333	0.997
2007년 4월	태평시 남구	0.162	0.136	1.231	0.674
2007년 5월	태평시 남구	0.201	0.601	0.337	0.354
2007년 6월	태평시 남구	0.152	0.238	0.601	0.784

<자료 5> 토지가격 비준표(경기도 태평시)

1) 도시계획시설

미 저촉	학교	도로
1.00	0.90	0.85

2) 공법상 제한상태

미 저촉	군사시설 보호구역
1.00	0.75

<자료 6> 지역요인

각 표준지와 대상지의 지역요인은 동일함.

<자료 7> 개별요인

1) 접면도로

세로 불	세로 한면	세로 각지
1.00	1.07	1.10

2) 형상

부정형	사다리	세장형	정방형, 가장형
1.00	1.05	1.08	1.10

3) 고저

완경사	평지	저지
1.00	1.05	1.01

<자료 8> 이전공사 항목(재조달원가 대비 비율)

기호	구분	노무비	해체비	이전비	자재비	폐자재 처분익	설치비	재조달 원가 (원/m²)	내용 년수
1	적벽돌슬래브조 주택	0.213	0.157	0.138	0.213	0.086	0.160	680,000	40
2	시멘벽돌조슬래브 주택	0.207	0.143	0.135	0.208	0.053	0.168	520,000	35
3	블록조 기와주택	0.120	0.153	0.141	0.111	0.065	0.165	480,000	45
4	철골조 슬레이트 축사	0.123	0.137	0.135	0.116	0.031	0.167	120,000	15
5	블래조 슬레이트 축사	0.115	0.142	0.140	0.110	0.014	0.169	150,000	20

<자료 9> 유의사항

1) 지역요인과 개별요인의 비교수치는 각 세항목별로 소수점 셋째자리에서 반올림하여 둘째자리까지 표시한다.

2) 토지 및 지장물 적용단가는 100원 단위에서 반올림하여 1,000원 단위까지 표시한다.

3) 감가수정은 만년감가를 적용한다.

【문제 4】 다음 자료를 활용하여 ○○주식회사의 2006년 12월 31일 현재 비상장주식의 1주당 가격을 평가하시오. 단, 원미만은 반올림한다. (15점)

<자료 1> 평가대상 주식내용

구 분	수권 주식수	발행 주식수	1주의 금액
OO주식회사 비상장주식	500,000주	300,000주	5,000원

<자료 2> 2006.12.31자 OO주식회사의 대차대조표는 다음과 같다

(단위 : 원)

차 변		대 변	
과목	금액	과목	금액
현금예금	550,000,000	외상매입금	400,000,000
유가증권	150,000,000	지급어음	600,000,000
외상매출금	500,000,000	미지급비용	150,000,000
받을어음	800,000,000	단기차입금	2,000,000,000
재고자산	200,000,000	대손충당금	16,000,000
선급비용	50,000,000	건물감가상각충당금	64,800,000
부도어음	100,000,000	기계기구감가상각충당금	1,606,500,000
토 지	945,000,000	퇴직급여충당금	180,000,000
건 물	900,000,000	자본금	1,500,000,000
기계기구	3,500,000,000	이익준비금	500,000,000
창 업 비	20,000,000	당기말미처분이익잉여금	697,700,000
합 계	7,715,000,000	합 계	7,715,000,000

<자료 3> 기말 정리사항은 다음과 같다

1) 유가증권은 130,000,000원으로 평가함.
2) 매출채권 잔액에 대하여 2%를 대손충당금으로 설정함.
3) 재고 자산은 변동이 없음.
4) 차입금에 대한 미지급이자가 30,000,000원 있음.
5) 이미 지급한 보험료 중 기간 미 경과된 금액이 20,000,000원 임.
6) 부도어음을 검토한 결과 50,000,000원은 회수 불가능함.
7) 퇴직금 관련 제 규정에 따라 2006.12.31 현재 퇴직급여충당금을 설정해야 하는 금액은 200,000,000원 임.
8) 창업비는 매년 상각하여 왔으며 이번 기에 미상각 잔액 전부를 상각하여야 함.
9) 가격시점 현재 토지의 평가금액은 1,260,000,000원이며, 건물과 기계기구의 평가금액은 <자료 4> 및 <자료 5>를 활용하여 구함.

<자료 4> 건물의 자료

1) 대상건물

구조	연면적	사용승인일	건축비 (원/㎡)	건축비 검토결과
철근콘트리트조 슬래브 지붕 3층건	1,800㎡	2001.12.31	500,000	건축비는 표준적인 것으로 판단됨.

2) 철근콘크리트구조 건물의 건축비 지수

2002.1	2003.1	2004.1	2005.1	2006.1	2007.1
100	107	115	126	135	145

3) 철근 콘크리트구조 건물의 경제적 내용년수는 50년이며, 내용년수 만료시 잔가율은 10%임.

<자료 5> 기계기구의 자료

1) 가격시점 현재 기계기구의 재조달원가 총액은 3,800,000,000원이며 2001년 12월에 모두 신품을 구입하였음(모든 기계의 경제적 내용년수는 15년이며 감가수정방법은 정률법에 의하고 잔가율은 10%로 함)

2) 정률법에 의한 잔존가치율 표(잔존가치 : 10%)

연간감가율	0.319	0.280	0.250	0.226	0.206	0.189	0.175	0.162	0.152	0.142
내용연수 / 경과년수	6	7	8	9	10	11	12	13	14	15
1	5/0.681	6/0.720	7/0.750	8/0.774	9/0.794	10/0.811	11/0.825	12/0.838	13/0.848	14/0.858
2	4/0.464	5/0.518	6/0.562	7/0.599	8/0.631	9/0.658	10/0.681	11/0.702	12/0.720	13/0.736
3	3/0.316	4/0.373	5/0.422	6/0.464	7/0.501	8/0.534	9/0.562	10/0.588	11/0.611	12/0.631
4	2/0.215	3/0.268	4/0.316	5/0.539	6/0.398	7/0.433	8/0.464	9/0.492	10/0.518	11/0.541
5	1/0.147	2/0.193	3/0.237	4/0.278	5/0.316	6/0.351	7/0.383	8/0.412	9/0.439	10/0.464
6	0.1	1/0.139	2/0.178	3/0.215	4/0.251	5/0.285	6/0.316	7/0.436	8/0.373	9/0.398
7		0.1	1/0.133	2/0.167	3/0.200	4/0.231	5/0.261	6/0.289	7/0.316	8/0.341
8			0.1	1/0.129	2/0.158	3/0.187	4/0.215	5/0.242	6/0.268	7/0.293
9				0.1	1/0.216	2/0.152	3/0.178	4/0.203	5/0.228	6/0.251
10					0.1	1/0.123	2/0.147	3/0.170	4/0.193	5/0.215
11						0.1	1/0.121	2/0.143	3/0.164	4/0.185
12							0.1	1/0.119	2/0.139	3/0.158
13								0.1	1/0.118	2/0.136
14									0.1	1/0.117
15										0.1

제19회 감정평가사 2차 국가자격시험문제

교 시	시 간	시 험 과 목
1교시	100분	① 감정평가실무

수험번호		성 명	

※ 공통유의사항

1. 각 문제는 해답 산정시 산식과 도출과정을 반드시 기재할 것
2. 단가는 관련 규정에서 정하고 있는 사항을 제외하고 유효숫자 셋째자리까지, 기타요인 보정치는 소수점 첫째자리까지 사정함.

【문제1】 감정평가사 L씨는 택지개발예정지구로 지정고시된 지역의 보상에 대하여 중앙토지수용위원회로부터 이의재결평가 의뢰를 받았다. 보상 관련법규의 제규정 등을 참작하고 제시된 자료를 활용하여 보상액을 산정하시오. (40점)

(1) 의뢰토지에 대한 가격시점 결정 및 비교표준지 선정사유를 설명하고, 기호 3을 제외한 나머지 토지의 보상감정평가액을 산정하시오.

(2) 건물의 보상감정평가액을 산정하시오.

(3) <자료 8>을 활용하여 아래 조건에 따라 영업손실보상액을 산정하되, 구체적인 산출근거를 제시하시오.

  1) 영업허가를 득하고 영업장소가 적법인 경우
  2) 영업허가를 득하고 영업장소가 무허가 건축물인 경우
  3) 무허가 영업이고 영업장소가 적법인 경우
  4) 무허가 영업이고 영업장소가 무허가 건축물인 경우

<자료 1> 사업개요

1) 사업의 종류 : ○○택지개발사업
2) 택지개발사업 예정지구 공람·공고일 : 2006. 04. 05.
3) 택지개발사업 개발계획승인 고시일 : 2007. 10. 24.
4) 추가 세목고시일 : 2008. 03. 24
5) 협의평가 가격시점 : 2008. 05. 21.
6) 재결일 : 2008. 08. 25.
7) 현장조사 완료일 : 2008. 09. 21.
8) 이의재결시점 : 2008. 10. 25
9) 서울시 강남구, 동작구 및 성남시 수정구와 인접하고 있는 서울시 서초구는 당해 공익사업의 영향으로 지가변동률이 높게 나타나고 있음.
10) 당해 사업지구의 용도지역이 기존에는 자연녹지(개발제한구역)였으나 공익사업 시행에 따른 절차로서 제2종일반주거지역으로 변경되었음.

<자료 2> 의뢰물건 내용

1) 토지조서

기호	소재지	면적		지목	비고
		공부	편입		
1	서초구 신원동 210	450	350	대	
2	서초구 신원동 221	600	450	대	
3	서초구 신원동 230	2,000	2,000	임야	
4	서초구 신원동 240	900	900	전	

2) 지장물조서

기호	소재지	물건의 종류	구조·규격	수량	비고
가	신원동 210	주택	시멘트벽돌조 슬래브지붕 단층	50㎡	20㎡편입
나	신원동 210	점포	블록조 스레트지붕 단층	40㎡	전부편입
다	신원동 210	나라안경	–	1식	영업권

<자료 3> 인근지역의 표준지 공시지가 현황

기호	소재지	면적(㎡)	지목	이용상황	용도지역	도로교통	형상지세	공시지가(원/㎡)	
								2007년	2008년
A	신원동 125	300	대	단독	제2종일반	소로한면	세장형 평지	900,000	950,000
B	신원동 130	900	전	전	제2종일반	세로가	부정형 완경사	600,000	650,000
C	신원동 산15	3,000	임야	토지임야	제2종일반	맹지	부정형 완경사	250,000	280,000
D	신원동 233	450	대	단독	개발제한	세로가	가장형 평지	500,000	600,000
E	신원동 245	450	대	주거나지	개발제한	세로가	세장형 평지	300,000	350,000
F	신원동 280	1,000	전	전	개발제한	세로(불)	부정형 평지	140,000	180,000
G	신원동 산100	3,000	임야	토지임야	개발제한	맹지	부정형 완경사	12,000	15,000

※ 표준지 A, D는 도시계획도로에 20% 저촉됨.

<자료 4> 시점수정 자료

1) 지가변동률

① 서초구, 서울시 평균 용도지역별 지가변동률(단위 : %)

구분	서초구		서울시 평균	
	주거지역	녹지지역	주거지역	녹지지역
2007.01.01 ~ 12.31	8.350	10.750	2.350	2.675
2008년 1월	1.100	1.325	0.150	0.235
2008년 2월	1.125	1.355	0.100	0.325
2008년 3월	1.130	1.335	0.125	0.234
2008년 4월	1.145	1.375	0.130	0.235
2008년 5월	1.145	1.375	0.145	0.325
2008년 6월	1.150	1.350	0.125	0.234
2008년 7월	1.100	1.325	0.130	0.225
2008년 8월	1.125	1.355	0.145	0.285

※ 2008년 9월 및 10월의 지가변동률은 미고시된 상태임.

② 강남구, 동작구, 성남시 수정구 용도지역별 지가변동률(단위 : %)

구분	강남구		동작구		성남시 수정구	
	주거지역	녹지지역	주거지역	녹지지역	주거지역	녹지지역
2007.1.1~12.31	2.350	3.555	2.150	2.750	2.750	2.180
2008.1.1~6.30	1.125	2.373	1.145	1.504	1.130	1.565
2008년 7월	0.230	0.335	0.140	0.235	0.120	0.225
2008년 8월	0.245	0.385	0.130	0.275	0.115	0.275

※ 2008년 9월 및 10월의 지가변동률은 미고시된 상태임.

2) 생산자물가 상승률

연도	2005.12	2006.01	2006.12	2007.01	2007.12	2008.01
지수	128.8	129.2	130.2	130.5	132.5	132.7
연도	2008.02	2008.03	2008.07	2008.08	2008년 9월과 10월은 추정	
지수	132.8	133.0	133.4	133.5		

<자료 5> 대상물건 조사사항

1) 토지

구분	내용
위치 및 부근 상황	대상물건은 서초구 신원동 속칭 장수리마을 내에 소재하며 부근은 자연부락 내의 단독주택, 농경지, 임야 등으로 형성되어 있음.
교통상황	대상물건 인근까지 차량접근이 가능하고 인근에 시내버스정류장이 소재하여 일반적인 대중교통사정은 보통임.
형태 및 이용상황	기호 1) 사다리형의 토지로서 남측 인접필지보다 다소 고지이며 주변은 완만한 경사를 이루고 있으며 주상용 건물부지로 이용중임. 기호2) 가장형의 토지로서 인접필지와 등고 평탄하며 주거나지로 이용중임. 기호3) 부정형의 토지로서 서하향의 완경사를 이루고 있으며 전으로 이용중임. 기호4) 세장형의 토지로서 인접필지와 등고 평탄하며 전으로 이용중임.
도로상황	기호1) 대상물건 남측과 서측으로 각각 노폭 약 8m, 2m 포장도로에 접하고 있음. 기호2) 대상물건 동측으로 노폭 약 2m 포장도로에 접함. 기호3) 지적도상 맹지이나 대상물건 북측으로 약 2m 농로에 접하고 있음. 기호4) 대상물건 동측으로 노폭 약 4m 포장도로에 접함.
토지이용관계	기호1~4) 제2종일반주거지역, 택지개발예정지구, 도시계획도로에 20% 정도 저촉됨.
기타 참고사항	기호2) 건축허가를 득하였으나 공사착공 전에 사업부지에 편입됨. 기호3) 2001.03.05에 불법으로 형질변경하여 전으로 이용중인 것으로 조사됨. 기호4) 사업구역이 확장되면서 추가로 편입됨.

2) 건물

① 기초자료

구분		기호 가)	기호 나)	비고
사용승인일자		1989.10.25	1978.10.1	
건물 내용년수		45년	40년	
기격시점 현재 재조달원가(원/㎡)		550,000	450,000	
이전비 (원)	해체비	4,000,000	2,000,000	
	운반비	1,500,000	1,200,000	
	정지비	1,200,000	1,000,000	
	재건축비	20,000,000	15,000,000	설비 개량비용 각 5,000,000원 포함
	보충자재비	5,000,000	3,000,000	
	부대비용	5,000,000	3,000,000	

② 건물 조사내용

- 본 건물의 이전비는 전체 건물을 기준으로 한 것임.
- 기호 가) 건물은 기둥이 없는 구조임.
- 건물높이는 2m이며 벽면적은 반올림하여 소수점 첫째자리까지 사정함.
- 건축 보수비용은 400,000원/㎡을 적용함.
- 화장실은 편입되어 재설치되어야 하고 위생설비 설치비용은 전체면적을 기준으로 하여 50,000원/㎡을 적용함.
- 위생설비 이외에는 추가적인 설비공사는 없음.
- 건물단가는 천원미만은 절사함.
- 건축허가 관련 비용 : 12,000,000원
- 기호 가) 건물 단면도

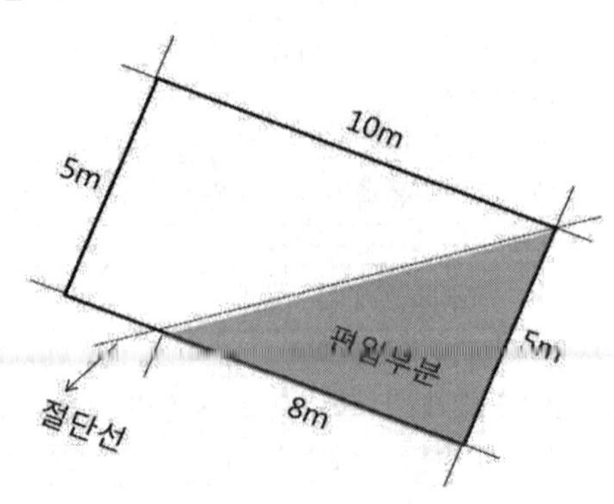

<자료 6> 요인비교 자료

1) 표준지와 보상선례의 지역요인은 동일함.

2) 이용상황

구분	주거용	주상용
주거용	1.00	1.20
주상용	0.83	1.00

3) 도로접면

구분	소로각지	소로한면	세로가	세로(불)	맹지
소로각지	1.00	0.96	0.86	0.80	0.70
소로한면	1.04	1.00	0.90	0.85	0.75
세로가	1.16	1.05	1.00	0.95	0.83
세로(불)	1.25	1.15	1.11	1.00	0.88
맹지	1.43	1.33	1.20	1.13	1.00

4) 형상

구분	가장형	세장형	사다리형	부정형
가장형	1.00	0.97	0.92	0.85
세장형	1.03	1.00	0.95	0.88
사다리형	1.09	1.05	1.00	0.92
부정형	1.18	1.14	1.08	1.00

5) 지세

구분	평지	완경사
평지	1.00	0.90
완경사	1.10	1.00

6) 도시계획시설

구분	비저촉	저촉
비저촉	1.00	0.97
저촉	1.03	1.00

<자료 7> 보상평가선례

1) 사업명 : ○○ 지구 택지개발사업
2) 가격시점 : 2008. 01. 24
3) 소재지 : 강남구 세곡동 424-5번지
4) 용도지역 : 자연녹지지역(개발제한구역)
5) 기타요인 보정치 산정을 위한 시점수정치는 1.02100을 적용함
6) 보상단가 등

구분		424-5번지	500번지
지목		대	전
단가(원/㎡)		700,000	240,000
토지특성	이용상황	주상용	전
	도로접면	세로(불)	맹지
	형상	부정형	사다리형
	지세	완경사	완경사
	도시계획도로	저촉	비저촉

<자료 8> 영업보상관련자료

1) 대상건물의 임차인은 개인사업자로서 2003. 12.01부터 안경점을 운영하여 왔음.

2) 영업이익에 관한 자료
① 재무제표에 의한 영업이익 산정

(단위 : 원)

구분	2004년	2005년	2006년	2007년
매출액	180,000,000	200,000,000	240,000,000	150,000,000
매출원가	87,000,000	95,000,000	113,000,000	65,000,000
판매 및 일반관리비	35,000,000	40,000,000	50,000,000	40,000,000

※ 2007년 매출액은 택지개발사업 개발승인이 고시됨으로써 매출액이 감소된 것으로 조사됨

② 부가가치세 과세표준액 기준 매출액 등

구분	매출액(원)	표준소득률(%)
2004년	110,000,000	20
2005년	120,000,000	20
2006년	150,000,000	20
2007년	90,000,000	20

③ 인근동종 유사규모 업종의 영업이익 수준

대상물건을 포함한 인근지역 내 동종 유사규모 업종의 매출액을 탐문조사한 바 연간 200,000,000원 수준이고 매출액 대비 영업이익률은 약30%인 것으로 조사되었음.

3) 이전 관련자료

① 상품재고액 : 30,000,000원

② 상품운반비 : 3,000,000원

③ 영업시설 등의 이전비 : 2,000,000원

④ 상품의 이전에 따른 감손상당액 : 상품가액의 10%

⑤ 고정적 비용 : 임차인은 영업과 관련된 차량에 대한 자동차세 600,000원과 매달 임대료로 500,000원을, 종업원(소득세 원천징수 안함)은 2인으로서 각각 1,200,000원/월을 지급하고 있으며 휴업기간 중에는 1인만 필요함.

⑥ 이전광고비 및 개업비 등 부대비용 : 2,000,000원

4) 기타자료

① 제조부분 보통인부 노임단가 : 50,000원/일

② 도시근로자 월평균 가계지출비

구분	월평균 가계지출비
2인	2,500,000
3인	3,000,000
4인	3,500,000
5인	4,000,000
6인	4,500,000

③ 영업이익은 만원단위에서 반올림하여 사정함.

【문제 2】 토지소유자 J씨는 C시D읍E리 30번지 토지에 대하여 토지등기부등본을 첨부하여 감정평가사 S씨에게 아래와 같은 조건으로 부동산자문 의뢰를 하였다. 주어진 자료를 활용하여 물음에 답하시오. (35점)

(1) 2008. 01. 01을 가격시점으로 하여 토지의 정상가격을 평가하시오. (5점)

(2) 2008. 01. 01을 가격시점으로 하여 적산임료 산정을 위한 토지의 기초가격을 평가하시오. (5점)

(3) 2008. 01. 01을 가격시점으로 하여 <자료 3>에 주어진 투자조건 등을 만족하는 토지의 투자가격을 결정하시오. (15점)

(4) 2008. 09. 21을 가격시점으로 하여 토지의 정상가격을 평가하시오. (5점)

(5) 2008. 01. 01을 가격시점으로 한 앞의 세가지 가격을 가치기준(Valuation Bases)에 따라 비교·설명하시오. (5점)

<자료 1-1> 사전조사사항 I

1) 등기부등본

① 토지등기부등본(의뢰시 첨부서류)

소재지번	지목	면적	기타사항
C시D읍E리 30번지	임야	630㎡	−

② 건물등기부등본

소재지번 및 건물번호	건물내역	기타사항
C시D읍E리 30번지	목조 함석지붕 창고 단층 36㎡	−

2) 토지대장

토지소재	지번	토지표시		
		지목	면적(㎡)	사유
C시D읍E리	30	전	300	2007년 12월28일 : 분할되어 본번에 -1을 부함 2007년 12월 30일 : 임야에서 전으로 등록전환
C시D읍E리	30-1	임야	330	2007년 12월28일 : 30번지에서 분할

3) 건축물대장등본 : C시D읍E리 30번지 및 동소 30-1번지는 건물이 등재되어 있지 않음.
4) 토지이용계획확인원 : 관리지역, 토지거래계약에 관한 허가구역
5) 지적도

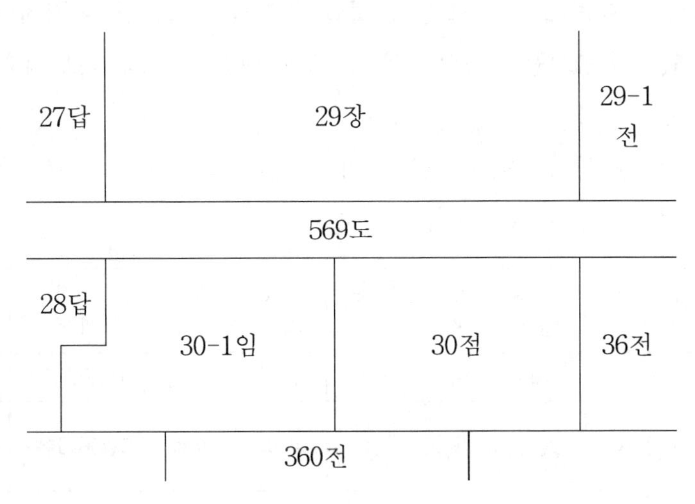

<자료 1-2> 사전조사사항 Ⅱ

1) 인근의 비교가능한 표준지 공시지가

(공시기준일 : 2008. 01. 01)

연번	소재지	면적 (m^2)	지목	이용상황	용도지역	도로교통	형상·지세	공시지가 (원/m^2)
1	C시D읍E리 23	455	전	전	관리	세로가	부정형 완경사	62,000
2	C시D읍E리 50	766	답	답	관리	맹지	부정형 평지	51,000
3	C시D읍E리 135	356	대	단독주택	관리	세로가	부정형 평지	95,000
4	C시D읍E리 150	420	차	주차장	관리	세로가	부정형 평지	68,000
5	C시D읍E리 200	300	대	상업용	관리	소로한면	부정형 평지	190,000
6	C시D읍E리 356	836	임	토지임야	관리	세로(불)	부정형 완경사	43,000
7	C시D읍E리 산12	4,260	임	자연림	관리	세로가	부정형 완경사	30,000

2) 지가변동률 : 국토해양부장관 발표자료로 추정한 2008. 01. 01부터 2008. 09. 21까지의 C시 관리지역 지가변동률은 1.000%임.

3) 가격자료 및 기타사항

① 당해지역의 공시지가 수준은 적절한 균형을 유지하고 있으며 적정지가를 비교적 잘 반영하고 있으나 2008. 03. 02 이후 대지에 대한 수요증가로 국지적인 가격변동이 있었음.

② 실거래가는 일부 포착되었으나 세부내역이 없어 검토가 어려움.

③ 신뢰할 만한 평가선례자료는 다음과 같음.

연번	소재지	면적 (㎡)	지목	이용상황	용도지역	평가목적	가격시점	평가가격 (원/㎡)
1	C시D읍E리 140	455	대	단독	관리	경매	1908.7.11	140,000
2	C시D읍E리 225	766	대	상업용	관리	경매	1908.6.20	300,000

평가선례 및 기타자료 등을 종합 검토한 바 2008. 09. 21 기준 대상토지 평가시 기타요인 보정 필요성이 제기되었으며, 분석결과 그 수치는 1.30으로 산정되었음.

<자료 2-1> 현장조사사항 Ⅰ : 2008.01 .01 기준

1) C시D읍E리 30번지

① 인접토지와 등고평탄한 토지로 현재 지표위에 부직포를 덮고 주차장 부지로 이용중이고 유의할 만한 다른 물건은 없었음.

② 당해토지는 북측에 인접한 A공장에 일시적으로 주차장부지로 임대중이라 하며 제시받은 임대차계약서 내용은 아래와 같음.

- 소재지 : C시D읍E리 30번지
- 당사자 : 임대인 J, 임차인 A공장 대표이사 R
- 임대면적 및 용도 : 300㎡, 주차장부지
- 임대금액 : 금--,--원
- 임대기간 : 2008.01.01~2008.12.31

– 기타사항 : 임대기간은 J씨의 사정에 의해 임의로 종료될 수 있고 이에 따른 부담은 없으며, 임대 종료시 임차인이 설치한 주차관련 지장물(부직포 등)은 임차인이 제거하기로 함.

2) C시D읍E리 30-1번지

① 인접토지와 등고평탄한 부정형토지로 현재 전으로 이용중이고 남서측 일부에는 P씨의 종중묘지가 소재하고 있어 이를 확인한 바 면적은 30㎡이고 보존가치가 있어 보존묘지로 지정되어 있는 것으로 조사됨.

② 소유자에 따르면 분할 전(前) 30번지는 수년전에 전으로 개간되었고 농지원부에도 등재되어있다 하며 이는 사실로 확인됨.

③ 이 토지는 이웃에 거주하는 P씨에게 임대중인 것으로 조사되었으며 제시받은 임대차계약서 내용은 아래와 같음.

– 소재지 : C시D읍E리 30-1번지

– 당사자 : 임대임 J, 임차인 P

– 임대면적 및 용도 : 330㎡, 전

– 임대금액 : 금--,--원

– 임대기간 : 2008.1.1～2008.12.31

– 기타사항 : 임대계약은 기간중 J가 임의로 해지할 수 있고 수년간 임대해온 점을 고려하여 별도의 부담은 없도록 함.

<자료 2-2> 현장조사사항 Ⅱ : 2008. 09. 21기준

1) 현장조사시 건축공정률이 80%정도인 상업용건물을 신축 중이었고 부지 조성공사는 완료된 상태였음.

2) 제시받은 건축허가서 내용

① 건축구분 : 신축

② 대지위치 : C시D읍E리 30, 동소 30-1

③ 대지면적 : 560㎡

④ 주용도 : 제1종근린생활시설(소매점)

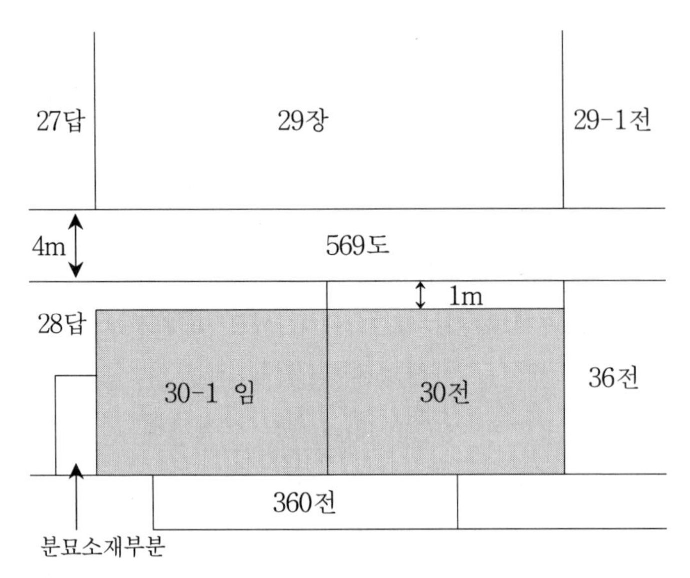

※ 음영부분은 건축허가서상 사업부지임

⑤ 건축물내역 : 경량철골조 판넬지붕, 1층, 연면적 200㎡

⑥ 허가번호 : 2008-도시건축과-신축허가-5

⑦ 허가일자 : 2008. 06. 30

⑧ 부속 협의조건 : 종전토지 중 40㎡는 도로로 기부채납하고 사업부지는 사업완료후 지목변경하여야 함.

<자료 3> 투자가격결정을 위한 참고자료

1) 투자조건

① 투자대상 : 숙박시설(모텔 : 객실30개)

② 투자조건 : 가격시점에서 소득수익률≥ 15%이면 투자(단, 소득수익률 = 순영업소득(NOI)/부동산 평가액(V)으로 하되, 부동산평가액은 공시지가를 기준한 토지가액과 원가법에 의한 건물가액으로 판단하기로 함.)

2) 기타 조사자료 및 참고사항

① 인근의 숙박업소 조사내역

인근의 숙박업소에 대하여 규모를 제외한 가격요인 보정 후의 안정화된 소득자료는 다음 표와 같으며 현재까지는 신뢰할만한 것으로 보인다. 감정평가사 S씨의 선임

평가사는 가능총소득(PGI), 객실점유율 등의 자료를 분석하여 적절히 활용할 것을 권고하였다. 추세가 있는 경우에는 회귀분석법(Regression Analysis)을 적용하되, 평가서에 세밀한 계산과정은 기술하지 않아도 무방하다고 조언하였다.(단, 구축 모형은 유의하다고 가정하고 회귀계수와 회귀상수는 소수점 둘째자리까지 산정함)

조사시점	규모(객실수)	PGI/객실·월(천원)	객실점유율(%)
06.12	15	700	75.5
07.02	30	800	82.2
07.03	31	810	81.8
07.05	16	690	74.1
07.06	30	800	80.5
07.08	29	790	80.0
07.10	15	710	72.2
07.12	30	800	78.8

※ 조사시점은 매월 초일일 기준으로, 충당금은 무시함.

② 기타소득은 자판기 등의 수익으로 1만원/월·객실을 거둘 수 있을 것으로 본다.

③ 운영경비(OE)는 제반자료를 분석한 바 아래와 같이 의미있는 결과를 얻을 수 있었다.

$\hat{y}$=1,200,000원+0.4X($\hat{y}$: 운영경비, X : 가능총소득, $R^2=0.951$)

$$\text{회귀상수}(a) = \frac{(\sum y \cdot \sum x^2 - \sum x \cdot \sum xy)}{n\sum x^2 - (\sum x)^2}$$

$$\text{회귀계수}(b) = \frac{n\sum xy - \sum x \cdot \sum y}{n\sum x^2 - (\sum x)^2}$$

④ 환원이율은 신뢰할 만하고 의미있는 시장자료를 분석한 결과 다음과 같이 적용 가능한 결과를 얻을 수 있었다.

구분	지가변동성 낮음	지가변동성 중립	지가변동성 높은
토지환원이율	8%	10%	12%
건물환원이율	10%	11%	12%
발생확률	10%	40%	50%

⑤ 건축업자가 제시한 숙박시설의 건물투자비용은 730,000,000원이고 구성항목은 다음과 같으나 건물평가시 원가법에 의한 건물평가항목으로 인정하기 어려운 것은 조정이 필요함.

구분		비율(%)	내역
직접 투자비	1. 설계비	4.0	감리비,설계비용
	2. 기본건축비	25.0	기초 및 골조공사비 등
	3. 내외장공사비	25.0	미장, 창호공사 등
	4. 기계 설비비	18.0	냉난방, 엘리베이터 등
	5. 전기설비비	10.0	전기 및 통신공사비 등
	6. 집기비품	4.0	비품, 소모품 등 동산
	소계	86.0	
간접 투자비	7. 일반관리비	3.0	
	8. 이윤, 기타	5.0	이윤, 건설이자 등
	소계	8.0	
개업비	9. 개업준비금	4.0	개업전 인건비, 판촉비 등
	10. 윤영자금	2.0	초기운전자금
	소계	6.0	
총계		100.0	

<자료 4> 기타 참고사항

1) 지역요인 : 동일함

2) 개별요인 : 이용상황이 동일하면 별도의 지목감가는 하지 아니함.

① 도로접면

구분	소로한면	세로가	세로(불)	맹지
소로한면	1.00	0.93	0.86	0.83
세로가	1.07	1.00	0.92	0.89
세로(불)	1.16	1.09	1.00	0.96
맹지	1.20	1.12	1.04	1.00

② 형상

구분	정방형	장방형	사다리형	부정형
정방형	1.00	0.99	0.98	0.95
장방형	1.01	1.00	0.99	0.96
사다리형	1.02	1.01	1.00	0.97
부정형	1.05	1.04	1.03	1.00

③ 지세

구분	평지	완경사
평지	1.00	0.97
완경사	1.03	1.00

【문제 3】 A감정평가사는 ○○ 청으로부터 아래와 같은 내용의 입목에 대한 감정평가의뢰를 받았다. 제시자료를 검토하여 입목의 취득가격을 결정하시오. (단, 입목의 평가방법은 제시자료에 타당한 합리적이고 보편적인 방식을 선택하여 평가할 것) (15점)

<자료 1> 감정평가 의뢰내역

1) 개요

① 평가목적 : 조림대부지 내 입목의 취득(매수)

② 소재지 : ○○○도○○군○○면○○리 산21

③ 지목 : 임야

④ 면적 : 1,050,000㎡

2) 입목현황

임종	임상	수종	혼호율(%)	임령	령급	경급(cm)	수고(m)	ha당재적(㎥)
천연림(자연림)	활엽수	참나무가타활엽수	70	$\frac{29}{15-45}$	Ⅱ-Ⅴ	$\frac{18}{8-35}$	$\frac{10}{8-18}$	75
	침엽수	소나무						
인공림(조림)	침엽수	잣나무 낙엽송 리기다소나무	30	$\frac{35}{25-45}$	Ⅲ-Ⅳ	$\frac{20}{10-36}$	$\frac{11}{8-19}$	95

※ 참고사항 : 1. 조림대부지로서 관리상태는 양호함.

2. 경급(cm) : $\frac{\text{평균경급}}{\text{최저경급}-\text{최고경급}}$

3) 수종별 재적

임종	임상	수종	재적(㎥)	비고
천연림(자연림)	활엽수	참나무	1,653.80	
		기타활엽수	3,307.50	
	침엽수	소나무	551.30	
	소계		5,512.60	
인공림(조림)	침엽수	잣나무	1,047.40	
		낙엽송	748.10	
		리기다소나무	1,197.00	
	소계		2,992.50	
합계			8,505.10	

<자료 2> 임목평가자료

1) 원목 시장가격(가격시점현재)

등급기준	흉고직격(경급)	원목가격(원/㎥)					
		참나무	기타 활엽수	소나무	잣나무	낙엽송	리기다 소나무
상	30cm 이상	105,000	100,000	110,000	100,000	105,000	100,000
중	16cm 이상	90,000	85,000	95,000	90,000	95,000	90,000
하	16cm 미만	85,000	78,000	85,000	80,000	85,000	80,000

※ 용재림 및 기타용도(펄프, 갱목, 목탄 및 목초액의 용도 등)등으로 사용할 수 있는바 일반기준 벌기령은 적용하지 아니하고, 시장가격은 천연림과 인공림(조림)의 구분없이 형성되고 있음

2) 조재율

(단위 : %)

등급기준	활엽수	침엽수
상	90	90
중	85	85
하	80	80

3) 생산비용

① 벌목조재비

1일 노임/인		기계상각비 및 연료비	1일 작업량/인
벌목비	조재비		
80,000원	80,000원	30,000원	10.0㎥

② 산지집재비(소운반 포함)

1일 노임은 80,000원/인 이며 1일 작업량은 10.0㎥/인임

③ 운반비

구분	1일 노임/인	1일 작업량/인
상하차비	80,000원	10.0㎥
자동차운반비	110,000원	10.0㎥

④ 임도 보수 및 설치비

1일 노임/인	1일 작업량/인	소요임도
90,000원	0.3km	2.1km

⑤ 잡비 : 생산비용의 10%

4) 이자율 및 기업자이윤 등

① 자본회수기간은 6개월정도이며 이자율은 금융기관 대출금리기준 연 7.0%를 적용함.

② 기업자 이윤은 10%, 산재보험을 포함한 위험률은 5.0%로 적용함.

<자료 3> 참고사항

1) 일부 수종에서 참나무 시들음병이 발생되어 피해도가 "중" 이상인 입목은 평가에서 제외하고 피해도가 "경" 이하인 입목은 정상입목 평가액의 90% 수준으로 평가함이 적절함.
2) 참나무 시들음병 피해도를 조사한 바, 조사재적 중 "중" 이상 입목은 약 50%(826.90㎥), "경" 이하 입목은 약 20%(330.80㎥)임.
3) 단가 계산은 원 단위는 절사하고 십원 단위까지만 표기요함.

【문제 4】 대여시설(리스자산)의 감정평가시 현장조사 유의사항에 대하여 약술하시오. (5점)

【문제 5】 표준지의 평가에 있어 개발이익 반영여부에 대하여 약술하시오. (5점)

제20회 감정평가사 2차 국가자격시험문제

교 시	시 간	시 험 과 목
1교시	100분	① 감정평가실무

수험번호		성 명	

※ 공통유의사항
1. 각 문제는 해답 산정시 산식과 도출과정을 반드시 기재할 것
2. 단가는 관련 규정에서 정하고 있는 사항을 제외하고 유효숫자 셋째자리까지, 기타요인 보정치는 소수점 첫째자리까지 사정함.

【문제 1】 자동차 부품업체를 운영하고 있는 김갑동 사장은 공장을 증설하기 위하여 임야를 매입하고, 자금마련을 위해 개발단계로 담보대출을 신청하려 한다. 주어진 조건과 자료를 참고하여 다음 물음에 답하시오. (40점)

(1) 2009.01.01을 가격시점으로 하여 토지를 평가하시오. (5점)

(2) 2009.03.31을 가격시점으로 하여 토지를 평가하시오. (10점)

(3) 2009.09.06을 가격시점으로 하여 공장을 평가하시오. (25점)

<자료 1> 평가의뢰 내역

1) 평가토지

① 토지 : C시 Y읍 S리 산11번지 중 김갑동 소유지분

② 건물 : 위 지상 소재 건물

2) 평가목적 : 담보

<자료 2> 2009.01.01 가격시점 관련사항

1) 사전조사사항

① 토지등기부등본

소재지번	지목	면적	소유자
C시 Y읍 S리 산11번지	임야	23,955㎡	공유자 지분 3분의 1 김갑동 지분 3분의 1 이갑동 지분 3분의 1 박갑동

② 건물등기부등본 및 건축물대장등본 : 해당사항 없음

③ 토지대장등본 : 등기부와 동일

④ 지적도 : 지적분할신청 중으로 발급받지 못함

⑤ 토지이용계획확인원 : 계획관리지역, 준보전산지

⑥ 공장신설승인신청서 사본(요약)

소재지번	용도지역	공장용지 면적	제조시설 면적	부대시설 면적
C시 Y읍 S리 산 11번지 (분할후 11번지)	계획관리지역	7,780㎡	2,000㎡	500㎡

※ 분할 후 11-3번지는 진입도로로 조성할 것이며 토지 가분할 측량성과도와 같이 분할예정임.

⑦ 토지 가분할 측량성과도

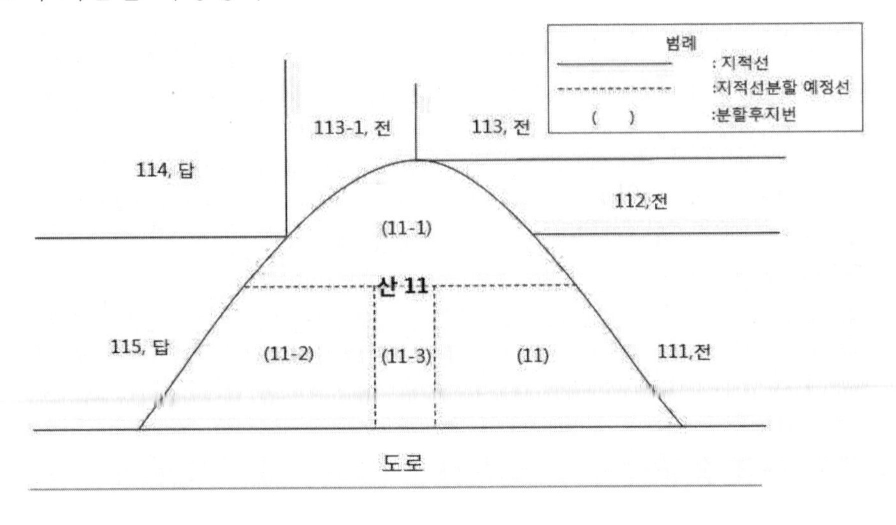

2) 현장조사사항

① 대상토지인 산11번지는 왕복 2차선 국도변에 위치한 남서향 완경사의 임야로 대부분 활잡목인 임지상의 임목은 별도의 평가가치는 없는 것으로 판단되었으며 부근은 국도주변 중소규모 공장 및 농경지대임.

② 대상토지는 토지분할 및 공장시설승인신청서가 곧 수리될 예정인 것으로 탐문되었음.

3) 심사평가사의 심사의견

당해지역은 2009.01.01 기준으로 관리지역 세분화가 시행되었고 임야의 경우 산지번에서 등록전환, 분할측량 등의 경우에는 면적이 달라질 수 있음.

<자료 3> 2009.03.31 가격시점 관련 사항

1) 사전조사사항

① 토지등기부등본 : C시 Y읍 S리 산11번지 C시 Y읍 S리 11로 등록전환되고 면적은 23,940㎡로 변경되었으며, 지목과 소유자는 동일함.

② 건물등기부등본 및 건축물대장등본 : 해당사항 없음.

③ 토지대장등본

토지소재	지번	토지표시			소유자
		지목	면적	사유	
C시Y읍S리	11	임야	23,940㎡	2009년 3월 1일 산11에서 등록전환	공유자 지분3분의 1 김갑동 지분3분의 1 이갑동 지분3분의 1 박갑동
C시Y읍S리	11	임야	7,780㎡	2009년03월02일 분할되어 본번에 -1, -2, -3을 부함	김갑동

토지소재	지번	토지표시			소유자
		지목	면적	사유	
C시Y읍S리	11-1	임야	7,780㎡	2009년 3월 2일 11번지에서 분할	이갑동

토지소재	지번	토지표시			소유자
		지목	면적	사유	
C시Y읍S리	11-2	임야	7,780㎡	2009년 3월 2일 11번지에서 분할	박갑동

토지소재	지번	토지표시			소유자
		지목	면적	사유	
C시Y읍S리	11-3	임야	600㎡	2009년 3월 2일 11번지에서 분할	공유자 지분3분의1 김갑동 지분3분의1 이갑동 지분3분의1 박갑동

④ 토지이용계획확인원

토지소재	지번	토지표시		토지이용계획사항
		지목	면적	
C시Y읍S리	11	임야	7,780㎡	계획관리지역, 준보전산지
C시Y읍S리	11-1	임야	7,780㎡	계획관리지역, 준보전산지
C시Y읍S리	11-2	임야	7,780㎡	계획관리지역, 준보전산지
C시Y읍S리	11-3	임야	600㎡	계획관리지역, 준보전산지

⑤ 지적도 및 기타사항 : 토지 가분할 측량성과도와 같이 분할되어 확정되었으며, 공장신설건은 2009.03.10자로 신청서와 같이 승인되었음.

2) 현장조사사항

① 대상토지는 인접토지와 평탄하게 공장부지 조성공사(조경·바닥포장 공사는 착수하지 않았음) 및 접면도로 포장공사가 완료되어 있었음.

② 현장조사시 제시받은 공장부지 조성원가 자료는 아래와 같음.

구분	금액(단위 : 원)
가설 및 토공사	45,000,000
자재 및 운반비	150,000,000
옹벽공사	30,000,000
조경·바닥포장공사	55,000,000
기타 제간접경비 등	72,000,000

※ 접면도로 포장비는 포함되어 있지 않고 별도 고려하지 아니함.

③ 대상토지의 공장용지부분에 건물신축을 위해 임시사용승인을 받은 경량 철골조 철판지붕 단층 작업장(바닥면적 : 100㎡)이 소재함.

3) 심사평가사의 심사의견

① 제시한 조성공사비의 대부분은 적정하나 자재비가 일시 폭등한 시점에 공사가 이뤄져 자재 및 운반비는 통상적인 공사에 비해 50% 정로 높은 것으로 보이니 가격검토 시 이를 고려할 것(단, 기타 간접제경비등은 제시금액으로 할 것)

② 만약 제시 외 건물의 토지에 대한 영향정도를 파악할 경우 건물의 바닥면적 만큼만 고려할 것

③ 막다른 길이 있는 각지의 도로접면은 한 면으로 인식할 것

<자료 4> 2009.09.06 가격시점 관련사항

1) 사전조사사항

① 토지등기부등본 및 토지대장등본 : 2009.03.31 토지대장과 동일

② 건물등기부등본 : 해당사항 없음.

③ 토지이용계획확인원 및 지적도 : 종전과 동일

④ 건축물대장등본 : 소유자는 김갑동임.

대지위치	지번	대비면적	건축면적	사용승인일자
C시 Y읍 S리	11	7,780㎡	2,500㎡	2009.09.06
구분	층별	구조	용도	면적
주1	1	일반철골구조	공장	2,000㎡
부1	1	일반철골구조	사무실	500㎡

※ 5일 이내에 토지지목변경을 조건부로 한 사용승인이었음.

⑤ 기계기구 의뢰목록

구분	기계명	수량	제작 및 구입일자	구입가격(원/대)
1	CNC M/C(수치제어선반)	2	수입신고서 참조	수입신고서 참조
2	선반	3	2009.1.1	50,000,000
3	Air Cmpressor(컴프레셔)	1	2008.8.1	12,000,000

2) 현장조사사항

① 공장부지 조성공사는 완료되어 있었음.

② 현장조사시 제시받은 건물공사비 내역서 자료는 다음과 같음.

구분	공장동(단위 : 원)	사무실동(단위 : 원)
기초공사	30,000,000	5,000,000
옹벽공사	30,000,000	--
철골 및 철근콘크리트 공사	250,000,000	30,000,000
조적 및 벽체공사	120,000,000	15,000,000
창호 및 지붕공사	100,000,000	13,000,000
미장, 타일, 도장, 위생 및 냉난방공사등	170,000,000	31,000,000
일반관리비 등(간접경비)	50,000,000	25,000,000
설계, 감리, 전기기본공사	100,000,000	19,000,000
수배전선비(100kw)	150,000,000	--
크레인설비(20ton)	15,000,000	--

③ 기계장치는 신규 설치되어 정상가동되고 있으며 도입기계중 CNC M/C 1대는 향후 증설을 예상하여 도입하였으나 설치하지 않고 보관중으로 증설시기는 미정이며, 목록에 포함되지 않은 기계기구의 제작 및 구입일자는 선반과 동일한 것으로 조사되었음.

④ 도입기계 관련 수입신고서(요약)

신고일	입항일	반입일	적출국
2009.2.1	2009.1.5	2009.1.8	JP(JAPAN)
품명	수량	단가(USD)	금액(USD)
CNC M/C	2U	100,000	200,000
과세가격(CIF)	$200,000 ₩280,340,000	원산지표시	JP-Y-Z-N
세종 관 농 부	세율 8.00 20.00 10.00	감면율 50.000	세액 11,212,160 2,242,432 29,375,859
결제금액	CIF-USD200,000,000	환율	1,401.52

3) 심사평가사의 심사의견

업자가 제시한 기계기구 구입가격 및 건물공사비 내역서의 금액은 적정한 것으로 보이나 일부 항목은 건물공사비 산입의 적정성을 재검토하고 특히 기계기구 의뢰 목록은 재작성해야 할 것이라는 의견을 제시함.

<자료 5> 가격결정을 위한 참고자료

1) 표준지 공시지가 현황(현장조사일과 감정평가서 작성완료일은 동일하고 공시지가 공시기준일은 매년 1월 1일, 공시일은 매년 3월 1일임)

일련번호	소재지	면적(㎡)	지목	이용상황	용도지역		도로교통	형상 및 지세	공시지가(원/㎡)	
					2008년도	2009년도			2008년도	2009년도
1	C시 Y읍 S리 산 20	17,345	임야	임야	관리	계획관리	맹지	부정형 완경사	51,000	50,000
2	C시 Y읍 J리 산 17	22,915	임야	임야	관리	보전관리	세로가	부정형 완경사	39,000	38,000
3	C시 Y읍 S리 107	8,950	공장용지	공업용	관리	계획관리	소로한면	부정형 평지	151,000	150,000
4	C시 Y읍 S리 55	2,235	잡종지	상업용	관리	계획관리	소로한면	장방형 평지	223,000	220,000

2) 적용할 지가변동률(월말에 해당 월 변동률을 발표한다고 간주, 단위 : %)

① 2008년도

구분	공업지역	관리지역	농림지역	임야	공업용
2008.1.1~ 12.31	-1.179	-1.245	-1.377	-1.154	-0.912
2008.12.1~12.31	-0.179	-0.389	-0.247	-0.169	-0.088

② 2009년도

구분	공업지역	관리지역	농림지역	임야	공업용
2009.1.1~ 12.31	-0.697	-0.765	-0.454	-0.667	-0.546
2009.12.1~12.31	0.998	0.996	0.997	0.988	0.917

3) 지역요인 : 동일함

4) 개별요인 : 이용상황이 동일하면 별도의 지목감가는 하지 아니함.

① 도로접면

구분	소로한면	세로가	세로(불)	맹지
소로한면	1.00	0.93	0.86	0.83
세로가	1.07	1.00	0.92	0.89
세로(불)	1.16	1.09	1.00	0.96
맹지	1.20	1.12	1.04	1.00

② 형상

구분	정방형	장방형	사다리형	부정형
정방형	1.00	0.99	0.98	0.95
장방형	1.01	1.00	0.99	0.96
사다리형	1.02	1.01	1.00	0.97
부정형	1.05	1.04	1.03	1.00

③ 지세

구분	평지	완경사
평지	1.00	0.97
완경사	1.03	1.00

④ 2009.03.31 기준 C시 Y읍 S리 11번지 토지의 성숙도 비교치

대상토지	표준지3	표준지4	거래사례	평가선례
1.00	1.10	1.10	0.50	0.90

5) 거래사례 및 평가선례

① 거래사례

소재지	지목	면적(㎡)	이용상황	용도지역	도로교통	형상 및 지세	단가(원/㎡)	거래시점
C시 Y읍 S리 산 11	임야	7,985	임야	관리	소로한면	부정형 완경사	110,000	2008.12.1

② 평가선례 : 유사사례가 많으나 대표적인 것만 제시함.

소재지	지목	면적 (㎡)	이용 상황	용도 지역	도로 교통	형상 및 지세	단가 (원/㎡)	거래시점
C시 Y읍 S리 산 22	임야	7,890	공장 예정지	계획관리	소로한면	부정형 완경사	120,000	2009.1.1

③ 심사평가사의 심사의견

수집한 자료들 중 평가선례는 적정하나 거래사례는 개발이익의 상당부분이 매도자에게 귀속된 것으로 보이고 공장예정지인 평가선례는 개별요인에서 성숙도를 보정해야 한다는 의견을 제시함.

6) 원가법에 의한 평가시 투하자금에 대한 기간이자는 고려하지 아니함.

7) 건물평가자료 : 제시자료를 활용하되, 내용년수는 35년을 적용할 것

8) 기계기구 평가자료

① 내용년수는 15년, 최종 잔가율은 10%를 적용

② 도입기계 관련 자료

- CIF, 원산지 화폐를 기준하고 국내시장가격은 고려하지 아니함.
- 기계가격보정지수 : 1.0
- 외화환산율

적용시점	통화	해당통화당 미(달러)	미(달러)당 해당통화	해당통화당 한국(원)
2009.01	JPY	0.7150(100엔당)	139.8601	1,409.10(100엔당)
2009.02	JPY	0.7532(100엔당)	132.7669	1,425.05(100엔당)
2009.08	JPY	0.7635(100엔당)	130.9758	1,405.22(100엔당)

- 도입부대비

설치비는 도입가격의 1.5%, L/C개설비 등 기타부대비용은 도입가격의 3%를 적용하고 세율, 감면율 등은 도입시점과 동일하게 적용

- 정율법에 의한 잔존가치율(내용년수 15년, 최종잔가율 10%)

경과년수	1	2	3	4
잔존가치율	0.858	0.736	0.631	0.541

【문제 2】 투자자 K씨는 다음의 부동산(A, B) 중 하나에 투자하려고 한다. 감정평가사인 Y씨는 대상토지가치의 타당성 검토를 의뢰받았다. 동일한 금액을 투자할 경우 적절한 투자방안을 결정하고 그 이유를 설명하시오. (25점)

<자료 1>

1) 대상부동산 A
   ① 소재지 : ○○시 ○○구 ○○동 ○○번지
   ② 지목 : 대
   ③ 면적 : 500m^2
   ④ 이용상황 : 나지
   ⑤ 도시계획 : 일반상업지역

2) 대상부동산 B
   ① 소재지 : △△시 △△구 △△동 △△번지
   ② 지목 : 대
   ③ 면적 : 1,000m^2
   ④ 이용상황 : 나지
   ⑤ 도시계획 : 일반상업지역

<자료 2> A투자계획

1) 대상부동산 A에 업무용 건물을 건축하여 임대할 예정으로 연면적 2,000m^2, 지상 5층(각층 동일면적, 지하층 없음)으로 계획 중임.
2) 건물신축비용은 950,000원/m^2임.
3) 예상 지불임대료
   ① 1층 : 월 임대료 30,000원/m^2, 월 관리비 9,000원/m^2로 책정됨.
   ② 2, 3층 : 월 임대료 15,000원/m^2, 월 관리비 9,000원/m^2로 책정됨.
   ③ 4, 5층 : 월 임대료 12,000원/m^2, 월 관리비 9,000원/m^2로 책정됨.
4) 보증금은 월 임대료의 12개월분으로 함.(관리비는 포함하지 않음)
5) 유사부동산들의 수익률 범위를 조사한 바 그 중 70%는 수익률 12%, 15%는 수익률 13%, 15%는 수익률 11%로 조사됨.

<자료 3> B투자계획

1) 대상부동산 B에 할인점을 건축하여 수수료 매장으로 운영할 예정임.
   연면적 2,000원/㎡, 지상 2층(지하층 없음)으로 계획 중임.

2) 건물신축비용은 700,000원/㎡임.

3) 할인점은 수수료매장으로 운영하여 매출액의 2%를 지불임대료로 받음. △△시에 거주하는 가구 수의 40%가 대상할인점을 이용할 것으로 예상되며 △△시는 가구당 평균인구수가 3.5인, 가구당 연간 평균소득은 30,000,000원임. 대상할인점을 이용하는 가구는 평균적으로 소득의 3%를 대상할인점을 통해 물품을 매입할 것으로 조사되었음.

4) 별도의 관리비는 징수하지 아니함.

5) 보증금은 월 지불임대료의 12개월분으로 함.

6) 유사부동산들의 수익률범위를 조사한 바 그 중 70%는 수익률 12%, 15%는 수익률 14%, 15%는 수익률 10%로 조사됨.

<자료 4> 기타

1) ○○시 인구규모 : 1,000,000명이며 미미하게 증가추세를 보임.
   △△시 인구규모 : 300,000명으로 정체중임.

2) 보증금운용이율은 8%로 적용하며 시장의 무위험이자율은 7%로 적용함.

3) 필요제경비는 대상부동산 A의 경우 관리비 수령액의 80%로 하며, 대상부동산 B의 경우 지불임대료의 30%로 함.

4) 임대가능성, 대손, 공실 등은 고려하지 아니함.

5) 환원이율은 무위험이자율에 위험률을 합한 율로 적용하며 위험률의 산정은 유사부동산 수익률범위의 표준편차를 적용함.

【문제 3】 감정평가사 S씨는 투자자로부터 부실채권(Non Performing Loan)투자와 관련한 자문을 요청받았다. 부실채권은 당해부동산과 관련된 담보부채권이다. 주어진 자료를 활용하여 다음 물음에 답하시오. (20점)

(1) 가격시점 현재 대상부동산의 가격을 평가하시오. (10점)

(2) 대상부동산의 예상낙찰가를 낙찰가율과 낙찰사례를 통하여 각각 구해 결정하고, 법원의 경매절차 진행시 낙찰을 통해 대상부실채권으로부터 얻을 수 있는 예상현금흐름을 구하시오. (단, 시간적 요인은 고려하지 아니함) (10점)

<자료 1> 기본적 사항

1) 대상부동산

① 토지 : A시 B구 C동 77번지, 대, 250㎡, 주거용, 일반상업지역, 세로에 접함, 장방형, 평지

② 건물 : 위 지상 벽돌조 슬래브지붕 2층건, 연면적 200㎡(1, 2층 각 100㎡)

2) 가격시점 : 2009.09.06

3) 개요

① 대상부동산이 속한 A시 B구는 구도심 내 일반상업지역인 C동, 아파트가 많이 소재하는 D동, 정비된 주택지대인 E동, 기타 F동 등으로 형성되어 있으며, 대상부동산의 주변은 구도심 내 일반상업지역으로 로변으로는 다소 노후화된 3~4층 규모의 상업용건물이 소재하고 후면으로는 노후화된 주상용건물, 주거용건물 등이 혼재하여 있음. 도심지 재개발과 관련하여 사업을 추진중인 추진위원회는 설립되어 있으나 구체적인 계획은 미정인 상태임.

② 본건은 노후화된 2층의 주거용건물로써 1층에는 소유자가 거주하고 있으며 2층 일부는 임차인이 거주하고 있음.

③ 본건 주변의 거래상황은 재개발가능성을 염두에 둔 수요가 다소 있어 매도호가는 다소 상승중인 것으로 조사되었으며, 거래관행은 본건 주변건물이 대체로 노후화되어 있어 토지면적만을 기준으로 가격이 형성되어 있는 것으로 조사됨.

4) 대상부실채권(NPL)

상기 대상부동산에 관련된 M은행의 500,000,000원의 담보부채권으로서 2순위로 근저당 설정되어 있음.(미납이자 등은 고려하지 아니함)

<자료 2> 표준지 공시지가(공시기준일 2009년 1월 1일)

본건과 가장 비교가능성 있는 다음의 표준지를 기준함.

일련번호	소재지	면적(m²)	지목	이용상황	용도지역	도로교통	형상 및 지세	공시지가(원/m²)
1	A시 B구 C동 78	260	대	주거용	일반상업	세로	정방형 평지	5,000,000

<자료 3> 거래사례

1) 토지 : C동 100번지, 대, 300m², 주거용, 일반상업지역, 소로에 접함, 사다리형, 완경사
2) 건물 : 벽돌조 슬래브지붕 2층건, 연면적 200m²
3) 거래가격 : 1,455,000,000원
4) 거래시점 : 2009.05.01
5) 기타 : 본거래에 특이사항은 없었던 것으로 판단됨.

<자료 4> 임대내역 등

1) 본건 1층은 소유자 자가사용이고, 2층 일부는 임차인에게 임대중이나 정확한 내역은 미상임.

2) 주변 탐문조사 결과 본건을 임대할 경우 1,2층 각각 보증금 50,000,000원, 월세 1,400,000원에 임대가능한 것으로 조사됨.

3) 제경비는 임차인 부담으로 필요제경비, 공익비 및 실비초과액 등은 고려하지 아니함.

<자료 5> 낙찰사례

1) 토지 : C동 60번지, 대, 350㎡, 주거용, 일반상업지역, 세로에 접함, 사다리형, 완경사
2) 건물 : 벽돌조 슬래브지붕 2층, 연면적 180㎡
3) 경매평가금액(최초법사가) : 1,600,000,000원
4) 낙찰가 : 1,070,000,000원
5) 낙찰시점 : 2009.06.01
6) 기타 : 경매당시 소유자와 일부 임차인이 거주 중이었고, 권리관계 등 제반사항은 본건과 유사한 것으로 조사되었음.

<자료 6> 토지개별요인비교

1) 도로 : 세로(95), 소로(100), 중로(105), 광로(115)
2) 형상 : 정방형(100), 장방형(100), 기타(95)
3) 지세 : 평지(100), 완경사(95)
4) 기타 : 토지의 기타 개별요인은 대상부동산과 표준지·사례들이 유사함

<자료 7> 건물에 관한 사항

1) 건물개요

구분	대상건물	거래사례	낙찰사례
준공일자	1980.01.01	1982.01.01	1981.01.01
대지면적(㎡)	250	300	350
연멱적(㎡)	200	200	180
구조	벽돌조 슬래브지붕	벽돌조 슬래브지붕	벽돌조 슬래브지붕

2) 벽돌조 슬래브지붕 건물신축단가(2009.01.01 기준) : 700,000(원/㎡)
3) 내용년수 50년, 잔존가치 0%
4) 감가상각은 만년감가함.

<자료 8> 낙찰가율 자료 : 최근 6개월간 A시 B구 낙찰가율

구분	낙찰가율(%)
아파트	80
단독주택	70
연립, 다세대 주택	68
상업용건물	73
기타	65

<자료 9> 시점수정 자료

1) 지가변동률
   ① 2009.1.1～가격시점 : 1.00300
   ② 2009.5.1～가격시점 : 1.01000
   ③ 2009.6.1～가격시점 : 1.00700
2) 건축비지수
   2009년1월1일 이후 건축비는 보합세임

<자료 10>

현금흐름 산정시 검토할 이해관계는 다음과 같음.

1) 등기부상
   ① 1순위 근저당(I은행) : 400,000,000원
   ② 2순위 근저당(M은행 : 대상부실채권) : 500,000,000원
   ③ 3순위 근저당(N은행) : 100,000,000원
   ④ 4순위 근저당(P은행) : 50,000,000원
2) 기타
   ① 경매감정평가 수수료 및 경매집행비용 : 7,000,000원
   ② 소액임차인 : 16,000,000원
   ③ 일반채권 : 10,000,000원

<자료 11> 기타사항

1) 같은 동에서 소재하는 부동산은 동일한 지역요인을 가지는 것으로 조사됨.
2) 보증금 운용이율과 적용환원이율은 6%로 함.
3) 근저당과 관련한 미납이자나 채권최고액 등은 고려하지 아니함.

【문제 4】 다음을 약술하시오. (15점)

(1) 표준주택 중 건물의 선정기준 (5점)
(2) 공정가치 (5점)
(3) 새로이 하천구역에 편입되는 토지의 평가 (5점)

제21회 감정평가사 2차 국가자격시험문제

교 시	시 간	시 험 과 목
1교시	100분	① 감정평가실무

수험번호		성 명	

※ 공통유의사항

1. 각 문제는 해답 산정시 산식과 도출과정을 반드시 기재할 것
2. 단가는 관련 규정에서 정하고 있는 사항을 제외하고 천원미만은 절사, 기타요인 보정치는 소수점 셋째자리까지 사정함.

【문제 1】 공정감정평가법인 소속 감정평가사인 김한국씨는 아래 부동산 중 이대한씨 지분에 대해서 한강은행(담보)과 甲구청(보상)으로부터 동시에 평가의뢰를 받고 감정평가가격을 구한 후 감정평가서를 작성하고자 한다. 주어진 자료를 활용하여 다음의 물음에 답하시오. (40점)

물음(1) 평가목적별로 이대한씨 소유의 토지와 건물을 평가하시오. (20점)

1) 평가목적이 담보일 경우
2) 평가목적이 보상일 경우

물음(2) 감정평가에 관한 규칙 제9조에서 규정하고 있는 필수적 기재사항에 의거 서술식으로 감정평가서를 작성하시오(단, 평가목적이 보상일 경우에 중복되는 항목은 생략). (20점)

1) 평가목적이 담보일 경우
2) 평가목적이 보상일 경우

<자료 1> 사전조사사항

1) 토지등기부등본

기호	소재지	지목	면적(㎡)	소유자
1	甲구 乙동 54	대	500	공유자지분 2분의 1 이대한 공유자지분 2분의 1 박조선
2	甲구 乙동 산75	임야	2,550	공유자지분 2분의 1 이대한 공유자지분 2분의 1 박조선

2) 건물등기부등본

기호	소재지	물건의 종류	구조, 규격	면적(㎡)	소유자
가	甲구 乙동 54	점포	철근콘크리트조 슬라브지붕 단층	80	이대한
나	甲구 乙동 54	주택	시멘트벽돌조 슬라브지붕 단층	70	박조선

3) 토지대장

기호	소재지	지목	면적(㎡)	소유자
1	甲구 乙동 54	대	500	공유자지분 2분의 1 이대한 공유자지분 2분의 1 박조선
2	甲구 乙동 산75	임야	2,800	공유자지분 2분의 1 이대한 공유자지분 2분의 1 박조선

4) 건축물대장

기호	소재지	물건의 종류	구조, 규격	면적(㎡)	소유자
가	甲구 乙동 54	점포	철근콘크리트조 슬라브지붕 단층	80	이대한
나	甲구 乙동 54	주택	시멘트벽돌조 슬라브지붕 단층	70	박조선

5) 甲구청 제시목록

① 토지

기호	소재지	편입면적(㎡)	지목	비고
1	甲구 乙동 54	100	대	소유자 : 이대한
2	甲구 乙동 산75	500	임야	공유자지분 2분의 1 이대한 공유자지분 2분의 1 박조선

② 건물

기호	소재지	물건의 종류	구조, 규격	편입면적(㎡)	비고
가	甲구 乙동 54	점포	철근콘크리트조 슬라브지붕 단층	20	소유자 : 이대한
㉠	甲구 乙동 54	창고	시멘트벽돌조 슬라브지붕 단층	10	소유자 : 이대한

6) 토지이용계획확인원

① 기호1 : 일반상업지역(250㎡), 제2종일반주거지역(250㎡), 도시계획도로저촉

② 기호2 : 자연녹지지역

7) 지적도

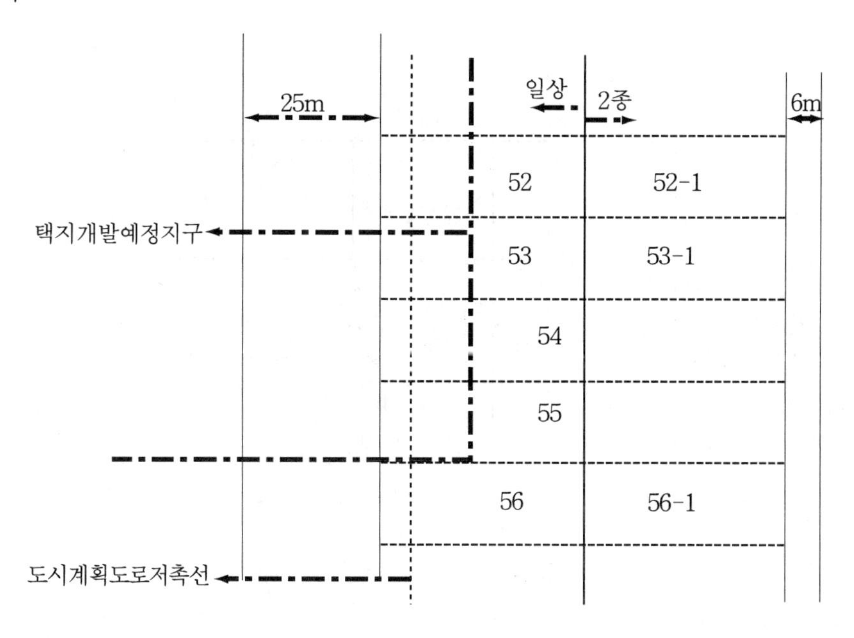

<자료 2> 현장조사사항

1) 2010. 08.30에 현장조사를 하였으나 가격자료수집이 미흡하여 2010.9.2에 재조사 완료하였음.

2) 기호1 토지는 인접필지와 대체로 평탄하며, 점포부지(이대한 소유)와 주택부지(박조선 소유)로 이용 중이고, 기호2 토지는 남하향의 완경사 자연림으로서 형상은 부정형이고, 지상에 자연생활잡목이 자생하고 있으나 경제적 가치는 없는 것으로 판단됨.

3) 기호1 토지의 도로접면은 지적도와 동일하며, 기호2 토지의 도로접면은 세로가에 접하고 있음.

4) 기호1 토지의 지상에 시멘트블럭조 슬라브지붕 단층 창고(이대한 소유 : 기호㉠)와 시멘트블럭조 슬라브지붕 단층 창고(박조선 소유 : 기호㉡)가 무허가건축물로 존재하고 있으며, 신축년도는 모두 2001.9.7에 건축된 것으로 탐문조사되었고, 이로 인하여 토지에 미치는 영향은 없는 것으로 판단됨.

5) 건물배치도

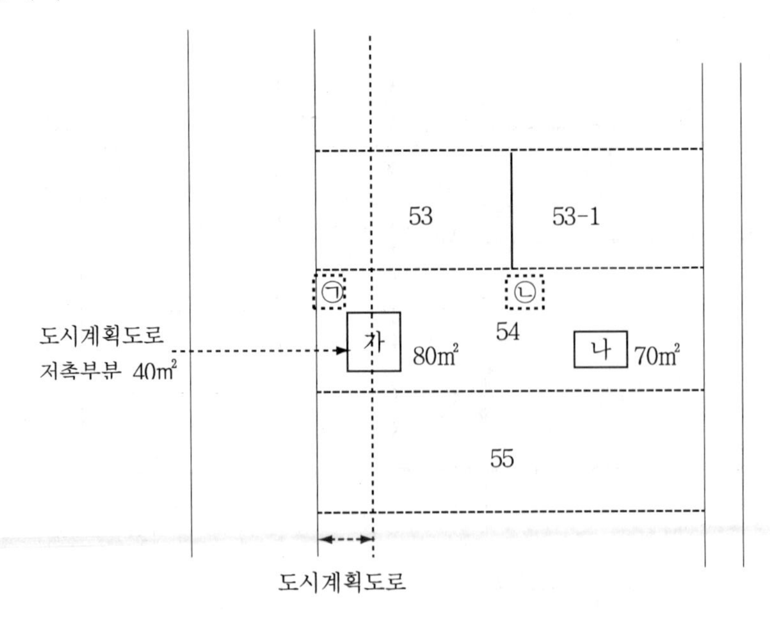

<자료 3> 가격결정을 위한 참고자료

1) 표준지공시지가 현황

기호	소재지	면적(㎡)	지목	이용상황	용도지역	도로교통	형상지세	공시지가(원/㎡)		
								2008년	2009년	2010년
A	乙동 57	250	대	상업용	일반상업	광대세각	세장형 평지	900,000	980,000	1,100,000
B	乙동 58-1	250	대	단독주택	제2종 일반주거	세로가	세장형 평지	380,000	400,000	420,000
C	乙동 산74	3,000	임야	자연림	자연녹지	맹지	부정형 완경사	38,000	45,000	50,000

※ 표준지 공시지가는 공법상 제한이 없는 상태임.

2) 지가변동률(甲구)

구분	상업지역	주거지역	녹지지역
2008.1.1~2010.8.30	1.15100	1.2000	1.25000
2008.1.1~2010.9.2	1.15500	1.21000	1.25500
2009.1.1~2010.8.30	1.10000	1.12000	1.13000
2009.1.1~2010.9.2	1.11500	1.12500	1.13500
2010.1.1~2010.8.30	1.05000	1.06500	1.07000
2010.1.1~2010.9.2	1.05500	1.07000	1.07500

3) 지역요인 : 동일함.

4) 개별요인

① 도로접면

구 분	광대세각	광대한면	소로한면	세로가	세로(불)	맹지
광대세각	1.00	0.95	0.86	0.81	0.75	0.72
광대한면	1.05	1.00	0.91	0.85	0.78	0.75
소로한면	1.16	1.10	1.00	0.93	0.86	0.83
세로가	1.24	1.18	1.07	1.00	0.92	0.89
세로(불)	1.34	1.28	1.16	1.09	1.00	0.96
맹지	1.39	1.32	1.20	1.12	1.04	1.00

② 형상

구 분	정방형	장방형	사다리형	부정형
정방형	1.00	0.99	0.98	0.95
장방형	1.01	1.00	0.99	0.96
사다리형	1.02	1.01	1.00	0.97
부정형	1.05	1.04	1.03	1.00

③ 지세

구분	평지	완경사
평지	1.00	0.97
완경사	1.03	1.00

④ 공법상 제한(도시계획도로 저촉 : 토지, 건물 공동사용)

구분	일반	제한
일반	1.00	0.85
제한	1.18	1.00

5) 기타요인 산정을 위한 자료

① 평가선례

기호	소재지	지목	면적 (m^2)	이용상황	용도지역	단가(원/m^2)	가격시점	평가 목적
A	乙동 59	대	250	상업용	일반상업	1,300,000	2010.1.1	담보
B	乙동 59-1	대	250	단독주택	2종일반주거	500,000	2010.1.1	담보
C	乙동 60	대	250	상업용	일반상업	1,150,000	2009.1.1	담보
D	乙동 60-1	대	250	단독주택	2종일반주거	480,000	2009.1.1	담보
E	乙동 110	대	250	상업용	일반상업	1,500,000	2010.1.1	보상
F	乙동 110-1	대	250	단독주택	2종일반주거	600,000	2010.1.1	보상
G	乙동 111	대	250	상업용	일반상업	1,300,000	2009.1.1	보상
H	乙동 111-1	대	250	단독주택	2종일반주거	560,000	2009.1.1	보상
I	乙동 112	대	250	상업용	일반상업	1,100,000	2008.1.1	보상
J	乙동 112-1	대	250	단독주택	2종일반주거	540,000	2008.1.1	보상

② 지가변동률은 상기에서 제시한 자료와 동일하고 대상토지와 평가선례와의 지역요인 및 개별요인은 동일함.

③ 평가선례는 공법상 제한이 없는 상태임.

④ 지목이 '임야'인 표준지공시지가는 지목이 '대'인 표준지공시지가와 기타요인이 동일함.

<자료 4> 건물평가 자료

1) 사용승인일자

구분	점포	주택
사용승인일자	2001.9.7	2001.9.7

2) 건물 재조달원가(원/m²)

구분	철근콘크리트조	시멘트벽돌조	시멘트블럭조
주택	1,000,000	900,000	600,000
점포	700,000	550,000	450,000
창고	500,000	400,000	350,000

3) 내용년수

구분	철근콘크리트조	시멘트벽돌조	시멘트블럭조
내용년수	50년	45년	30년

4) 본 건물의 감가수정은 만년감가를 기준으로 함.

5) 창고 전체와 점포 중 20m²가 도시계획도로에 저촉됨.

6) 본 건물 중 점포 잔여부분 보수비는 건축법상 요구되는 시설개선비 2,000,000원을 포함하여 총 5,000,000원임(담보감정시 보수비는 고려하지 아니함).

<자료 5> 기타참고사항

1) 물음(2) 작성시 감정평가서 필수적 기재사항 중 평가액의 산출근거 및 그 결정에 관한 의견서를 목적별로 구체적으로 작성하시오(단, 물음(1)에서 작성된 가격산출근거는 생략).

2) 기호1 토지의 지상에 소재하는 이대한 소유의 건물과 박조선 소유의 건물은 합법적인 건축물로서 소유자별로 각각 점유하고 있음.

3) 가격시점에 대해서는 별도로 제시받지 아니함.

4) 보상평가를 위한 사업개요

① 사업의 종류 : 乙지구 택지개발사업

② 택지개발예정지구 공람·공고일 : 2008. 12.1

③ 택지개발예정지구 지정·고시일 : 2009.9. 15

5) 보상가격산정을 위한 참고자료

① 택지개발예정지구 공람·공고일 이후 당해 공익사업지구 내 표준지공시지가의 평균변동률이 당해 시·군·구 전체의 표준지공시지가의 평균변동률보다 1.4배 높고 그 변동률 차이는 10%정도임.

② 기호1, 2 토지 공히 일부만 택지개발예정지구에 편입되었으나, 잔여지 손실보상에 대해서는 고려하지 아니함.

6) 감정평가사인 김한국씨는 감정평가서를 최종적으로 2010.9.4에 작성·완료하여, 2010.9.5에 심사 후 발송하였음.

【문제 2】 이대한씨는 甲구 乙동에 근린생활시설을 소유하고 있다. 이 건물의 1층은 편의점으로, 2층은 주거용으로 사용되고 있다. 대상 토지는 제1종 주거지역 내 정방형의 대(지목)로서 150㎡ 중 50㎡가 공익사업인 자동차 전용 도로개설사업에 편입되어 보상협의요청서를 받았으나 토지에 대하여는 협의에 응하지 않고 재결의 신청을 청구하였는바, 사업시행자로부터 재결서 정본을 수령하였다. 재결에 불복한 이대한씨는 이의신청과 동시에 잔여지의 손실에 대하여도 손실보상을 청구하기로 하였다. 다음의 자료를 검토, 분석 후 물음에 답하시오. (20점)

물음(1) 잔여지(100㎡)와 관련하여 다음 질문에 답하시오. (10점)

1) 잔여지에 대한 손실보상을 받기 위한 요건을 약술하시오.

2) 잔여지 손실보상의 종류와 각각의 종류에 따른 보상액 산정방법을 설명하되, 자료를 활용하여 산정 가능한 범위 내에서 이대한씨가 청구할 수 있는 손실보상액을 산정하시오.

물음(2) 공정감정평가법인 소속 김한국 감정평가사가 이대한씨의 영업손실보상액을 산정(협의보상)하기 위하여 수집하였을 것으로 판단되는 제반자료 및 조사사항을 "공익사업을 위한 토지 등의 취득 및 보상에 관한 법률" 및 동법 시행규칙, "영업손실 보상평가지침" 등과 관련하여 설명하시오. (10점)

<자료 1> 손실보상금 지급내역서 (요약)

소재지	지번	면적	편입면적	단가(원/㎡)	금액(원)
甲구 乙동	123-1	150	50	1,500,000	75,000,000

※ 건물 등 지장물과 영업손실의 보상금은 협의를 위한 보상협의요청시 수령하였음.

<자료 2> 대상 부동산의 상황 등

1) 잔여지 100㎡는 자동차 전용도로가 잔여지의 전면부를 통과하여 맹지가 되어 건축이 불가능한 상태임.
2) 가격조사 결과 공익사업시행 후, 잔여지 매매가능가액은 700,000원/㎡ 내외로 파악되었음.
3) 도로개설공사 완료일 : 2010년 9월 5일
4) 본 건의 사업인정고시일 : 2009년 1월 1일
5) 본 사업으로 인한 인근지역의 지가변동은 없는 것으로 조사되었음.

【문제 3】 총 3인의 조합원으로 구성된 재개발조합은 분양계획의 조정을 위하여 아래와 같은 자료를 수집하였다. 구체적으로 조합원 부담의 감소를 위하여 분양계획 1안을 2안으로 변경하고자 한다. 이때 각 1안 및 2안의 비례율을 산정하여, 2안으로 변경할 경우 유리한 조합원의 순서를 판별하되, 산출과정 및 그 이유를 설명하시오. (15점)

<자료 1> 조합원별 종전자산 평가액

1) 김한국 : 80,000,000원

2) 이대한 : 140,000,000원

3) 박조선 : 180,000,000원

<자료 2> 건축계획 및 사업관련비용 등

1) 단위세대 당 105㎡ 면적의 총 10세대를 건축할 예정이며, 이중 3세대는 조합원 분양분이고, 7세대는 일반분양 예정임.

2) 본 사업의 진행을 위해서는 기존주택 등의 철거비로 100,000,000원이 소요될 전망이고, 신축공사비로 1,400,000,000원의 지출이 예상됨.

<자료 3> 분양예정가격

1) 1안 : 조합원에 대한 분양예정가격은 단위세대 당 160,000,000원, 일반 분양 예정가격은 단위세대 당 200,000,000원임.

2) 2안 : 조합원에 대한 분양예정가격은 단위세대 당 140,000,000원, 일반 분양 예정가격은 단위세대 당 200,000,000원임.

【문제 4】 이대한씨는 甲구 乙동에 소재한 구형 단독주택을 구입하여 철거한 후, 다가구주택을 신축하여 임대하고자 한다. 다음의 자료를 활용하여 신축예정 다가구주택의 수익가치를 산정하고, 이 사업으로 인한 요구수익률을 충족시킬 수 있는 구형 단독주택의 최대 매수(지불)가능가격을 산정하시오. (15점)

<자료 1> 신축예정 다가구주택의 개요

1) 총 18개의 단위호로 구성된 철근콘크리트조의 원룸형으로 기존주택 철거비를 포함하여 신축공사비는 총 550,000,000원이 소요될 예정임.
2) 신축 건물의 예상 임대료는 각 단위호당 임대보증금 10,000,000원에 월세 800,000원을 받을 수 있을 것으로 추정되며, 월세 징구에 따른 시간가치는 고려하지 아니함.
3) 임대보증금의 운용이율은 1년만기 정기예금금리 수준인 연 4%가 적정한 것으로 조사되며, 예상되는 공실손실상당액 및 대손액 등은 가능총수익(PGI)의 8%, 관리 등에 소요되는 제반 경비는 유효총수익(EGI)의 20%로 예상됨.

<자료 2> 인근 유사 다가구주택의 거래사례 및 임대자료(사례 수 : 3개)

1) 사례1 : 2009년 1월 – 매매금액 2,000,000,000원
   연간 순수익(NOI) 220,000,000원
2) 사례2 : 2009년 6월 – 매매금액 2,000,000,000원
   연간 순수익(NOI) 180,000,000원
3) 사례3 : 2010년 8월 – 매매금액 1,800,000,000원
   연간 순수익(NOI)180,000,000원

<자료 3> 기타 참고사항

1) 이대한씨는 사업자본의 50%를 차입(타인자본)할 예정임. 차입자금의 연간금리수준은 10%이며, 자기자본에 대한 요구수익률은 위험을 고려하여 차입자금 금리수준의 2배를 기대하고 있음. 한편, 본 사업에 적용할 종합적인 요구수익률은 물리적 투자결합법을 활용하여 산정할 예정임.

2) 수익가치 산정에 사용할 환원이율은 시장추출법에 의하여 산정하되, 수집된 자료 중 가장 최근의 자료에 50%의 가중치를 두고, 나머지 자료는 동일한 비중으로 취급할 예정이고, 환원방법은 직접법에 의함.

【문제 5】 주어진 자료는 2010년 상반기에 월별로 수집된 실거래 사례의 토지단가(원/㎡) 이다. A시 외곽의 동일수급권 내 자연녹지지역의 '답'에 대한 자료로서 용도 및 규모가 유사하며 제반 요인의 차이가 없다. 또한, 대상기간동안 지가변동도 미미하였다. 이 자료에만 의거하여 금년 7월 1일 기준으로 부동산가격공시 및 감정평가에 관한 법률상 언급되는 '성립될 가능성이 가장 높다고 인정되는 가격'을 결정하고자 한다. 다음의 순서에 입각하여 요구하는 값을 모두 구하고, 적정가격을 결정하되, 그 사유를 설명하시오. (10점)

물음(1) 범위(range) 및 평균(mean)의 산정
물음(2) 중위값(median) 및 최빈치(mode)의 산정
물음(3) 적정가격결정 사유의 설명

<자료 > 수집된 토지 가격자료 : 총 12개

1) 2010년 1월 : 190,000원, 180,000원
2) 2010년 2월 : 190,000원, 200,000원
3) 2010년 3월 : 238,000원, 190,000원 210,000원
4) 2010년 4월 : 225,000원
5) 2010년 5월 : 210,000원, 210,000원
6) 2010년 6월 : 195,000원, 210,000원

제22회 감정평가사 2차 국가자격시험문제

교 시	시 간	시 험 과 목
1교시	100분	1 감정평가실무

수험번호		성 명	

※ 공통유의사항

1. 각 문제는 해답 산정시 산식과 도출과정을 반드시 기재할 것
2. 단가는 관련 규정에 정하고 있는 사항을 제외하고 천원 미만은 절사, 기타요인 보정치는 소수점 셋째자리까지 사정

【문제 1】 감정평가사 甲은 ㈜K생명보험으로부터 동 회사가 보유 중인 부동산에 대한 감정평가를 의뢰받아 처리계획을 수립한 후 현장조사를 수행하고 아래와 같이 자료를 수집·분석하였는바 이를 활용하여 시산가치조정을 통한 최종감정평가액을 산출하되 평가방식 적용 시 필요한 경우 그 판단에 대한 의견을 명기하시오. (40점)

<자료 1> 기본적 사항

– 감정평가 의뢰 내역

항목	기호	소재지	지목 층	면적(㎡)	용도지역 용도
토지	1	경기도 Y시 B읍 K리 219	잡종지	225.0	계획관리
	2	경기도 Y시 B읍 K리 219-2	잡종지	291.0	계획관리
	3	경기도 Y시 B읍 K리 219-1	대	975.0	계획관리

항목	기호	소재지	지목 층	면적(㎡)	용도지역 용도
토지	4	경기도 Y시 B읍 K리 219-3	대	554.0	계획관리
	5	경기도 Y시 B읍 K리 219-4	도로	105.0	계획관리
	6	경기도 Y시 B읍 K리 219-5	도로	144.0	계획관리
건물	가	경기도 Y시 B읍 K리 219-1 경기도 Y시 B읍 K리 219-3	지하1 지상3	1,254.3	근린생활시설 및 숙박시설
	나	경기도 Y시 B읍 K리 219-1 경기도 Y시 B읍 K리 219-3	1	72.24	근린생활시설

– 의 뢰 인 : ㈜K생명보험
– 평가목적 : 일반거래(매매참고용)
– 제 출 처 : ㈜K생명보험
– 목록표시근거 : 등기부등본, 일반건축물관리대장등본
– 가격시점 : 2011.9.4
– 조사기간 : 2011.8.31~2011.9.4
– 작성일자 : 2011.9.4.

<자료 2> 대상부동산에 관한 기본 자료 및 현장조사 내용

1) 토지

– 이용상황

• 기호(1, 2) : 본건 기호 (5, 6) 토지와 경계 구분 없이 본건 (가, 나) 건물의 진출입을 위한 포장도로로 이용 중임.
• 기호(3) : 현황 숙박시설로 이용 중인 본건 기호 (가) 건물 부지임.
• 기호(4) : 현황 주택으로 이용 중인 본건 기호 (나) 건물 부지임.
• 기호(5, 6) : 본건 기호 (1, 2) 토지와 경계 구분 없이 본건 (가, 나) 건물 진출입을 위한 포장도로로 이용 중임.

– 접면도로

• 본건 기호 (2, 6) 토지가 남서측으로 ○○번 국도에 접함.

– 형상 및 지세
- 본건 일단의 토지 전체를 기준으로 자루형에 가까운 평지임.

2) 건물

–공통사항
- 사용승인일 : 1997. 08. 29
- 건폐율 / 용적률 : 24.91% / 65.07%

– 기호 (가)
- 구조 : 철근콘크리트 슬라브지붕
- 난방설비, 패키지 에어컨에 의한 냉방설비, 위생 및 급배수설비, 화재탐지·경보 및 소화설비 등
- 이용상황

층	용도	면적	이용상황
지1	근린생활시설	331.55	창고, 보일러실
1	숙박시설	305.23	접수대, 객실 9
2	숙박시설	308.76	객실 10
3	숙박시설	308.76	객실 10

– 기호 (나)
- 구조 : 연와조 슬라브지붕 단층
- 면적 : 72.24㎡
- 주요설비 : 난방설비, 위생 및 급배수설비 등
- 이용상황 : 주택(방2, 화장실 겸 욕실, 주방 겸 거실)

3) 임대 및 사용현황

– 2009년부터 乙에게 무상으로 임대 중인 것으로 조사되었음.

4) 본건 평가전례

– 가격시점 : 2006. 03. 02

– 평가목적 : 담보

– 평 가 액 : 1,402,384,500원

<자료 3> 경기도 Y시 개황

1) Y시는 경기도 북동측 내륙권, 서울에서 직선거리 약 30km 거리에 위치하며 대체로 산지가 많고 평지가 적음.
2) 도로 및 전철 등 서울로의 대중교통 접근조건이 개선됨에 따라 대규모 택지개발 사업 시행 및 그로 인하여 인구유입이 지속적으로 증가되어 왔고, 이에 따라 주택이 지속적으로 공급되어 왔음.
3) Y시의 산업별 사업체 수는 제조업, 도소매업, 숙박(음식점)업 순으로 나타났고, 종사인원을 기준으로 할 경우 제조업이 50%정도를 차지하나 대형 할인점 등의 입지에 따른 3차 산업의 발달 등 급격한 도시화로 도소매업의 증가가 두드러진 반면 숙박업은 지속적인 감소세를 나타내고 있음.
4) Y시 토지거래는 2000년대 초반, 시 승격을 전후로 연간 6,500여건에서 연간 16,000여건으로 거래량이 급격히 상승하였으나 2000년대 중반 이후 등락을 보이다 최근에는 연간 10,000여건으로 안정세를 보이고 있음.

<자료 4> 지역 및 대상부동산 개황

1) 본건은 Y시 B읍 K리 소재 K저수지 북동측 인근에 위치하고 있으며, 인근은 국도 및 지방도변을 따라 숙박시설 및 근린생활시설 등이 산재하고 후면으로 농경지 및 임야 등이 혼재하여 있음.
2) 본건 토지 남서측으로 ○○번 국도에 접하고 있어 본건까지 제반 차량의 진출입이 원활하고, 본건 북서측 인근에 ○○번 국도와 동서로 연결되는 □□번 지방도가 연결되는 삼거리가 소재함.
3) Y시 관내를 연결하는 버스정류장이 본건 남동측 인근에 위치하나, 운행 간격 등에 비추어 대중교통 사정은 다소 불편함.

<자료 5> 인근지역 분석

1) 본건은 계획관리지역 내 3층 숙박시설(객실 29개)로서, 용도적·기능적 동일성을 기준으로 본건 남서측 인근에 소재한 K저수지 북측의 ○○번 국도변 및 동 국도에

동서로 연결되는 □□번 지방도를 따라 본건 북서측 인근 M저수지에 이르는 지방도변 일대가 본건 부동산의 인근지역으로 판단됨.

2) 인근지역은 K저수지를 중심으로 유원지·낚시터 등의 이용객들을 위한 음식점, 숙박시설, 카페 등이 산재되어 있고, M저수지 주변도 이와 유사한 이용을 보이고 있으며 특히, 숙박시설은 독립적으로 위치하기 보다는 몇 개씩 집단화고 있는 양상을 보이고 있으나, 경기침체 및 유원지·낚시터 등의 이용객의 감소와 더불어 숙박시설이 집단화한 지역으로서의 전반적인 경쟁력 약화 등이 상승 작용하여 영업상황이 악화되어 가고 있으며, 영업을 중지하는 숙박시설이 증가하고 있는 추세임.

3) 인근지역은 ○○번 국도 및 □□번 지방도를 따라 노변 또는 후면에 음식점 또는 숙박시설이 주류를 이루고 있으며, 숙박시설의 경우 3층으로서 객실 30~35개 규모가 일반적 이용임.

4) 토지 가격수준에 대한 탐문 조사결과, ○○번 국도에 접하고 있는 경우 @453,000원/m^2 ~@600,000원/m^2, 후면지의 경우 @272,000원/m^2~@300,000원/m^2 수준이고, M저수지에서 동측으로 □□번 지방도에 접하고 있는 경우 @453,000원/m^2~@544,000원/m^2, 후면지의 경우 @211,000원/m^2~@300,000원/m^2 수준으로 호가되고 있음.

5) 또한, 최근 인근지역에는 영업이 중단된 숙박시설을 노인전문요양원 등 타용도로 전환·이용하려는 목적으로 매물을 찾는 문의가 간혹 있으나 실제 노인전문요양원 등으로 전환·이용된 사례는 없는 것으로 조사되었음.

<자료 6> 공시지가 표준지 및 매매사례

1) 비교 표준지 공시지가

<table>
<tr><th>소재지</th><th>면적(m^2)</th><th>지목</th><th>이용
상황</th><th>용도
지역</th><th>도로
교통</th><th>형상
지세</th><th>공시기준일</th><th>공시지가</th><th>비고</th></tr>
<tr><td rowspan="5">K리
217-1</td><td rowspan="5">880.0</td><td rowspan="5">대</td><td rowspan="5">상업용</td><td rowspan="5">계획관
리</td><td rowspan="5">소로각
지</td><td rowspan="5">부정형
평지</td><td>2007.01.01</td><td>405,000</td><td rowspan="5">본건
남동측
인접,
○○번
국도변</td></tr>
<tr><td>2008.01.01</td><td>455,000</td></tr>
<tr><td>2009.01.01</td><td>420,000</td></tr>
<tr><td>2010.01.01</td><td>425,000</td></tr>
<tr><td>2011.01.01</td><td>430,000</td></tr>
</table>

2) 매매사례

구분		매매사례 #1	매매사례 #2	매매사례 #3	매매사례 #4
소재지		K리 354	K리 419-3	K리 418	K리 381-5
매매금액		481,100,000	903,500,000	685,100,000	850,100,000
매매일자		2009.06.05	2010.01.07	2009.08.20	2011.02.27
토지면적(㎡)		974.0	1,327.0	1,405.0	1,258.0
건물 내역	구조	–	철근콘크리트조 슬라브지붕	철근콘크리트조 슬라브지붕	철근콘크리트조 슬라브지붕
	용도	–	숙박시설	숙박시설	숙박시설
	객실 수	–	31	26	34
	층(지상/지하)	–	3/1	5/1	3/1
	연면적(㎡)	–	1,349.74	975.24	2,410.27
	사용승인일	–	2004.12.24	1999.08.15	2002.09.01
비고		–	–	현 영업중단	현 영업중단

<자료 7> 표준건축비 자료(가격시점 기준)

1) 철근콘크리트조 숙박시설 : @1,060,000원/㎡
2) 연와조 단독주택 : @850,000원/㎡

<자료 8> 시점수정 자료

– 2007. 01. 01. 이후 인근지역 토지시장 및 건축물 신축가격은 큰 변화가 없었던 것으로 조사되어 시점수정은 필요 없음.

<자료 9> 본건 영업자료 등

1) 매출액 : 5,500,000원/월
2) 영업경비
   – 단기내용연수 항목에 대한 대체충당금을 제외한 세금 등 고정비와 인건비, 냉난방비, 공과금 등 변동비에 대한 자료검토 결과 평균 4,500,000원/월 소요됨.

3) 동산항목 가치

– 가격시점 현재 본건 숙박시설 내 가구, 전자제품 등의 잔존가치는 객실당 @600,000원으로 산정됨.

<자료 10> 요인비교 자료

1) 토지 개별요인 비교치

공시지가 표준지	본건 (전체 기준)	매매사례 #1	매매사례 #2	매매사례 #3	매매사례 #4
1.00	0.78	1.15	1.07	0.97	0.95

2) 건물 개별요인 비교치

–철근콘크리조

표준건축비	본건	매매사례 #2	매매사례 #3	매매사례 #4
1.00	1.00	1.00	1.03	1.00

–연와조

표준건축비	본건
1.00	1.05

<자료 11> 각종 이율 등

1) 시장금리 등

– 국고채(3년) : 3.96%/연

– 회사채(3년, AA-) : 6.12%/연

– 저당이자율(예금은행 가중평균 대출금리) : 6.73%/연

2) 숙박시설 지분환원율 등

– 지분환원율 : 12.0%/연

– 대출비율 : 45%

3) 숙박시설 투자수익률 등
   - 투자수익률 : 15.0%/연
   - 가치변동 : 전형적인 보유기간인 5년 동안 인근지역 숙박시설의 가치는 35% 정도 하락할 것으로 예상됨.

<자료 12> 기타

1) 원가방식 중 내용연수법 적용 시 내용연수 또는 잔존내용연수 조정이 필요할 경우 매매사례를 활용함.
2) 비교방식 중 개별요인 비교는 사례의 토지/건물 가치구성비율을 활용하고, 내용연수 만료 시 잔존가치율은 1%를 적용함.
3) 숙박시설 운영을 위해서는 직원 등의 숙소가 필요함이 일반적인 바, 본 건 기호 (나) 건물은 무상임차인 乙과 운영을 돕고 있는 그 자녀 1인의 숙소로 사용되는 바, 숙박시설 용도에 부합하는 것으로 판단함.
4) 가격시점 현재 건축물의 철거비는 @15,000원/㎡

【문제 2】 A감정평가법인에 소속된 감정평가사 김정직은 OO도 OO시 OO동 100번지 일대에 소재하는 OO 1-1 주택재개발 정비사업 구역의 사업시행인가 신청을 위한 정비기반시설의 감정평가의뢰를 받았다. 주어진 자료를 활용하여 관련 법규에 따라 주택재개발 정비사업의 시행으로 인하여 용도폐지되는 기존의 정비기반시설 부지와 새로이 설치하는 정비기반시설 예정 부지를 감정평가하시오(단, 가격의 산정과정과 본건 감정평가에 적용할 비교 표준지의 선정이유는 반드시 기술). (20점)

- 평가조건

(1) 본 감정평가의 대상 토지는 관련 제 규정에 따라 가장 적정하다고 판단되는 인근 공시지가 표준지를 기준으로 공시기준일로부터 가격시점까지의 지가변동률과 토지의 제반가격형성요인을 종합고려하여 적정가격으로 감정평가할 것 .

(2) 국가 또는 지방자치단체로부터 사업시행자인 당해 정비사업조합에 무상으로 양여되는 국·공유 정비기반시설 부지는 용도폐지를 전제로 감정평가할 것.

(3) 사업시행자로부터 사업시행인가권자인 지방자치단체에 무상으로 귀속되는 새로이 설치하는 정비기반시설은 토지의 형질변경 등 그 시설의 설치에 소요되는 비용은 포함하지 않고 현장조사 당시 현재의 현황을 기준으로 감정평가할 것.

<자료 1> 사업의 개요

1) 정비구역 현황

사업의 종류	구역의 명칭	위치	면적(㎡)	비고
주택재개발 정비사업	OO1-1주택 재개발정비 사업구역	OO시 OO동 100번지 일원	97,600	제2종일반주거지역

2) 토지이용 계획

구분		명칭	면적(㎡)	비율(%)	비고
합계			97,600	100.0	
토지이용계획	정비기반시설 등	소계	24,800	25.4	
		도로	6,700	6.9	확장 및 신설
		공원	18,100	18.5	신설
	획지	소계	72,800	74.6	
		획지1	70,500	72.2	공동주택 및 부대시설
		획지2	2,300	2.4	종교시설

3) 건축 계획

구분		내용
밀도	건폐율	18.20%(공동주택 : 15.60%, 부대시설 : 2.60%)
	용적률	229.00%
규모		공동주택 22개동 1,550세대(16층~22층)

4) 지적개황도(축척 없음)

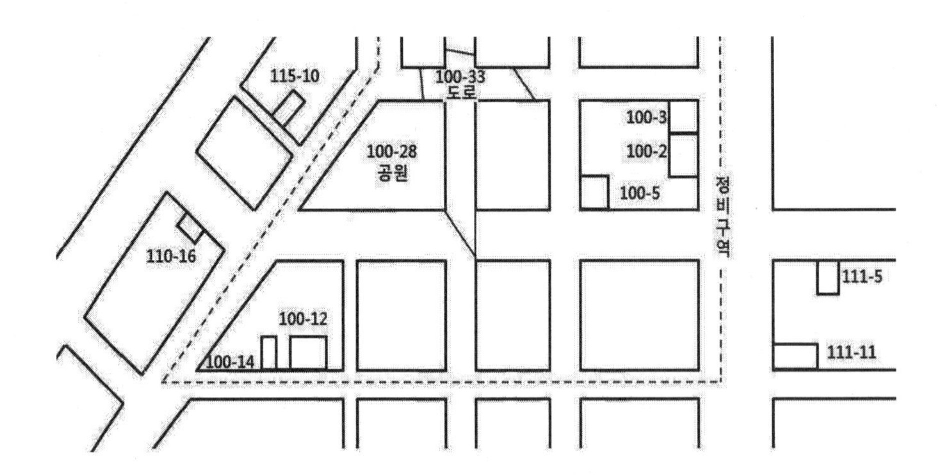

<자료 2> 기타 참고사항

1) 주택재개발 정비구역 지정 고시일 : 2010. 02. 25

2) 주택재개발 정비조합설립인가 고시일 : 2010. 11. 08

3) 가격시점 : 2011. 11. 30

<자료 3> 평가대상 토지 목록

1) 용도 폐지되는 정비기반시설 부지

일련번호	지번	지목	면적(㎡)	소유자	비고
1	100-28	공원	3,216.0	국 (국토해양부)	현황 도시계획시설 공원
2	100-33	도로	1,303.3	OO시	현황 도시계획시설 도로

2) 새로이 설치되는 정비기반시설 부지

일련번호	지번	지목	면적(㎡)	소유자	비고
3	100-2	대(상업용)	95.6	박부자	대로 3-1호선 확장 도로 15%저촉
4	100-5	대(주상용)	91.5	강개발	중로 2-8호선 신설 도로 62%저촉
5	100-14	대(주거용)	138.7	최토지	근린공원신설 공원 100%저촉

3) 위 평가 대상 토지 중 일련번호(1) 100-28번지 공원부지의 용도지역은 제1종 일반주거지역이었으나 정비사업의 시행으로 인하여 제2종 일반주거지역으로 변경(2010. 02. 25, 정비구역 지정고시일)되었음.

<자료 4> 토지가격 산정에 참고할 자료

1) 인근 공시지가 표준지

– 당해 정비사업구역 내 공시지가 표준지

일련번호	지번	면적(m²)	이용상황	용도지역	도로교통	형상지세	공시지가(원/m²)		비고
							2010년	2011년	
371	OO동100-3	541.9	상업용	2종일주	광대소각	정방형평지	2,240,000	2,350,000	도로 15%저촉
372	OO동 100-5	147.5	주상용	2종일주	소로각지	정방형평지	1,270,000	1,330,000	도로 62%저촉
373	OO동 100-12	153.9	단독주택	2종일주	세로(가)	가장형평지	1,130,000	1,180,000	공원 100%저촉

– 당해 정비사업구역 외 공시지가 표준지

일련번호	지번	면적(m²)	이용상황	용도지역	도로교통	형상지세	공시지가(원/m²)		비고
							2010년	2011년	
375	OO동 110-16	127.9	주상용	2종일주	소로한면	가장형평지	1,230,000	1,290,000	
377	OO동 111-5	137.4	단독주택	2종일주	소로한면	세장형평지	1,120,000	1,170,000	
378	OO동 111-11	600.3	상업용	2종일주	광대세각	세장형평지	2,800,000	2,900,000	
380	OO동 115-10	109.6	단독주택	1종일주	세로(불)	세장형평지	950,000	990,000	

2) 지가변동률(OO시)

구분	평균	주거지역	상업지역	공업지역
2010.01.01~2010.12.31	1.04583	1.04629	1.04475	1.04400
2011.01.01~2011.08.31	1.01591	1.01584	1.01547	1.01622
2011.08.01~2011.08.31	1.00173	1.00160	1.00118	1.00191

3) 개별요인

–도로접면

구분	광대한면	중로한면	소로한면	세로(가)	세로(불)
격차율	1.00	0.92	0.85	0.80	0.75

※ 도로접면이 각지인 경우는 한면에 접하는 경우에 비해 3% 우세함.

–이용상황

구분	주거용	주상용	상업용
격차율	1.00	1.08	1.15

–형상

구분	가장형	정방형	세장형형	사다리형	부정형
격차율	1.00	0.98	0.96	0.92	0.78

–도시계획시설 저촉

구분	일반	도로	공원
격차율	1.00	0.85	0.60

【문제 3】 D건설회사는 총 720세대 규모의 아파트단지 조성사업을 시행하여 입주가 완료되었으나 그 중 12세대는 일반적인 아파트와는 달리 거실 유리창의 일부가 감소되도록 설계되어 입주 후 가치하락액을 산정하여 환불해주기로 하고 환불대상세대 및 환불액 결정을 K감정평가법인에 의뢰하였다. 아래에 제시된 조건과 자료의 범위 내에서 K감정평가법인이 수행해야 할 환불대상세대 결정 및 대상세대의 최종 환불액을 평가하시오. (20점)

<자료 1> 기본적 사항

1) 환불액 평가의 가격시점은 2011. 08. 01로 한다.
2) 환불액 지급대상세대는 <자료 2>에 제시된 세대 중 연속일조시간이 2시간 미만이고 총일조시간이 4시간 미만인 세대만을 대상으로 한다.
3) 환불액은 일조시간을 기초로 산정한 가치하락액을 기준으로 결정한다. 이 경우 본 아파트단지에서 일조권 가치가 전체가치에서 차지하는 비율은 평형에 관계없이 6%이며 총일조시간(x분)과 해당세대의 가치하락율(y)간의 관계는 다음 산식으로 산정한다.
   $y = 0.06(1 - x/240)$
4) 환불대상세대 중 1년 이내에 거래사례가 있는 경우에는 거래사례에 의해 산정한 가치하락액과 일조시간을 기준으로 산정한 가치하락액을 비교하여 적은 금액으로 환불액을 결정한다.

<자료 2> 대상 아파트단지 개요

- 소재지 : S시 A구
- 규모 : 총 720세대(10개동 × 각동 72세대)
- 층수 : 각동 공히 18개층 높이이며 각층별 세대수는 동일하게 건축되었음.
- 동별 현황
  - 101동~108동 : 전세대 85m²형
  - 109동, 110동 : 전세대 110m²형

<자료 3> 창면적 감소세대 현황

동번호	해당세대	창면적감소비율(%)	총 일조시간(분)	연속일조시간(분)
101	301호	45	165	95
	302호	18	265	183
	401호	45	170	98
	402호	18	270	185
102	602호	60	160	93
	702호	25	250	170
109	301호	45	165	125
	302호	18	265	183
	401호	45	170	128
	402호	18	270	185
110	602호	60	160	93
	702호	25	250	170

<자료 4> 본건 아파트단지의 층별 효용지수

층	1	2	3	4	5	6	7	8	9	10
효용지수(%)	90	94	96	98	99	100	100	100	100	100
층	11	12	13	14	15	16	17	18	–	–
효용지수(%)	100	100	100	100	100	100	100	98	–	–

<자료 5> 본건 아파트단지의 위치별 효용지수

위치	1호	2호	3호	4호
효용지수(%)	98	100	98	96

<자료 6> 본건 아파트단지의 면적 타입별 효용지수

면적(㎡)	85	110
효용지수(%)	100	104

<자료 7> 본건 아파트 단지내 거래사례 자료

1) 창면적 감소가 없는 사례
 - 동, 호수 : 107동 503호
 - 거래시점 : 2011. 06. 25
 - 거래가격 : 322,000,000원

2) 창면적 감소가 있는 사례
 - 동, 호수 : 101동 401호
 - 거래시점 : 2011. 03. 12
 - 거래가격 : 305,000,000원

<자료 8> 인근지역의 아파트가격 변동지수

2011.01.01	2011.02.01	2011.03.01	2011.04.01	2011.05.01	2011.06.01	2011.07.01
113	114	116	116.8	117.8	119	120

<자료 9> 기타 평가조건

1) 각 호별 정상가격 산정에 있어서 개별소유자가 개별투자한 내부마감재, 구조변경, 추가설비 및 관리상태의 차이 등의 개별적 사항은 고려하지 않는다.

2) 본건 아파트 단지 내 각 동별 효용격차는 없는 것으로 가정한다.

【문제 4】 서울지방법원 민사 00단독 재판장 판사 한공정은 민사소송사건의 심리를 위하여 다음과 같은 사건의 감정평가를 당신에게 의뢰하였다. 주어진 자료를 검토한 후 판사의 감정요청사항에 대하여 견해를 간단하게 약술하시오. (10점)

<사건의 개요>

1) 감정평가 목적물 : 서울특별시 OO구 OO동 1669-1 한라산 오리엔탈 1층 13호 건물 29.00㎡, 대지권 5,500㎡×5,500분지10.60㎡

2) 청구내용 : 원고 이대리는 2009. 09. 20 피고 ㈜한라산개발이 시공하여 분양하는 위 목적물을 분양받아 현재 점포를 운영 중에 있으며, 피고는 분양 당시 전·후면 모두 인근 도로와 같은 높이의 평탄한 건축물인 것처럼 광고하였고 이에 원고는 그 중 후면 상가인 위 목적물을 분양 받았다. 그러나 건축물이 완공되어 입주하여 보니 건물의 전면 상가와는 달리 후면의 상가는 인근도로에 비해 약 1.2m 정도 높은 상태로 계단이 설치되어 고객의 통행이 불편한 구조로 되어 있음을 알게 되었고 분양 당시 광고와는 다른 구조로 인하여 실제 영업이익이 기대한 바에 미치지 못할 뿐만 아니라 현재 시점에서 위 목적물의 시가가 분양가에 미치지 못하는 등 손해를 입게 되었음을 주장하면서 이러한 손해를 이유로 2009. 09. 20 당시 분양가격이 과다하고 따라서 피고가 부당하게 얻은 분양가격의 일부를 반환할 것을 청구하는 소를 제기하였다.

물음(1) 원고의 주장이 타당한지 여부와 분양당시 전면 상가의 분양가격과 비교할 때 후면 상가의 분양가격이 적정한지 여부를 약술하시오.

물음(2) 분양가격이 적정하였다고 판단한다면 그 근거를 약술하고, 적정하지 않았다고 판단한다면 적정가격 수준은 어느 정도인지를 약술하시오. (5점)

<자료 1> 분양가격 자료(2009. 09. 20 당시 1층 상가의 분양자료)

구분	면적(㎡)		분양가격		비고
	전용면적	대지권	금액(원)	단가(원/㎡)	
1층 4호	26.00	9.50	498,000,000	19,154,000	전면
1층 6호	65.00	23.80	1,200,000,000	18,462,000	전면
1층 9호	26.00	9.50	475,000,000	18,269,000	전면
1층 13호	29.00	10.60	425,000,000	14,655,000	후면
1층 14호	29.00	10.60	425,000,000	14,655,000	후면
1층 17호	32.00	11.70	460,000,000	14,375,000	후면

<자료 2> 실거래가격 자료 및 임대사례

구분	거래사례			임대료(천원)		임대수익률
	금액(천원)	매매일자	상승률	보증금	월임료	
1층 4호	550,000	2011.08.04	10.44%	–	–	자가사용
1층 6호	–	–	–	200,000	2,800	3.97%
1층 9호	–	–	–	55,000	1,150	3.72%
1층 13호	–	–	–	–	–	자가사용
1층 14호	460,000	2010.06.15	8.24%	60,000	1,000	3.81%
1층 17호	500,000	2010.10.31	8.70%	70,000	1,050	3.80%

※ 임대사례는 모두 2009년에 임대되었고 2011년 9월에 갱신되었음.

<자료 3> 경제동향

구분	지가변동률	주택가격 상승률	생산자물가 상승률
2009.01.01～2009.12.31	1.07525	1.0473	1.0435
2010.01.01～2010.12.31	1.05366	1.0408	1.0459
2011.01.01～2011.08.31	1.03824	1.0311	1.0330

※ 지가변동률과 주택가격상승률은 OO구 평균임.

<자료 4> 상가배치도(축척 없음)

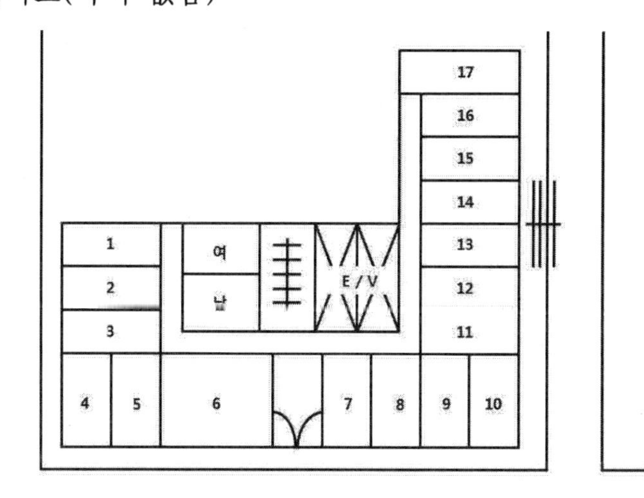

【문제 5】 A은행은 ○○○씨 소유의 상가를 담보로 하여 만기 1년짜리 담보대출을 실행하기 위하여 K감정평가법인에 두 개의 보고서를 요청하였다. 2011. 09. 04 가격시점으로 정상가격을 평가한 감정평가 보고서와 2012. 09. 04 가격시점에 예상되는 정상가격에 대한 컨설팅보고서를 제출할 것을 요청하였다. K감정평가법인이 2012. 09. 04 가격시점의 컨설팅보고서를 작성할 때, 2011. 09. 04 가격시점의 감정평가보고서 작성시와는 다르게 추가로 고려하여야 할 요인들 중 5가지만 열거하시오. (5점)

【문제 6】 부적정하게 평가된 담보감정평가가 국민경제에 미치는 영향에 대하여 약술하고 현실적으로 적정한 담보감정평가를 저해하는 요인을 열거하시오. (5점)

제23회 감정평가사 2차 국가자격시험문제

교 시	시 간	시 험 과 목
1교시	100분	① 감정평가실무

수험번호		성 명	

※ 공통유의사항
1. 각 문제는 해답 산정시 산식과 도출과정을 반드시 기재
2. 단가는 관련 규정에서 정하고 있는 사항을 제외하고 천원미만은 절사, 기타요인 보정치는 소수점 셋째자리 이하 절사

【문제 1】 ㈜A감정평가법인 甲감정평가사는 ㈜K자산운용으로부터 감정평가 등을 의뢰받았다. 주어진 자료를 활용하여 다음 물음에 답하시오. (40점)

물음(1) 계약임대료를 기준으로 대상물건을 감정평가하시오. (10점)

물음(2) 시장임대료를 기준으로 대상물건을 감정평가하시오. (15점)

물음(3) 물음 (1)의 감정평가액과 거래예정금액, 물음 2)의 감정평가액과 거래예정금액을 이용하여 각각의 순현재가치(NPV; Net Present Value)와 내부수익률(IRR; Internal Rate of Return)을 산출하시오. (5점)

물음(4) 벤치마크 투자수익률을 내부수익률로 실현하기 위해 甲감정평가사가 ㈜K자산운용에 제시할 대상물건의 거래예정금액을 결정하시오. (10점)

<자료 1> 대상물건 개요

1. 토지·건물 내역

구분	항목	내용
토지	소 재 지	서울특별시 G구 Y동 OO빌딩
	지 목	대
	면 적	2,833m^2
	용도지역	일반상업지역
건물	구 조	철골철근콘크리트조 (철근)콘크리트지붕
	용 도	업무시설
	건축면적	1,983.48m^2
	연 면 적	49,587m^2
	층 수	지상 20층/지하 5층
	사용승인	1999.12
	주 차	100대
	승 강 기	승객용 5(H사, 1,150kg, 90m/min, 15인) 비상용 1(H사, 750kg, 90m/min, 10인)

2. 대상물건 거래관련 자료

항목	내용
거래예정금액	275,000,000,000원
거래조건	없 음
거래예정시점	2012.09.30
거래예정금액 지급조건	일시불(자기자본 : 110,000,000,000원, 타인자본 : 165,000,000,000원)
토지건물 배분예정금액	토지 : 210,000,000,000원, 건물 : 65,000,000,000원
오피스빌딩 하위시장	YS북부

<자료 2> 시장임대료(Market Rent) 관련 자료

1. 보증금, 연간임대료, 연간관리비, 고정경비 및 변동경비 상승률
   1) 1, 2년차 : 5% 또는 소비자물가지수(CPI : Consumer Price Index) 중 높은 율
   2) 3년차부터 : 4% 또는 CPI 중 높은 율
2. 공실 및 대손충당금
   1) 가능총소득(PGI : Potential Gross Income)의 5% 또는 PGI의 CPI
   2) 일반경기의 회복지연으로 창업률이 낮아 공실률은 증가하고 있다. 따라서 대상물건의 감정평가시 공실 및 대손충당금 비율은 보수적인 측면을 고려하여 적용하여야 할 것으로 판단된다.
3. 보증금운용이율 : 연 5%

<자료 3> 계약임대료(Contract Rent) 관련 자료

1. 보증금, 연간임대료, 연간관리비, 고정경비 및 변동경비 상승률 : 5% 또는 CPI 중 낮은 율
2. 공실 및 대손충당금
   1) PGI의 3.5%
   2) 대상물건은 양호한 임차인이 입주하고 있어 오피스빌딩 하위시장의 공실 및 대손충당금 비율에 비해 낮은 상태를 유지하고 있다.
3. 보증금운용이율 : 연 5%

<자료 4> 공통자료

1. 각종지표
   1) 2008년 금융위기 이후 일반경기의 본격적인 상승이 이루어지지 않고 있으며, CPI는 연간 3.5% 상승이 예상된다.
   2) 채권금리 등

구 분	국고채(3년)	회사채(3년)	CD(91일)
%	4.34	5.44	2.79

3) 벤치마크 투자수익률

하위시장	SN북부	SN남부	YS북부	YS남부
투자수익률(%)	6.0	6.2	7.0	6.5

2. 영업경비
   1) 고정경비 : 연간관리비의 40%
   2) 변동경비 : 연간관리비의 30%
   3) 대체충당금 : 2년차에 100,000,000원, 4년차에 150,000,000원 설정 예정

3. 할인율(Discount Rate)
   1) 甲감정평가사는 할인율 결정방법을 ㈜A감정평가법인의 감정평가심사 위원회(이하 '위원회')에 부의하여 결정하기로 하였다.
   2) 동 위원회는 자본자산평가모델(CAPM; Capital Asset Pricing Model), 가중평균자본비용(WACC : Weighted Average Cost of Capital), 국고채금리에 일정률을 가산하여 구하는 방법 등을 종합 검토한 결과 본 감정평가에 적용할 할인율 결정방법은 WACC로 적용하는 것이 타당할 것 같다고 甲감정평가사에게 권고하였고, 甲감정평가사는 이를 수용하였다.
   3) 甲감정평가사가 오피스빌딩 하위시장에서 조사한 자기자본수익률은 6.50%, 타인자본수익률은 5.67%이다.
   4) 甲감정평가사가 대상물건과 관련하여 조사한 자기자본수익률은 6.25%, 타인자본수익률은 5.00%이다.
   5) IRR, WACC는 소수점 넷째자리 이하 절사한다.

4. 기출환원이율(Terminal Cap Rate)
   1) 甲감정평가사는 기출환원이율도 위원회에 부의하여 결정하기로 하였다.
   2) 위원회는 향후 오피스빌딩시장의 가격변동률이 하락될 것으로 예상되어 기출환원이율의 결정은 보수적인 입장을 취하는 것이 합리적이라는 판단을 하였다.
   3) 그래서 위원회는 甲감정평가사에게 기출환원이율은 결정된 할인율에 0.5%p를 가산하여 적용하는 것이 타당할 것이라는 권고를 하였다. 甲 감정평가사도 오

피스빌딩 시장이 부동산경기 및 일반경기 침체로 인해 하락할 것으로 판단하여 위원회의 권고안을 받아들이기로 하였다.

5. 보유기간 및 복귀가격

1) 보유기간은 5년으로 하고, 재매도비용은 공인중개사수수료 및 기타비용 등을 고려할 때 2%로 한다.

2) 복귀가격 결정을 위한 PGI 등은 5년차의 PGI 등에 연간 임대료, 관리비 등의 상승률을 적용하여 6년차의 순영업소득(NOI; Net Operating Income)을 기준으로 결정한다.

6. 할인율과 기별 계수

구분	1기	2기	3기	4기	5기
2.79%	0.973	0.946	0.921	0.896	0.871
4.34%	0.958	0.919	0.880	0.844	0.809
5.00%	0.952	0.907	0.864	0.823	0.784
5.44%	0.948	0.899	0.853	0.809	0.767
5.50%	0.948	0.898	0.852	0.807	0.765
5.80%	0.945	0.893	0.844	0.798	0.754
5.94%	0.944	0.891	0.841	0.794	0.749
6.00%	0.943	0.890	0.840	0.792	0.747
6.50%	0.939	0.882	0.828	0.777	0.730
7.00%	0.935	0.873	0.816	0.763	0.713
7.50%	0.930	0.865	0.805	0.749	0.697
8.00%	0.926	0.857	0.794	0.735	0.681
8.50%	0.922	0.849	0.783	0.722	0.665
9.00%	0.917	0.842	0.772	0.708	0.650
9.50%	0.913	0.834	0.762	0.696	0.635
10.00%	0.909	0.826	0.751	0.683	0.621

7. 임대사례

구분	임대사례 1	임대사례 2	임대사례 3	대상물건
소재지	서울특별시 G구 Y동	서울특별시 G구 Y동	서울특별시 G구 Y동	서울특별시 G구 Y동
건물명	××빌딩	gg빌딩	zz빌딩	OO빌딩
층(지상/지하)	30F/B3	20F/B6	25F/B6	20F/B5
구조	철골철근 콘크리트	철골철근 콘크리트	철골철근 콘크리트	철골철근 콘크리트
건물연면적(㎡)	66,000	46,280	59,985	49,587
토지면적(㎡)	3,383	2,966	3,225	2,833
전용률(%)	53.1	48.4	52.1	49.8
사용승인(년)	1991	2000	2010	1999
오피스빌딩 하위시장	YS북부	YS북부	YS남부	YS북부
보증금(원/㎡)	180,000	210,000	300,000	240,000
월임대료(원/㎡)	18,000	21,000	30,000	24,000
월관리비(원/㎡)	8,000	8,000	11,000	10,000

【문제 2】 선임심사역인 감정평가사 甲은 KY은행 본점에서 감정평가서 심사 업무를 담당하고 있다. <자료 1>의 감정평가서를 대상으로 주어진 자료를 활용하여 다음 물음에 답하시오(단, 심사대상 감정평가서 내용 중 달리 판단할 근거가 없는 경우에는 적정한 것으로 본다). (30점)

물음(1) <자료 1> 감정평가서 중 부적정한 평가내용이 있다면 구체적인 사유와 보완 내용을 포함하여 기술하시오. (15점)

물음(2) <자료 1> 감정평가서에서 적용하지 않은 다른 방식으로 평가가격을 검토하시오. (5점)

물음(3) KY은행이 평가조건을 요구(동의)하지 않았을 경우의 감정평가액을 구하고 <자료 1> 감정평가서의 평가개요 중 달라지는 항목을 기술한 후 감정평가명세표를 재작성하시오. (10점)

<자료 1> 심사대상 감정평가서(부분 요약 발췌)

1. 평가개요
   1) 본 감정평가는 K시 H구 A동에 소재하는 부동산에 대한 담보 목적의 감정평가로 감정평가 관련법규에 따라 평가하였다.
   2) 본 토지상에 사용승인을 득하고, 일반건축물대장에 등재예정인 건물(명세표상 기호 ㉮ 건물)은 귀 KY은행의 요구에 따라 일반건축물대장에 등재된 것을 전제로 하여 토지와 건물을 평가하였고 가격시점은 2012년 9월 9일이다.
   3) 토지는 당해 토지와 유사한 이용가치를 지닌다고 인정되는 표준지 공시지가를 기준으로 공시기준일부터 가격시점까지의 지가변동률, 당해 토지의 위치·형상·환경·이용상황 기타 가격형성상의 제요인과 인근 지가수준 등을 종합적으로 참작하여 평가하였다.
   4) 건물은 구조, 용도, 부대설비 및 시공상태 등을 종합 참작하여 원가법으로 평가하였으며, 감가수정은 정액법을 적용하였다.

2. 평가대상 물건현황
   1) 인근지역 현황

   대상부동산은 1990년대에 민간이 조성한 소규모 협동화공장단지 내에 소재하며 동 단지는 약 100,000m² 규모로 13개 업체가 입주가능하고 현재의 입주율은 85% 정도이다. 입주업체는 의료분야의 중소규모 업체가 대부분이며 전체 종업원은 1,200명 정도이다. 이 단지는 진입로변 국도를 통해 고속도로와 연결되어 교통, 물류 등의 여건이 비교적 양호하며 용수, 전력, 인력수급 등의 여건도 양호한 편이다.

   2) 대상부동산 현황

   당해 토지는 2차선 포장도로를 통하여 단지내 도로와 연결되고 있으며, 평탄한 콘크리트지반이 조성된 사다리형태의 상업용지로서 공부상 지목은 잡송지로 경쟁가능성이 없는 독점적인 위치를 가진 적정규모의 토지이다. 용도지역은 동 단지 전체가 준공업지역이고, 토지의 임대상황은 없으며 등기사항전부증명서상 소유자는 乙이다. 일반건축물대장에 소유자 乙로 등재예정인 지상 건물의 현황은 아래와 같다.

구조	건축연면적	건물규모	용도
철근콘크리트조 슬래브지붕	300㎡	지상 2층	근린생활시설

3. 감정평가가액 산출근거

1) 토지가액 산출근거

(1) 비교 표준지 공시지가 : 2012.01.01 공시된 인근지역내 비교가능한 표준지는 아래와 같으며 이중 제반 여건이 유사한 기호 ② 표준지를 선정하였다.

기호	소재지	면적 (㎡)	지목	이용 상황	용도지역	도로교통	형상 지세	공시지가 (원/㎡)
①	A동 57	350	대	상업용	일반공업지역	소로한면	사다리 평지	450,000
②	A동 154	630	장	주상용	준공업지역	소로한면	세장형 평지	420,000
③	A동 322	245	대	단독주택	준공업지역	소로한면	부정형 완경사	400,000

※ 기호 ① 표준지는 도시계획도로에 5% 저촉됨

(2) 지가변동률

국토해양부장관이 조사발표한 K시 H구 공업지역의 2012.01.01부터 가격 시점까지의 지가변동률은 0.750%이다.

(3) 지역요인 : 인근지역에 소재하여 지역요인은 동일하다.

(4) 개별요인 : 대상토지가 비교표준지 ②에 비해 다소 열세이다.

가로조건	접근조건	환경조건	획지조건	행정적 조건	기타조건	격차율
1.00	1.00	1.00	0.99	1.00	1.00	0.99

(5) 기타요인

가. 신뢰성 있고 채택가능한 평가선례(단위 : ㎡, 원/㎡)

기호	소재지	지목	면적	이용상황	용도 지역	평가단가 (가격시점)	평가목적	비고 (평가기관)
①	A동 159	대	250	상업용	준공업 지역	450,000 (2012.01.01)	경매	K법인
②	A동 522	대	250	주상용	준공업 지역	504,000 (2012.01.01)	보상평가	K법인

나. 비교가능하고 신뢰할 만한 최근의 거래사례는 포착하지 못하였으며, 인근 유사 토지의 가격수준은 470,000원/m² ~ 530,000원/m²이다.

(6) 토지가격 결정

공시지가(원/m²)	지가변동률	지역요인	개별요인	기타요인	평가단가(원/m²)
420,000	1.00750	1.00	0.99	1.20	500,000

2) 건물가액 산출근거

(1) 재조달원가 : 신축건물이므로 업자가 제시한 적산자료를 활용하여 직접법에 의하여 재조달원가를 구하였다.

적산자료

(단위 : 원)

구 분	내 역	업자제시액	최종사정액
설계비	설계비용, 감리비	13,000,000	12,000,000
기본건축비	기초 및 골조 공사비	54,000,000	54,000,000
옹벽공사비	옹벽 및 배수로 공사	9,000,000	8,000,000
내외장공사비	미장, 창호공사 등	47,000,000	47,000,000
위생 및 냉난방설비비	위생, 냉난방공사 등	22,000,000	22,000,000
전기통신설비비	전기 및 통신공사비 등	16,000,000	16,000,000
조경공사비	토지입구 조경수 등	14,000,000	14,000,000
집기 및 비품비	비품, 소모품 등	8,000,000	8,000,000
일반관리비 등	일반관리비, 이윤 등	15,000,000	14,000,000
총액	--	198,000,000	195,000,000

(2) 평가단가

(단위 : 년, 원/m²)

재조달원가	내용년수	경과년수	산식	평가단가
650,000	50	0	650,000×50/50	650,000

4. 감정평가 명세표

<table>
<tr><th rowspan="2">기호</th><th rowspan="2">소재지</th><th rowspan="2">지목
용도</th><th rowspan="2">용도지역 및
구조</th><th colspan="2">면적(㎡)</th><th colspan="2">평가가격</th><th rowspan="2">비고</th></tr>
<tr><th>공부</th><th>사정</th><th>단가</th><th>금액</th></tr>
<tr><td>①</td><td>K시 H구
A동 103-1</td><td>잡종지</td><td>준공업 지역</td><td>400</td><td>400</td><td>500,000</td><td>200,000,000</td><td>현황 “대”</td></tr>
<tr><td>㉮</td><td>K시 H구
A동 103-1</td><td>근린 생활
시설</td><td>철근
콘크리트조
슬래브지붕
2층</td><td>300</td><td>300</td><td>650,000</td><td>195,000,000</td><td>650,000
×
50/50</td></tr>
<tr><td></td><td>합 계</td><td></td><td></td><td></td><td></td><td></td><td>395,000,000</td><td></td></tr>
</table>

5. 기타 부속내용(지적개황도 관련부분)

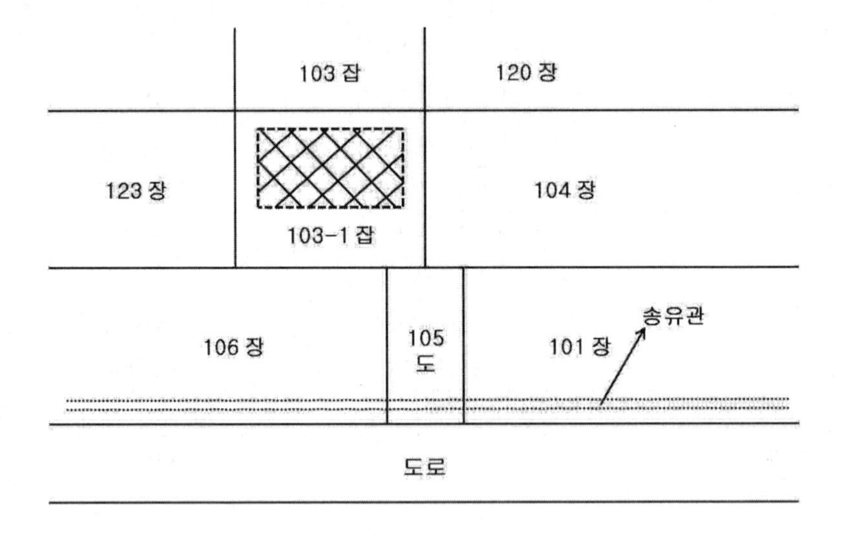

<자료 2> 심사 감정평가사의 조사자료

1. 각종 공적장부 확인자료

토지 등기사항전부증명서를 확인한 바 103-1번지는 근저당권자 KY은행, 채권최고액은 2억원인 권리관계가 존재하고 있다.

2. 가격조사자료

1) 경매 낙찰가율 자료(최근 6개월, 단위 : %)

지역	공업용	주거용	상업용	평균
H구	70	90	80	80
K시 전체	75	95	85	85

2) 평가선례 검토자료

(1) 평가선례 ① : 경매 감정평가서를 열람하여 보니 평가 당시 지상의 부가 물을 포함한 평균단가로 평가하였고 지상의 부가물은 조경석 3톤, 조경수 2그루였으나 구체적인 평가액은 알 수 없었다.

(2) 평가선례 ② : 당시 동 사업의 감정평가에 참여했던 나머지 법인의 자료 가 A법인은 505,000원/m², B법인은 506,000원/m²에 평가된 것으로 조사되었다.

3) 임대사례 조사자료

(1) 공실 및 대손충당금 비율은 인근지역이 연간 가능총임대료의 15%, 대상 부동산은 5%가 확실시 된다.

(2) 운영경비 비율은 모두 유사하나 시장에서 구체적인 내역을 수집하지는 못하였다.

(3) 대상부동산은 가격시점과 임대시점, 임대면적과 건축연면적이 각각 동 일하며 연간 가능총임대료는 59,000원/m²인 것으로 조사되었다.

(단위 : m², 원)

기호	소재지	토지면적	임대면적	이용 상황	용도 지역	연간 가능총임대료	부동산가액	임대 시점
①	A동 69	333	250	상업용	준공업 지역	15,000,000	304,000,000	2012.09.09
②	A동 90	400	300	상업용	준공업 지역	20,000,000	345,000,000	2012.09.09

<자료 3> 기타 관련자료 등

1. KY은행에서는 감정평가업무협약서상 기타요인의 산출근거를 설시하도록 요구하고 있으며, 감정평가사가 임의로 평가조건을 설정할 수 없도록 하고 있다.

2. 개별요인 비교자료(지역요인은 동일함)

대상	표준지 ①	표준지 ②	표준지 ③	평가선례 ①	평가선례 ②
100	105	101	95	91	99

3. 대상물건에 적용할 환원이율과 임료승수(GRM; Gross Rent Multiplier 또는 EGRM; Effective Gross Rent Multiplier)는 2개 이상의 적정한 사례자료를 기준으로 산술평균하여 구한다.
4. 당해 지역의 법정지상권 감안비율은 인근 송유관부지 구분지상권의 사용료(지료)가 가격에서 차지하는 비율의 10배 정도가 적정한 것으로 조사되었다.
   1) 송유관이 지나는 105번지의 토지 등기사항전부증명서를 확인한 바 지목은 도로, 면적은 180㎡, 소유자는 乙과 丙이 각 1/2씩 소유하고 있었고 지상권자는 DH송유관공사, 사용료는 90,000원이었다.
   2) 지상권 사용료 산정당시의 토지 감정평가액은 250,000원/㎡이었고 송유관이 지나는 부지의 폭은 3m, 길이는 6m이었다.

【문제 3】 甲은 본인이 소유하고 있는 토지를 이용하여 공장을 신축하였다. B시청에서는 당해 사업이 개발부담금 부과대상사업에 해당되어 개발부담금을 부과하려고 한다. 주어진 자료를 활용하여 다음 물음에 답하시오. (20점)

물음(1) 30-2번지에 대하여 개시시점지가와 종료시점지가를 산정하시오. (10점)

물음(2) 30-4번지에 대하여 개시시점지가와 종료시점지가를 산정하시오. (5점)

물음(3) 30-5번지에 대하여 개시시점지가(매입가액기준)와 종료시점지가를 산정하시오. (5점)

<자료 1> 기본적 사항

1. 개발사업 인가일 : 2011.10.01.
2. 개발사업 준공인가일 : 2012.08.30.
3. 사업인가조건 : 30-2번지 중 일부(500㎡)를 도로 등으로 기부채납
4. 현장조사 완료일 : 2012.09.09.

<자료 2> 대상토지자료

1. 기본내용

일련번호	토지소재	지번	지목	이용상황	면적(㎡)
①	B시 D동	30-2	전	전	3,500
②	B시 D동	30-4	답	답	3,000
③	B시 D동	30-5	답	답	1,000

2. 용도지역 : 계획관리지역임
3. 토지 특성 : 일련번호 ①, ②, ③ 토지 특성은 동일함.
   1) 개발 전 : 세로가, 부정형, 완경사
   2) 개발 후 : 소로한면, 세장형, 평지

<자료 3> 가격결정을 위한 참고자료

1. 표준지공시지가 현황

기호	소재지	면적(㎡)	지목	이용상황	용도지역	도로교통	형상지세	공시지가(원/㎡)	
								2011년	2012년
①	D동 32	500	답	답	계획관리지역	세로(가)	세장형 평지	50,000	55,000
②	D동 50-1	1,000	장	공업용	계획관리지역	세로(가)	세장형 평지	200,000	210,000

2. 개별공시지가

일련번호	토지소재	지번	2011년(원/㎡)	2012년(원/㎡)
1	B시 D동	30-2	-	-
2	B시 D동	30-4	45,000	50,000
3	B시 D동	30-5	45,000	50,000

3. 甲은 30-5번지를 경매로 60,000원/㎡에 낙찰 받아 2011.06.10에 소유권 이전을 완료하였다.

4. 지가변동률(%)

구분	A도 평균	B시 평균	B시 계획 관리지역
2011.01.01～2011.06.10	3.1	7.1	5.1
2011.01.01～2011.10.01	5.5	10.0	7.5
2011.06.10～2011.10.01	1.0	2.5	1.5
2011.01.01～2012.08.30	12.5	13.5	12.8
2011.10.01～2012.08.30	10.0	11.5	11.0
2012.01.01～2012.08.30	8.5	10.5	9.5
2011.01.01～2012.09.09	13.5	14.8	13.8
2012.01.01～2012.09.09	9.8	11.8	10.8
2011.10.01～2012.09.09	10.8	12.0	11.8

5. 지역요인 : 동일함

6. 개별요인 비교치(토지가격비준표와 동일)

1) 도로접면

구 분	소로한면	세로가
소로한면	1.00	0.93
세로가	1.07	1.00

2) 형상

구 분	세장형	부정형
세장형	1.00	0.96
부정형	1.04	1.00

3) 지세

구 분	평지	완경사
평지	1.00	0.97
완경사	1.03	1.00

4) 이용상황

구 분	전	답	공업용
전	1.00	0.97	1.33
답	1.03	1.00	1.39
공업용	0.75	0.72	1.00

7. 기타요인 산정을 위한 자료

1) 평가선례

기호	소재지	지목	면적(㎡)	이용상황	용도 지역	단가(원/㎡)	가격시점
①	D동 33	답	300	답	계획관리지역	65,000	2011.01.01
②	D동 51	장	500	공업용	계획관리지역	240,000	2011.01.01
③	D동 35	전	500	전	계획관리지역	75,000	2012.01.01
④	D동 52	장	1,000	공업용	계획관리지역	270,000	2012.01.01

2) 지가변동률은 상기에서 제시한 자료와 동일하고 대상토지와 평가선례와의 지역요인 및 개별요인은 동일함.

【문제 4】 다음의 물음에 답하시오. (10점)

물음(1) 보상평가에서는 일반평가와 달리 개발이익을 배제하고 평가하는 것이 무엇보다 중요하다. 평가과정에서 개발이익을 배제하는 구체적인 방법에 대하여 약술하시오. (5점)

물음(2) 기업가치평가에 있어 잉여현금흐름(FCF; Free Cash Flows) 할인 모형을 적용하는 경우 EBITDA를 구하는 방법을 약술하시오. (5점)

제24회 감정평가사 2차 국가자격시험문제

교시	시간	시험과목
1교시	100분	① 감정평가실무

수험번호		성 명	

※ 공통유의사항

1. 각 문제는 해답 산정시 산식과 도출과정을 반드시 기재
2. 단가는 관련 규정에서 정하고 있는 사항을 제외하고 천원미만은 절사, 기타요인 보정치는 소수점 셋째자리 이하 절사

【문제 1】 토지 소유자인 甲 법인은 골프장 개발업체인 乙 법인과 다음과 같은 계약을 맺었다.

<계약내용>

- 乙 법인은 甲 법인의 토지를 임차하여 골프장(27홀)으로 개발하여 운영 한다.
- 골프장 개발과 관련된 인허가 비용은 甲 법인 부담으로 하고 개발비용은 乙 법인 부담으로 한다.
- 乙 법인은 골프장 준공일로부터 연간 토지임대료 1,000,000,000원을 甲 법인에 매년 초 지급하며 연간 2%씩 임대료를 상승하여 지급한다.
- 골프장 운영과 관련된 제반 유지보수비용, 보험료, 제세공과 등은 운영사 부담으로 한다.
- 계약기간은 준공일로부터 10년이고, 계약기간 만료일 乙 법인이 개발한 모든 골프장 시설 등은 甲 법인으로 귀속되며, 甲 법인은 乙 법인의 최초 개발비용의 30% 상당액을 乙 법인에 지급한다.

乙 법인의 골프장 개발계획은 순조롭게 진행되어 2013. 1. 1에 준공하였다.

다음 물음에 답하시오. (35점)

물음(1) 감정평가사 丙 씨는 甲 법인으로부터 2013. 1. 1자 甲 법인 소유 토지에 대한 가치산정을 의뢰 받았다. 주어진 자료를 활용하여 가치를 산정하고 평가방법에 대해 서술하시오. (20점)

물음(2) 이러한 계약을 하는 甲 법인과 乙 법인은 합리적 의사결정을 하는 것인가에 대해 NPV 법으로 검토하고 서술하시오. (15점)

<자료 1> 토지목록(甲 법인)

기호	소재지	지번	지목	면적(㎡)	용도지역
1	A군 B면 C리	200	전	1,000	계획관리
2	A군 B면 C리	200-1	전	2,600	계획관리
3	A군 B면 C리	200-2	전	1,550	계획관리
4	A군 B면 C리	200-3	답	2,350	계획관리
5	A군 B면 C리	200-5	전	1,300	계획관리
6	A군 B면 C리	200-6	전	1,600	계획관리
7	A군 B면 C리	201	전	1,750	계획관리
8	A군 B면 C리	202	답	3,700	계획관리
9	A군 B면 C리	산 100-1	임야	4,500	계획관리
10	A군 B면 C리	산 100-2	임야	1,500,000	계획관리
11	A군 B면 C리	산 100-3	전	900	계획관리
계				1,521,250	

※ 사업승인면적은 1,450,000㎡이며, 나머지는 산 100-2번지 일부로서 자연림 상태의 원형을 유지하고 있음

<자료 2> 표준지 공시지가

(2013. 1. 1)

일련번호	소재지	지번	면적(m²)	지목	이용상황	용도지역	도로교통	형상지세	공시지가(원/m²)
1	A군 D면 E리	14 (××골프장)	201,000 (일단지)	임야	골프장	계획관리	소로한면	부정형완경사	50,000
2	A군 B면 C리	190	4,627	전	전	계획관리	세로(가)	부정형완경사	30,000
3	A군 B면 C리	210	1,096	답	답	계획관리	세로(불)	부정형완경사	20,000
4	A군 B면 C리	산 110	32,000	임야	임야	계획관리	세로(불)	부정형완경사	12,000

※ 상기 표준지 공시지가는 2013. 1. 1 고시된 것으로 봄

<자료 3> 요인비교

1. 본건 준공된 골프장과 일련번호 1 비교표준지는 제반여건이 유사하나 접근성 등에서 본건이 약 2% 우세함

2. 소지상태로서의 본건은 일련번호 2~4와 비교시 지목별로 대체로 유사하나 본건 "전"은 표준지 대비 3%, 본건 "답"은 표준지 대비 2%, 본건 "임야"는 표준지 대비 1%씩 각각 우세함

3. 주변 거래사례나 평가선례를 분석하여 보면 표준지 일련번호 1은 기타 요인보정이 필요 없으나 표준지 일련번호 2, 3은 10%, 표준지 일련번호 4는 20% 기타요인보정이 필요함

<자료 4> 제 비용

1. 인허가 관련비용 :

인허가 비용	1,500,000,000원
제반부담금	2,500,000,000원
제세공과	500,000,000원
기타	3,000,000,000원
계	7,500,000,000원

2. 골프장 조성(개발)공사 비용 : 홀당 1,400,000,000원

<자료 5> 주변사례 및 시장동향

주변 유사 골프장의 사례를 보면 연간 9홀 기준으로 20억원의 영업이익이 발생하는 것으로 조사되었으며, 향후 매년 영업이익증가율은 1% 정도 일 것으로 추정됨. 그러나 시장의 수요·공급을 예측하여 보면 연간 9홀 기준으로 22억원이 한계점인 것으로 조사됨

<자료 6> 기타

1. 클럽하우스 등 건물은 고려하지 아니함
2. 인허가 및 개발에 관한 제 비용은 준공일에 투입된 것으로 가정하며, 영업 이익의 발생시점은 토지임대료를 지급하는 매년 초에 발생하는 것으로 가정함
3. 준공 후 제반세금은 고려하지 아니하며 영업이익은 현금유입액으로 봄
4. 본건 투자에 있어 타인자본은 고려하지 아니함
5. 현금흐름(cash flow)에 적용된 할인율은 연 7%로 조사되었음
6. 기말복귀액 산정시 영업이익과 골프장 가치에 적용할 환원이율은 연 8%로 조사되었음
7. 본건 주변 표준지 공시지가의 향후 10년 후 예상상승률은 10% 정도임

<자료 7> 시간가치율

1. 현재 가치율(7%)

1기초	2기초	3기초	4기초	5기초	6기초	7기초	8기초	9기초	10기초	10기말
1.000	0.9346	0.8734	0.8163	0.7629	0.7130	0.6663	0.6227	0.5820	0.5439	0.5083

2. 미래 가치율(2%)

1.02^{0}	1.02^{1}	1.02^{2}	1.02^{3}	1.02^{4}	1.02^{5}	1.02^{6}	1.02^{7}	1.02^{8}	1.02^{9}	1.02^{10}
1.00	1.0200	1.0404	1.0612	1.0824	1.1041	1.1262	1.1487	1.1717	1.1951	1.2190

3. 미래 가치율(1%)

1.01^{0}	1.01^{1}	1.01^{2}	1.01^{3}	1.01^{4}	1.01^{5}	1.01^{6}	1.01^{7}	1.01^{8}	1.01^{9}	1.01^{10}
1.00	1.0100	1.0201	1.0303	1.0406	1.0510	1.0615	1.0721	1.0829	1.0937	1.1046

【문제 2】 공기업인 ㈜H전력은 서울특별시 동대문구 Y동 45번지에 소재하는 토지, 건물(이하 "대상물건"이라 함)에 대하여 ① 매각하는 방안, ② 보상을 받는 방안, ③ 분양을 받는 방안을 감정평가사 甲에게 검토 요청하였다. 대상물건은 재개발 정비구역 내에 소재하고 있으며 관리처분까지 확정되어, 현재 공실상태이고, 종후자산에 대한 분양계약을 체결하면 바로 철거가 진행될 예정이며, 종후자산은 5년 후인 2018. 4. 30 자로 입주예정이다.
재개발조합에서는 미계약자에게 2013. 7. 31 기준시점으로 「공익사업을 위한 토지 등의 취득 및 보상에 관한 법률」에 의거 평가한 후 2013. 8. 31자로 일시불로 지급하기로 되어있다. 또한, 대상물건은 2013. 4. 30에 일시불로 80억원에 매입하겠다는 매수희망자가 있다. 다음 물음에 답하시오. (30점)

물음 (1) 2013. 7. 31 기준시점으로 보상평가액 (15점)

물음 (2) 2018. 4. 30(입주시) 기준시점의 현금정산액을 포함한 종후자산 가치 (5점)

물음 (3) ㈜ H전력이 제시한 3가지 방안을 2013. 4. 30 기준으로 비교 검토한 후 적절한 방안을 제시하고 그 이유를 설명하시오. (10점)

<자료 1> 대상물건 개요

1. 대상토지
   1) 소재지 : 서울특별시 동대문구 Y동 45번지
   2) 지목 및 면적 : 대, 820㎡
   3) 용도지역 : 일반상업지역, 도시계획 도로 일부저촉(20%)
   4) 토지의 특성 : 장방형, 완경사, 광대소각

2. 대상건물
   1) 구조 : 철근콘크리트조 평옥개지붕
   2) 건물면적 : 520㎡
   3) 층수 : 지하1층/지상3층
   4) 사용승인일 : 1980. 9. 7

5) 용도 : 업무용

6) 대상건물은 도시계획도로에 저촉되지 않음

<자료 2> 현장조사자료

1. 건물
   1) 공부면적 : 520㎡
   2) 실측면적 : 650㎡

2. 제시외 건물
   1) 수위실 : 벽돌조 슬래브지붕 단층 10㎡
      수위실은 전체면적이 도시계획도로에 저촉됨
   2) 창고 : 목조 와즙 단층 60㎡
   3) 제시외 건물들은 1985. 10. 10 신축된 것으로 조사되었음

3. 기타 지장물
   1) 벽돌조 담장 : 110㎡
   2) 바닥 포장 : 아스콘 포장 530㎡
   3) 축대 : 철근콘크리트 54㎡
   4) 수목
      (1) 소나무 45년생 3주
      (2) 감나무 25년생 5주
      (3) 대추나무 15년생 5주

<자료 3> 재개발관련 자료

1. 사업승인일 : 2012. 4. 5

2. 종전자산 평가액
   1) 토지 : 7,790,000,000원(820㎡×9,500,000원/㎡)

2) 건물 : 166,400,000원(520m² × 320,000원/m²)

3) 합계 : 7,956,400,000원

4) 비례율 : 95%

3. 종후자산

1) ㈜H전력은 상가 1층 대지권 290m², 건물(전용면적) 720m²을 분양가능

2) 종전자산보다 종후자산이 많을 경우에는 입주시 일시불로 차액을 지급하고, 적을 경우에는 입주시(2018. 4. 30) 일시불로 차액을 받을 수 있음

3) 상가의 조합원 분양가격은 건물면적(전용면적)기준 1층 @8,000,000원/m², 2층 @3,000,000원/m², 3층 @1,800,000원/m², 지층 @1,300,000원/m² 임

<자료 4> 공시지가 표준지와 지가변동률

1. 인근 표준지공시지가

기호	소재지	면적(m²)	지목	이용상황	용도지역	도로교통	형상지세	공시지가(원/m²)	
								2012년	2013년
①	Y동 26-5	810	대	상업용	일반상업	광대소각	세장형 평지	6,000,000	6,500,000
②	Y동 32-1	302	대	업무용	일반상업	세로(가)	세장형 평지	4,700,000	4,900,000

※ 기호② 표준지는 도시계획도로에 30% 저촉됨

2. 시점수정 관련자료

1) 지가변동률(동대문구 상업지역)

2012.1.1.~3.31	2012년 4월	2012년 누계	2013.1.1~3.31	2013년 3월
0.572%	0.180%	2.240%	0.512%	0.155%

※ 2013년 4월 이후 지가변동률은 미고시 되었으므로 2013년 3월 지가변동률을 연장 적용하기로 함

2) 동대문구 Y동 일대의 상가는 부동산 경기침체로 2013년 상반기 중 가격 변동이 거의 없으므로 시점수정은 없음

3) 2013. 4. 30~2018. 4. 30 사이 5년간의 상가 상승률은 연 2%로 가정함

<자료 5> 가격자료

1. 평가선례 및 거래사례

1) 평가선례

(단위 : 원/m²)

기호	소재지	지목	면적 (m²)	이용상황	용도 지역	도로 접면	기준시점 평가목적	평균단가
A	Y동 24-2	대	330	상업용	일반상업	광대소각	2013. 3. 5 보상	10,500,000
B	Y동 30-1	대	255	주거용	일반상업	세로(불)	2012. 2. 10 담보	7,500,000
C	Y동 24-5	대	420	상업용	일반상업	광대소각	2012. 4. 2 보상	9,500,000

※ 기호 A와 C는 면적의 40%가 도시계획도로에 저촉됨

2) 거래사례

(단위 : 원/m²)

기호	소재지	지목	면적 (m²)	이용 상황	용도 지역	도로 접면	거래일자	토지기준 거래단가	비고
D	Y동 42-7	대	550	상업용	일반 상업	광대 소각	2013. 3. 27	12,000,000	토지단가에 건물가포함
E	Y동 30-7	대	187	주상용	일반 상업	세로 (가)	2013. 2. 15	8,000,000	토지단가에 건물가포함

※ 기호 E토지는 지상건물을 포함하여 거래하였으나 노후 건물로 철거예정이며 철거비와 폐자재판매비가 거의 유사함

3) 상가거래사례

(단위 : 천원)

기호	소재지	면적 (m²)	이용 상황	용도 지역	도로 접면	거래일자	거래금액	비고
F	Y동 22	건물(전용) 640 대지권 160	상업용	일반 상업	광대 소각	2013. 4.30	7,040,000	OO단지내 상가 1층
G	Y동 22	건물(전용) 530 대지권 132	상업용	일반 상업	광대 소각	2013. 2.15	1,060,000	OO단지내 상가 3층

※ OO단지는 2012년 신축하여 입주한 아파트단지 내 상가로 대상물건이 소재한 정비구역의 재개발이 완료되면 제반 단지여건이 유사함

4) 기타 가격자료

(1) 동 지역은 재개발사업의 사업승인 후 지가가 상당한 폭으로 상승하였음

(2) 상가는 조합원 분양가보다 일반분양가가 약 45% 높게 결정되었으며 70% 정도 분양되었음

2. 대상건물 및 지장물 가격자료

1) 대상건물

(1) 재조달원가 : 보정단가 포함한 전체면적 기준 @950,000원/m²

(2) 내용년수 : 철근콘크리트조이므로 50년으로 함

2) 제시외 건물

(1) 재조달원가 : 수위실 @320,000원/m², 창고 @600,000원/m²

(2) 내용년수 : 수위실, 창고 모두 40년으로 함

3) 지장물 가격자료 : 감가상각 후 적용단가임

(1) 벽돌조 담장 : @40,000/m²

(2) 아스콘포장 비용 : @90,000원/m²

(3) 축대 조성비용 : @120,000원/m²

(4) 수목가격자료

수종	단위	취득비	이식비
소나무 45년생	1주	15,000,000원	4,200,000원
감나무 25년생	1주	500,000원	800,000원
대추나무 15년생	1주	200,000원	180,000원

※ 소나무는 고손율이 20%이고, 감나무와 대추나무는 고손율이 15%임

<자료 6> 지역요인, 개별요인 비교자료

1. 지역요인

공시지가 비교표준지, 대상토지, 평가선례 및 거래사례는 동일지역임

2. 개별요인비교

1) 토지 개별요인비교

대상 토지	표준지 ①	표준지 ②	평가 선례 A	평가 선례 B	평가 선례 C	거래 사례 D	거래 사례 E
100	100	75	103	74	102	105	79

2) 상가 개별요인비교

대상 종후상가	거래사례 F	거래사례 G
100	95	20

3) 공법상 제한사항

구분	일반	제한
일반	1.0	0.85
제한	1.18	1.0

<자료 7> 기타자료

1. 일시불 현가화시 할인율은 연 6%(월 0.5%)를 적용함

【문제 3】 종전에 시행된 재개발사업으로 인하여 현재 공원으로 이용 중인 토지가 있다. 소유자는 그 사실을 뒤늦게 발견하고 지방자치단체에 보상을 요청하였다. 지방자치단체는 2013. 4. 1을 계약체결일로 하여 보상을 실시하려고 감정평가를 요청하였다. 자료를 참고하여 다음 질문에 답하시오. (20점)

물음(1) 대상토지 평가시 적용할 비교표준지의 선정 사유를 설명하시오. (5점)

물음(2) 대상토지의 평가시 고려하여야 하는 지목, 실제용도, 지형, 지세, 면적 등을 정리하시오. (5점)

물음(3) 실무에서는 개별요인비교치를 가로조건, 접근조건, 환경조건, 획지 조건, 행정적조건, 기타조건 등으로 구분하여 산정하고 있다. 자료가 주어지지 않은 조건은 대등한 것으로 보고, 표준지와 대상토지 간의 개별요인 비교치를 실무와 같이 산정하고 산정사유를 설명하시오. (5점)

물음(4) 제시된 자료에 의해 보상감정평가액을 산정하시오. (5점)

<자료 1> 종전사업의 개요

1. 사업의 종류 : 관악지구 재개발사업
2. 사업인정고시일 : 2001. 1. 1

<자료 2> 토지조서

기호	소재지	면적(㎡)		지목	비고
		공부	편입		
1	관악동 00	1,000	1,000	임야	

<자료 3> 종전사업에 편입될 당시의 이용상황

1. 의뢰된 토지는 종전의 공익사업에 편입되기 전에는 지목이 임야이고, 1970년경부터 무허가건물부지로 이용되던 10,000㎡의 토지의 일부였으나, 종전의 공익사업으로 9,000㎡는 아파트부지와 도로로 이용 중이고 1,000㎡는 공원으로 이용 중이며, 의뢰된

토지는 공원으로 이용 중인 부분임

2. 의뢰된 토지는 현재는 중로에 접하는 장방형의 토지이나, 이는 종전의 공익사업의 시행으로 새로운 도로가 개설되었기 때문이며, 분할되기 이전의 토지는 완만한 경사를 이루고 있는 부정형으로 세로에 접하는 토지였음

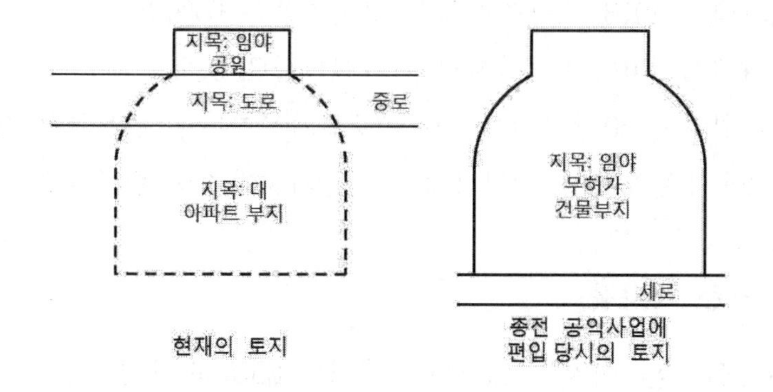

3. 종전의 공익사업이 시행되기 이전에는 일반주거지역이었으나, 종전의 공익사업으로 인하여 대상토지만 자연녹지지역으로 용도지역이 변경되었음

4. 대상토지 주변은 당시 미개발지대로서 남측 근거리의 불량주택지대를 포함하여 재개발사업을 시행하였음

<자료 4> 인근의 공시지가 표준지 현황

1. 대상 토지 인근지역에 소재하며 표준적인 이용상황의 표준지는 다음과 같음

일련번호	소재지	면적(㎡)	지목	이용상황	용도지역	도로교통	형상지세	공시지가(원/㎡)	
								2001년	2013년
1	관악동 201	1,000	대	단독	일반주거	소로한면	장방형 평지	600,000	1,000,000
2	관악동 202	1,000	대	단독	자연녹지	소로한면	장방형 평지	200,000	300,000
3	관악동 산1	10,000	임야	자연림	일반주거	세로(가)	부정형 완경사	120,000	200,000
4	관악동 산2	10,000	임야	자연림	자연녹지	세로(가)	부정형 완경사	20,000	30,000

2. 표준지 일련번호 1은 2000년경 구획정리사업(환지방식)으로 개발된 주거지대 내에 소재하며, 당시 감보율이 40%였던 것으로 조사되었음

<자료 5> 시점 수정자료

1. 2001. 1. 1에서 2013. 4. 1까지의 지가변동률은 60%임
2. 2013. 1. 1에서 2013. 4. 1까지의 지가변동률은 0%임
3. 2000년 12월에서 2013년 3월까지의 생산자물가지수 변동률은 40%임
4. 2012년 12월에서 2013년 3월까지의 생산자물가지수 변동률은 1%임

<자료 6> 각종 격차율

1. 9,000~10,000㎡의 대지는 1,000㎡ 대지의 85% 수준임
2. 부정형의 토지는 장방형 토지의 95% 수준임
3. 대지인 경우 평지는 완경사지의 110% 수준임
4. 중로에 접하는 토지는 세로에 접하는 토지의 120% 수준임
5. 소로에 접하는 토지는 세로에 접하는 토지의 105% 수준임

<자료 7> 기타

인근의 평가선례, 매매사례 등과 비교시 비교표준지의 공시지가는 인근지가 수준과 같은 수준으로 판단됨

【문제 4】 감정평가사 홍길동 씨는 법원으로부터 시장가치 및 예상낙찰가 산정을 의뢰 받았다. 주어진 자료를 참고하여 시장가치 및 예상낙찰가를 구하고, 산출방법에 대해 약술하시오. (15점)

<자료 1> 평가대상 부동산 개황

1. 소재지 : A시 B구 C동 100-1번지 외
2. 토지 : 100-1번지, 200㎡, 대, 준주거지역, 정방형, 평지
   100-2번지, 200㎡, 대, 준주거지역, 정방형, 평지
   100-3번지, 200㎡, 대, 준주거지역, 정방형, 평지
3. 건물 : 평가대상 토지(100-1, 2, 3번지) 및 평가대상 외 토지(100번지 : 타인 소유) 4필지 일단의 토지 지상 철근콘크리트조 슬래브지붕 1~4층 각 480㎡(지하층 없음) 근린생활시설(신축년도 2003. 9. 7)
4. 기준시점 : 2013. 9. 7

<자료 2> 주위환경 및 시장상황

1. 본건이 속한 A시 B구 C동은 전면 도로변으로 4~6층 근린생활시설이 혼재하며, 후면은 근린생활시설 및 단독, 다가구 등 주상복합지대로 형성되어 있음
2. 본건 주위는 최근 2년간 가격변동추이는 보합정도이며, 향후 전망도 보합 정도이나 용적률이 낮은 오래된 상업용 건물(1970년대 신축)의 경우 개별 또는 합필하여 철거 후 재건축이 진행 중인 필지도 일부 혼재함
3. 토지소유자와 건물소유자가 다른 경우 건물소유자는 토지의 시장가치에 적정지료를 지불하고 정상적으로 사용·수익할 수 있는 것으로 조사 되었으며, 수변의 토지 거래량이나 거래가격도 적정한 것으로 조사됨

<자료 3> 지적도

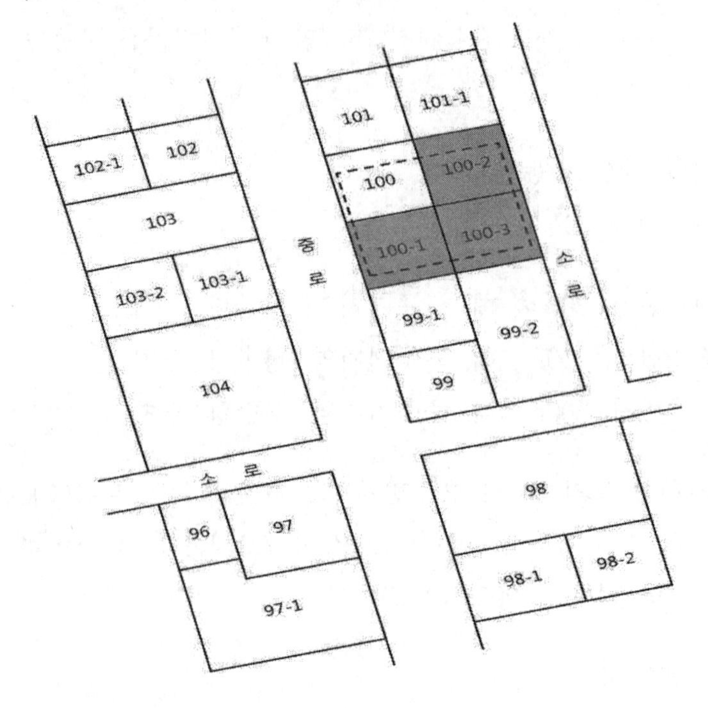

<자료 4> 표준지 공시지가

(2013. 1. 1)

기호	소재지	면적 (㎡)	지목	용도 지역	이용 상황	도로 교통	형상 지세	공시지가 (원/㎡)
1	C동 99-1	200	대	준주거	상업용	중로 한면	정방형 평지	5,200,000
2	C동 101-1	250	대	준주거	주상용	소로 한면	가장형 평지	3,000,000
3	C동 103	400	대	준주거	상업용	중로 한면	세장형 완경사	4,000,000

<자료 5> 개별요인 비교치

1. 접면도로

구분	중로각지	중로한면	소로각지	소로한면
비교치	1.05	1.00	0.90	0.85

2. 형상

구분	가로장방형	정방형	세로장방형	부정형
비교치	1.05	1.00	0.95	0.85

3. 지세

구분	평지	저지	완경사	급경사	고지
비교치	1.05	1.00	0.95	0.90	0.85

<자료 6> 신축단가 등

1. 철근콘크리트조 슬래브지붕(부대설비 포함) @1,400,000원/m² (2013. 1. 1)
   (2013년 이후 건축비 변동은 없는 것으로 함)
2. 물리적 내용연수 : 철근콘크리트조 슬래브 50년
3. 잔존가치는 없는 것으로 봄

<자료 7> 기타

A시 B구 근린생활시설의 최근 낙찰가율은 75% 정도임

제25회 감정평가사 2차 국가자격시험문제

교시	시간	시험과목
1교시	100분	① 감정평가실무

수험번호		성 명	

※ 공통유의사항
1. 각 문제는 해답 산정시 산식과 도출과정을 반드시 기재
2. 단가는 관련 규정에서 정하고 있는 사항을 제외하고 천원미만은 절사, 그 밖의 요인 보정치는 소수점 셋째자리 이하 절사

【문제 1】 K감정평가법인 소속 감정평가사 甲은 서울특별시 A구청장으로 부터 B12구역주택재개발정비사업 구역 내에 소재한 공유지의 처분을 위한 감정평가를 의뢰받고 현장조사 및 가격조사를 완료하였는바, 주어진 자료를 기준으로 감정평가액을 구하시오. (30점)

<자료 1> 감정평가 의뢰내역(요약)

1. 의 뢰 인 : 서울특별시 A구청장

2. 의뢰일자 : 2014. 9. 1

3. 제출기한 : 의뢰일로부터 14일 내

4. 의뢰목록

일련번호	소재지	지번	지목	면적(㎡)	용도지역
1	서울특별시 A구 B동	121	대	106.0	2종일주
2	〃	121-2	대	48.0	〃
3	〃	121-3	대	151.0	〃
4	〃	123-5	대	72.0	〃
5	〃	121-7	대	108.0	〃

<자료 2> 기본적 조사사항

1. 현장조사 및 가격조사완료일자 : 2014. 9. 3~9. 5
2. 조사 내용
   1) 본건 토지는 사업시행인가일 현재 기존 주택지대 내에 소재하는 일단의 "공용주차장"으로 사용되었던 것으로 조사되었음
   2) 현장조사일 현재 B12 구역주택재개발정비사업이 착공된 상태로, 본건의 현황이 변경된 상태로서 주택재개발사업에 편입되어 일단의 사업부지로 이용 중임
   3) 본건 "공용주차장"은 1985. 6. 21자로 도시계획시설(주차장) 실시계획인가 고시되었음
   4) B12 구역주택재개발정비사업 현황(요약)
      (1) 소재지 : 서울특별시 A구 B동 178번지 일대
      (2) 사업구역 면적 : 65,826㎡
      (3) 택지면적 : 42,786㎡
      (4) 사업시행인가고시일 : 2011. 3. 20
      (5) 착공일자 : 2013. 10. 28
      (6) 조합제시 사업비(개량비) 분석 내역(2014년 8월 말 현재)

항목	금액(원)	비고
토목공사비 등	15,682,000,000	-
공통비용	8,560,000,000	토지 및 건물에 공통으로 할당되는 금액으로, 토지비율은 48%임
합계	24,242,000,000	-

<자료 3> 공시지가 표준지, 매매사례 및 평가선례 등

1. 인근 공시지가 표준지 내역

기호	소재지	면적(m^2)	지목	이용상황	용도지역	도로교통	형상지세	공시기준일	공시지가(원/m^2)	비고
①	B동 125-1	89.0	대	단독주택	2종일주	세로(가)	사다리평지	2011.1.1	2,300,000	B12 구역 내(본건 남서측 인근)
								2012.1.1	2,380,000	
								2013.1.1	2,460,000	
								2014.1.1	-	
②	B동 132	102.0 (일단지)	대	주거나지	2종일주	광대소각	부정형평지	2011.1.1	-	B12 구역
								2012.1.1	-	
								2013.1.1	-	
								2014.1.1	3,220,000	
③	B동 457	153.0	대	단독주택	2종일주	세로(가)	세장형평지	2011.1.1	2,180,000	본건 북측 인근
								2012.1.1	2,250,000	
								2013.1.1	2,320,000	
								2014.1.1	2,400,000	

2. 매매사례

기호	소재지	거래일자	지목	면적(m^2)		용도지역	거래가액/원
				토지	건물		
(가)	B동 78-2	2013.8.25	대	92.0	99.5	2종일주	400,000,000
(나)	B동 249	2014.5.20	대	103.0	156.2	2종일주	683,000,000

1) 기호(가) : 매매 당시 블록조 단층 주택이 소재하였으나, 매매 후 기존 건물은 철거(철거비와 폐자재 매각금액 동일)되고 현장조사일 현재 다세대주택이 신축되어 있음
2) 기호(나) : 3층 규모의 주상용 건물(철근콘크리트조) 신축 후 바로 매매된 것으로, 매매시점 당시 건물 재조달원가는 @1,000,000원/m^2으로 조사됨

3. 평가선례

기호	소재지	목적	기준시점	지목	면적(m²)	용도지역	평가액(원/m²)
㉠	B동 526 외	택지비	2013.9.1	대	32,685.24	2종일주	5,700,000
㉡	B동 144 외	택지비	2012.10.29	대	11,790.57	2종일주	5,160,000

<자료 4> 지가변동률(서울특별시 A구 주거지역)

기간	변동률(%)
2011. 1. 1～2011. 3. 20	0.096
2011. 3. 20～2014. 9. 5	3.487
2012. 10. 29～2014. 9. 5	1.926
2013. 8. 25～2014. 9. 5	0.999
2013. 9. 1～2014. 9. 5	0.221
2014. 5. 20～2014. 9. 5	0.022
2014. 1. 1～2014. 9. 5	0.057

<자료 5> 요인비교 자료

1. 지역요인 : 본건, 공시지가 표준지, 매매사례 및 평가선례는 인근지역에 소재하여 지역요인 대등함

2. 개별요인

(공시지가 표준지 : 1.00)

공시지가 표준지	본건	매매사례		평가선례	
		(가)	(나)	㉠	㉡
①	1.25	1.15	1.35	1.50	1.35
②	1.00	0.90	1.06	1.18	1.07
③	0.85	0.75	0.87	0.97	0.86

【문제 2】 서울특별시 A구가 도시계획시설 도로개설사업으로 소유자 甲의 토지를 협의취득하였으나 이후 당해 토지가 B공사가 시행하는 H택지개발사업에 편입되어 환매권이 발생하였다. 그러나 사업시행자가 원소유자 甲에게 환매권이 발생한 사실을 통지나 공고를 하지 아니하여 결국 환매권이 상실되었다. 이에 원소유자 甲은 환매권 발생 통지의무 해태로 인한 손해배상소송을 제기하였다. 원소유자 甲의 환매권 상실로 인한 손해액을 다음 물음에 따라 구하시오. (30점)

물음(1) 환매권 상실 당시의 토지 평가에 적용할 비교표준지 기호 및 적용 공시지가(연도)와 그 선정이유 (5점)

물음(2) 환매권 상실 당시의 토지 평가금액 (5점)

물음(3) 환매권을 행사하였을 경우 반환하여야 할 환매금액 (15점)

물음(4) 환매권 상실로 인한 손해액 (5점)

<자료 1> 개 요

1. 지급한 보상금액은 토지 56,700,000원, 지장물 5,400,000원이며, 환매 토지의 소유권이전일은 2001. 9. 20임

2. H택지개발사업의 사업인정고시 의제일은 2007. 10. 27임

<자료 2> 토지의 개황

1. 소재지 및 면적 : 서울특별시 A구 B동 119번지, 315㎡

2. 도로개설사업 편입 당시 : 전, 부정형, 완경사, 맹지

3. 가격조사완료일 : 2014. 9. 20

4. 환매대상토지는 2004년 5월 중에 용도지역이 자연녹지지역에서 제2종일반주거지역으로 변경되었음

<자료 3> 표준지공시지가

1. 인근 표준지공시지가의 특성항목

기호	소재지	지목	면적(㎡)	이용상황	용도지역	도로교통	형상 지세
1	A구 B동 16	전	865	전	자연녹지	맹지	부정형 완경사
2	A구 B동 255-1	대	540	단독주택	자연녹지	세로(가)	부정형 평지
3	A구 B동 306	전	306	전	자연녹지	세로(가)	부정형 완경사
4	A구 B동 381-5	전	413	주거나지	2종일주	세로(불)	부정형 완경사
5	A구 B동 651	대	248	단독주택 (다가구)	2종일주	세로(가)	가장형 평지
6	A구 C동 381-5	전	243	단독주택	2종일주	세로(가)	사다리 평지

1) 기호2, 4, 5 표준지공시지가는 도로개설사업에 따른 가격변동이 있는 것으로 조사되었음
2) 기호3, 5 표준지공시지가는 2004년 신규표준지임
3) 기호6 표준지공시지가는 환매 대상 토지와 용도지역, 지목 및 이용상황의 변경 과정이 유사함

2. 인근 표준지 공시지가의 연도별 공시가격

(단위 : 원/㎡)

기호	2001년	2002년	2007년	2008년	2011년	2012년
1	100,000	106,000	137,000	129,000	145,000	158,000
2	200,000	210,000	283,000	270,000	300,000	330,000
3	-	-	170,000	165,000	185,000	202,000
4	270,000	284,000	380,000	370,000	410,000	450,000
5	-	-	530,000	510,000	570,000	620,000
6	360,000	380,000	500,000	490,000	550,000	600,000

<자료 4> 지가변동률(서울특별시 A구)

기간	변동률(%)	
	주거지역	녹지지역
2001. 1. 1~2001. 9. 20	0.100	0.200
2001. 1. 1~2007. 10. 27	0.300	0.400
2001. 1. 1~2011. 9 .20	3.500	4.500
2007. 1. 1~2007. 10. 27	-0.001	-0.002
2007. 1. 1~2011. 9. 20	5.000	7.000
2011. 1. 1~2011. 9. 20	0.060	0.090

<자료 5> 지역요인 및 개별요인 비교

1. 본건 토지와 표준지공시지가 기호1~기호6은 인근지역에 위치하므로 지역요인은 대등함
2. 개별요인 비교치

구분	표준지1	표준지2	표준지3	표준지4	표준지5	표준지6
개별요인 비교치	1.010	1.020	1.030	1.040	1.050	1.060

<자료 6> 그 밖의 요인 보정치

본건 평가에 적용할 그 밖의 요인 보정치는 표준지공시지가 기호1 ~ 기호6 공히 1.30으로 산정되었음

<자료 7> 기타

1. 환매대상 토지는 환매권 상실 당시 H택지개발지구에 편입되어 조성공사 중인 바 지적확인이 곤란한 상태이며, 인근의 표준적인 이용상황은 주거용(다가구주택)임
2. 상기의 B공사는 「공공기관의 운영에 관한 법률」 제5조 제3항 제1호의 공공기관임
3. 상기의 H택지개발사업은 「공익사업을 위한 토지 등의 취득 및 보상에 관한 법률」 제4조 제5호에 규정된 공익사업임

【문제 3】 A획지 소유자는 B획지 소유자의 토지 및 전자공장 1동을 인수하여 자신의 토지와 합병한 후, 재가동하고자 한다. 이에 감정평가사 甲에게 토지와 건물의 적정 매입 금액 산정을 의뢰하였다. 주어진 자료에 의거 B 획지에 소재한 토지와 공장의 가격을 다음 물음에 의거하여 산정하시오. (20점)

물음(1) A와 B토지의 합병으로 인한 증분가치를 구하고, B토지의 적정매입 가격을 기여도비율에 의한 차액배분법의 논리로 산정하시오. (합병에 따른 제반 비용은 고려치 아니하기로 함) (10점)

물음(2) B토지 지상의 공장에 대한 적정한 가격을 원가법에 의한 적산가격으로 산정하되, 재조달원가는 소유자 제시자료에 의한 직접법에 따라, 감가수정은 설비의 특성을 고려한 정률법에 의하시오. (10점)

<자료 1> 토지의 상황

각 획지의 형태는 다음의 그림과 같다. 각각의 토지가치를 파악한 결과 A는 9,000,000,000원, B는 4,000,000,000원으로 판단된다. 이때 A와 B를 합병하면 토지의 가치는 그림의 C획지와 유사해 질 것으로 판단되며, C의 가치는 18,000,000,000원으로 조사된다.

획지	면적(㎡)	단가(원/㎡)	가격(원)
A	15,000	600,000	9,000,000,000
B	5,000	800,000	4,000,000,000
C	20,000	900,000	18,000,000,000

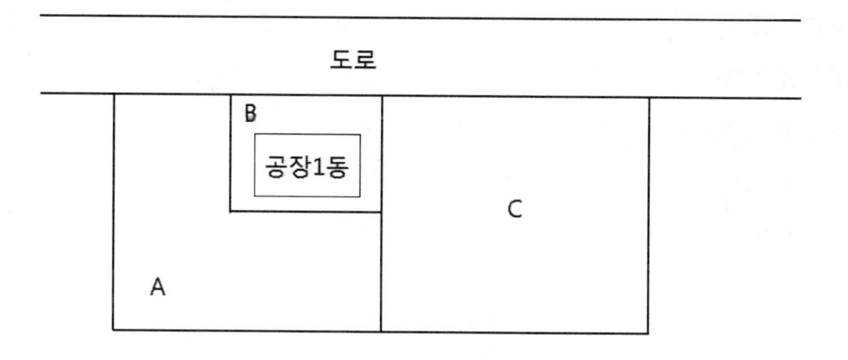

<자료 2> 공장설비에 관한 상황

1. B획지에는 완공된 지 1년이 경과된 공장설비가 소재한다. 이 공장은 전체가 정밀 전자부품제조를 위한 특수한 '클린룸' 설비로 구성된 공장이다.

2. 재조달원가는 소유자 제시자료에 의거 직접법으로 산정하되, 이의 정산은 기획재정부 계약예규 "예정가격작성기준"에 의거 검토할 예정이며, 부가가치세 및 손해보험료는 고려치 아니하기로 하였다.

3. 예정가격작성기준의 적용은 평가대상 설비의 특성상 공사원가계산을 적용하기로 하였고, 참고로 일반관리비율은 5%, 이윤율은 15%를 초과할 수 없도록 되어있는 전문 및 기타공사 규정을 적용하여 이것만을 조정하기로 하였다. 한편, 재료비, 노무비, 경비 등은 세부내역을 토대로 검토한 결과 적정한 수준으로 판명되었다.

4. 본 공장은 정밀설비로 구성되어 내용년수는 20년으로 조사되며, 지난 1년간 사용상 특이사항이 없어 잔존내용년수는 19년으로 하였고, 잔가율은 10%로 조사된다. 또한 감가수정은 정밀공장의 고유특성상 정률법을 적용하기로 하였다.

5. 지난 1년간 유사 공장(설비)신축에 관한 물가상승률(가격보정지수)은 극히 미미하여 적용치 아니하기로 하였다.

<자료 3> B획지 소유자 제시 공장의 신축 공사원가계산서(요약)

1. 재료비 : 20억원
2. 노무비 : 10억원
3. 경비 : 10억원
4. 일반관리비 : 4억원
5. 이윤 : 4억원
6. 합계 : 48억원

【문제 4】 다음 물음에 답하시오. (20점)

물음⑴ A국에서 과거 약 20년간 상업용 부동산(A,B,C)과 주식(D)의 연간 평균수익률 추이를 조사한 후, 다음의 표와 같이 정리하였다.

(단위 : %)

구분 (자료기호)	작성 기초자료의 성격	기하평균 수익률	산술평균 수익률	표준 편차	시계열 상관계수
CREF (A)	매년의 감정평가액 집계	10.8	10.9	2.6	0.43
REITs (B)	리츠의 수익률 집계	14.2	15.7	15.4	0.11
C&S (C)	실거래가격의 통계처리	8.5	8.6	3.0	0.17
S&P 500 (D)	주요주식의 거래가격	12.3	13.5	16.7	-0.10

이 자료의 해석과 관련하여, ⑴ 기하평균수익률과 산술평균수익률이 상이할 때 무엇을 채택하는 것이 합리적인지, ⑵ 상기 자료 B와 자료 D는 표준편차가 유사하고, 시계열상관계수도 낮은 경향을 보인 반면 자료A는 표준편차가 가장 낮고, 시계열 상관계수가 가장 높은 특징을 보이는 이유를 기초자료의 성격과 관련하여 약술하시오. (10점)

물음⑵ 완전소유권의 시장가치는 임대권가치와 임차권가치의 합이라 할 때, 연간 시장임대료(순임료)는 12,000,000원, 연간 계약임대료(순임료)는 9,000,000원, 계약기간 10년, 계약기간 만료 시 본건 부동산의 완전 소유권 시장가치는 120,000,000원이고 계약기간 중 시장가치의 변동은 없는 것으로 예상되는 경우 다음 물음에 답하시오. (10점)

⑴ 임대권(賃貸權) 수익률이 9.00%라고 할 경우 본건의 내재된 임차권(賃借權) 수익률은 얼마인가? (5점)

⑵ 어떤 경우에 「완전소유권 시장가치=임대권가치+임차권가치」의 등식이 성립하지 않는가? (5점)

제26회 감정평가사 2차 국가자격시험문제

교시	시간	시험과목
1교시	100분	① 감정평가실무

수험번호		성 명	

※ 공통유의사항
1. 각 문제는 해답 산정시 산식과 도출과정을 반드시 기재
2. 단가는 관련 규정에서 정하고 있는 사항을 제외하고 천원미만은 절사, 그 밖의 요인 보정치는 소수점 셋째자리 이하 절사

【문제 1】 한국OO공사는 보유중인 부동산을 매각하기 위해 김공정 감정평가사에게 일반거래(시가참고) 목적의 감정평가를 의뢰하였다. 관련법규 및 이론을 참작하고 제시된 자료를 활용하여 다음의 물음에 답하시오. (40점)

물음(1) 본 감정평가에 적용할 층별효용지수를 산정하시오. (10점)

물음(2) 시산가액 조정을 통해 감정평가액을 구하시오. (30점)

<자료 1> 기본적 사항

1. 감정평가 의뢰내역

기호	소재지 지번	층	호수	전용면적 (㎡)	공용면적 (㎡)	전체면적 (㎡)
1	서울시 A구 B동 00번지	1층	101	1,350	1,650	3,000
2	〃	2층	201	1,215	1,485	2,700
3	〃	3층	301	1,215	1,485	2,700
4	〃	4층	401	1,100	1,600	2,700
5	〃	5층	501	1,215	1,485	2,700
6	〃	6층	601	900	1,100	2,000
7	〃	지1층	B101	2,250	2,750	5,000

2. 기준시점 : 2015. 08. 20

3. 기준가치 : 시장가치

4. 평가목적 : 일반거래(시가참고)

<자료 2> 지역분석 자료

1. 본건이 위치하고 있는 지역은 새롭게 조성된 상업 및 업무지대로 토지 및 업무시설(집합건물)의 평가사례 및 거래사례가 풍부함

2. 기준시점 현재 해당지역의 업무시설가격은 2013년 1분기 대비 소폭 상승하였으나 해당기간동안 업무시설가격은 상승과 하락을 반복하였음

3. 사무실 또는 상가는 층별 각기 다른 가격격차를 보이고 있는데, 고객의 이용에 따른 편의성, 접근성, 수익성 등에 따른 것으로 판단됨. 한편, 지하철역과의 거리에 따른 가격격차도 확인할 수 있었음. 그리고 지하철역과의 거리에 따른 가격격차는 업무용 토지가격에서도 확인할 수 있었음

4. 상기의 지역분석은 탐문조사, 평가사례 및 거래사례 등을 이용하여 분석한 것으로 보다 상세한 해당지역의 가치형성요인을 분석하기 위해 기준시점으로부터 6개월 이내 자료를 이용하여 계량분석을 실시함

<자료 3> 가치형성요인의 계량분석

1. 헤도닉가격모형을 이용하여 해당지역의 가치형성요인을 분석함

2. 토지만의 거래사례를 이용하여 업무용 토지가격을 종속변수로 한 모형을 추정한 결과 모형의 설명력은 0.875(수정된 R제곱)이고, F-value는 629.430으로 나타남. 다음은 분석내용임

   1) 설명변수로 채택된 업무용토지의 면적은 5% 유의수준에서 5,000㎡~16,500㎡ 면적의 토지는 5,000㎡ 미만 면적의 토지에 대해 다른 조건이 일정할 때 가격측면에서 약 10% 우세한 것으로 나타났으며 이는 통계적으로 유의함

2) 설명변수로 채택된 본건과 지하철역과의 거리는 5% 유의수준에서 유의했는데, 지하철과의 거리가 0.5km~1km인 토지는 0.5km 미만의 토지에 대해 다른 조건이 일정할 때 가격측면에서 3% 열세한 것으로 나타났으나 1km 초과 토지는 통계적으로 유의하지 않음

3. 집합건물인 업무시설(사무실)의 거래사례를 이용하여 업무시설가격을 종속 변수로 한 모형을 추정한 결과 모형의 설명력은 0.825(수정된 R제곱)이고, F-value는 523.257로 나타남. 다음은 분석내용임

1) 설명변수로 채택된 층의 경우 본 계량모형상의 1층 가격은 약 3,500,000원/㎡ 정도임. 한편, 다른 조건이 모두 동일한 경우 지하1층은 1% 유의수준에서 880,000원/㎡ 정도가 1층에 비해 가격이 낮게 나타남. 한편, 2층부터 6층까지는 5% 유의수준에서 2층은 410,000원/㎡, 3층은 295,000원/㎡, 4층은 385,000원/㎡, 5층은 350,000 원/㎡, 6층 이상은 400,000원/㎡ 정도가 1층에 비해 가격이 낮게 나타났으며 이는 통계적으로 유의함

2) 설명변수로 채택된 지하철역까지의 거리 변수는 5% 유의수준에서 유의했고 지하철역에서 멀어질수록 업무시설가격은 하락(-)함

3) 설명변수로 채택된 전용율의 경우 전체면적이 통제된 상태에서 전용면적의 증가는 업무시설가격에 긍정적인(+) 효과를 미쳤고 1% 유의수준에서 유의한 것으로 나타남. 구체적으로 전용율 45% 미만의 업무시설은 전용율 45% 이상의 업무시설에 비해 가격측면에서 약 3% 열세한 것으로 나타남. 한편, 전용면적이 통제된 상태에서 공용면적의 증가는 통계적으로 유의하지 않음

4) 설명변수로 채택된 업무시설의 전체면적은 1% 유의수준에서 4,000㎡~8,000㎡ 면적의 업무시설은 4,000㎡ 미만 면적의 업무시설에 비해 다른 조건이 일정할 때 가격측면에서 약5% 열세한 것으로 나타났으며 통계적으로 유의함

<자료 4> 개별요인분석 자료

1. 대상부동산은 건물전체가 의뢰된 건으로 총 7개의 집합건물로 구성되어 있고, 적법한 절차를 걸쳐 완공된 상태임

2. 토지

구분	내 용
지목 및 면적	대 / 3,637㎡
위치 및 주위환경	서울시 A구 B동 소재 H백화점 북측인근에 소재하며 인근은 상업 및 업무지대임
도로 및 교통환경	본건 남측으로 지하철 K역(본건과의 거리 : 0.62km)이 위치해 있고 동측 및 남측인근에 일반버스정류장이 소재하는 등 교통사항은 양호함
지형, 지세 및 이용 상황	남측 및 서측은 인접도로와 등고평탄한 정방형 토지로 기준 시점 현재 업무시설부지로 이용중임
토지이용계획사항	도시지역, 준주거지역, 제1종 지구단위계획구역, 대로2류 (폭 30 M～35 M)(접함), 중로2류(폭 15 M～20 M)(접함)

3. 건물

구분	내 용
구조 및 용도	철골철근콘크리트조, 슬래브지붕 / 업무시설
건축면적 및 연면적	2,228㎡ / 20,800㎡
층수 등	• 지상6층(지상1층～지상6층 : 업무시설) • 지하3층(지하1층 : 업무시설, 지하2, 3층 : 주차장, 기계실, 전기실 등)
사용승인일	2013년 7월 20일
주차 및 부대설비	140대(주차), 엘리베이터 4대, 에스컬레이터 2대, 소화설비, 냉난방설비 등

<자료 5> 집합건물 거래사례(소재지 : 서울시 A구 B동)

기호	지 번	층	호수	전용면적 (m^2)	전체면적 (m^2)	거래가격 (원)	용도	거래시점
A	625	3	301	1,350	3,000	8,500,000,000	사무소	2015.01.10
B	670	4	401	1,125	2,500	6,780,000,000	사무소	2015.02.10
C	710	5	501	1,080	2,700	6,350,000,000	연구소	2015.03.10
D	720	지1	B101	2,080	5,200	11,000,000,000	사무소	2015.04.10

1. 지하철역까지의 거리
   - 기호A : 0.55km, 기호B : 0.63km, 기호C : 0.60km, 기호D : 1.80km

2. 용도지역
   - 기호A : 일반상업, 기호B : 준주거, 기호C : 준주거, 기호D : 준주거

3. 가치형성요인의 경우 상기자료 외에는 대상과 사례가 동일함

<자료 6> 층별효용지수 참고자료

1. 계량분석외 본건에 인접한 유사 건물의 평가사례 및 실무기준해설서상의 층별효용지수 관련 자료는 다음과 같음

층	평가사례1 (2013.03.27)	평가사례2 (2014.09.15)	평가사례3 (2015.07.20)	실무기준해설서	
				A형	B형
지상5층 이상	85	87	90	42	51
지상4층	92	87	90	45	51
지상3층	83	87	90	50	51
지상2층	85	87	90	60	51
지상1층	100	100	100	100	100
지하1층	–	–	–	44	44

<자료 7> 공시지가 표준지

1. 공시기준일 : 2015년 1월 1일

2. 인근지역내 공시지가 표준지 내역(소재지 : 서울시 A구 B동)

기호	지 번	지목	면적(m^2)	이용상황	용도지역	도로교통	형상지세	공시지가(원/m^2)	지하철 역과의 거리
가	630	대	5,179.2	업무용	일반상업	중로각지	세장형 평지	3,000,000	0.5km
나	681	대	3,329.2	업무용	준주거	광대소각	정방형 평지	3,250,000	1.5km
다	702	대	9,038.0	업무용	준주거	중로각지	정방형 평지	2,800,000	0.7km

<자료 8> 토지거래사례

(소재지 : 서울시 A구 B동, 거래시점 : 2015년 7월 10일)

기호	지번	지목	면적(m^2)	이용상황	용도지역	도로교통	형상지세	거래단가(원/m^2)
1	698	대	3,500	업무용	준주거	광대한면	사다리형 평지	5,800,000

※ 지하철역과의 거리 : 0.3km

<자료 9> 재조달원가 자료(기준시점 기준)

기호	용도	구조	급수	단가(원/m^2)	내용 년수
1	사무실	철골철근콘크리트조 슬래브지붕 (6층 이하)	1급	1,540,000	55 (50-60)
2	사무실	철근콘크리트조 슬래브지붕 (6층 이하)	1급	1,400,000	55 (50-60)

<자료 10> 수익관련자료

1. 임대사례[소재지 : 서울시 A구 B동, 임대면적 : 3,000㎡(전체)]

기호	지번	층	호수	전용률	보증금 (원/㎡)	월임대료 (원/㎡)	월관리비 (원/㎡)	지하철역과의 거리
1	699	1	101	45%	100,000	10,000	6,000	0.63km

2. 임대사례는 기준시점 현재 당해 업무지대의 평균적인 사례임
3. 공실 및 대손충당금 : 가능조소득의 10%
4. 영업경비 : 연간관리비의 80%
5. 보증금, 월임대료, 월관리비는 전체면적기준임
6. 종합환원이율 : 연 4.0%, 보증금운용이율 : 연 3.0%
7. 가치형성요인의 경우 상기자료 외에는 대상과 사례가 동일함

<자료 11> 기타자료

1. 도로접면 격차율

구분	광대한면	중로한면	소로한면	세로(가)	세로(불)
격차율	1.00	0.90	0.88	0.85	0.70

※ 도로접면이 각지인 경우는 한면에 접하는 경우에 비해 1% 우세함

2. 형상 격차율

구분	정방형	가장형	세장형	사다리형	부정형
격차율	1.00	0.99	0.99	0.98	0.90

3. 시점수정 자료

1) 지가변동률(단위 : %)

기간	용도지역	
	주거지역	상업지역
2015. 01. 01 ~ 2015. 07. 31(누계)	0.435	0.420
2015. 07. 01 ~ 2015. 07. 31(당월)	0.020	0.010

※ 2015년 8월 이후 지가변동률은 미고시 상태이며 2015년 7월 지가변동률과 동일하게 변동하는 것으로 추정함

2) 오피스 자본수익률(단위:%)

기간	2015년 1분기	2015년 2분기
자본수익률	0.35	0.30

※ 2015년 2분기 이후 오피스 자본수익률은 미고시 상태이며 2015년 2분기 오피스 자본수익률과 동일하게 변동하는 것으로 추정함

4. 거래사례 및 임대사례는 모두 정상적인 사례로 판단되며, 토지거래 사례는 그 밖의 요인 보정치 산정에 활용함
5. 건물의 감가수정은 정액법을 적용하며, 가치형성요인과 관련된 보정치는 계량분석내용을 준용하여 적용 가능함
6. 유의수준이란 가설검증시 제1종 오류를 범할 확률의 허용한계, 즉 오차 가능성을 말함

【문제 2】 감정평가사 김공정은 택지개발사업과 관련하여 보상목적의 감정 평가를 의뢰받았다. 관련법규 및 이론을 참작하고 제시된 자료를 활용하여 다음의 물음에 답하시오. (30점)

물음⑴ 자료와 같은 내용의 구분지상권이 설정된 토지가 공익사업에 편입 되어 해당 송전선을 철거하는 경우 보상목적의 구분지상권 감정평가방법에 대해 구체적으로 기술하되 각 방법의 장점과 단점도 포함하여 기술하시오. (10점)

물음⑵ 주어진 자료를 활용하여 대상물건의 보상액을 구하되, 적용가능한 방법을 모두 활용한 후 시산가액의 조정을 통해 구하시오. (20점)

<자료 1> 공익사업에 관한 사항

1. 사업명 : ○○지구 택지개발사업(공익사업 근거법 : 택지개발촉진법)
2. 사업지구면적 : 180,000㎡
3. 사업시행자 : G지방공사

4. 사업추진일정
   1) 택지개발지구지정·고시일 : 2011. 09. 09
   2) 보상계획공고일 : 2012. 02. 20
   3) 실시계획승인·고시일 : 2013. 04. 04

<자료 2> 감정평가의 기본적 사항

1. 대상물건 : 경기도 A시 B읍 C리 1번지의 구분지상권
2. 감정평가목적 : 보상
3. 기준시점 : 2015. 09. 02

<자료 3> 구분지상권에 관한 사항

1. 구분지상권자 : H전력공사
2. 구분지상권의 목적 : 154 kV 가공 송전선로 건설
   ※ 가공 송전선로 : 송전철탑을 통해 공중으로 설치한 송전선로
3. 구분지상권의 범위 : 경기도 A시 B읍 C리 1번지 토지 상공 15m에서 30m까지의 공중공간(선하지면적 : 300㎡)
   ※ 선하지면적은 구분지상권 설정면적을 말함
4. 구분지상권의 존속기간 : 해당 송전선로 존속시까지
5. 구분지상권 설정일 : 2010. 03. 03
6. 당시 보상액(구분지상권 설정대가) : 32,000,000원
7. 특약사항 : 존속기간 동안 구분지상권 설정대가의 증감은 없음
8. 기타사항 : 송전선로가 필지의 중앙을 통과함

<자료 4> 토지에 관한 사항

1. 소재지 : 경기도 A시 B읍 C리 1번지
2. 면적 : 300㎡, 지목 : 전, 실제 이용상황 : 전
3. 접면도로 : 폭 6m의 도로와 접함

4. 토지이용계획의 변동사항
   1) 2010. 01. 01~2013. 04. 03 : 자연녹지지역
   2) 2013. 04. 04~2015. 09. 02 : 일반주거지역(택지개발사업으로 인해 변경)

<자료 5> 주변지역 현황

1. 구분지상권이 설정된 토지(경기도 A시 B읍 C리 1번지 토지) 주변은 송전선 건설 당시 농지지대에서 주택지대로 전환되는 중이었고(단독주택이 지속적으로 건설되고 있었음), 당시 인근지역에 속한 토지로서 ○○ 택지개발지구 인근의 지구 밖 토지 대부분은 기준시점 현재 단독주택부지로 이용하고 있음
2. 조사결과 기준시점 현재 ○○택지개발지구와 접한 지구 밖 토지의 표준적 이용은 2층의 단독주택부지이며, 주택의 표준적인 각 층의 층고는 3.5m임

<자료 6> 표준지 공시지가 자료

기 호	소재지 지번	면적(m^2)	지목	이용상황	도로교통	형상지세
가	B읍 C리 10	360	답	과수원	세로(불)	세장형 완경사
나	B읍 C리 250	280	대	주거나지	세로(가)	세장형 평지
다	B읍 D리 500	350	전	과수원	세로(가)	가장형 평지

※ 표준지 '가'~'다'는 모두 동일수급권내에 소재함

기 호	용도 지역	공시지가(원/m^2)		비 고
		공시기준일	공시지가	
가	자연 녹지	2011.01.01	300,000	○○지구 택지개발사업지구 내의 토지로 도시계획시설 도로에 40% 저촉함
		2013.01.01	380,000	
	일반 주거	2015.01.01	480,000	
나	자연 녹지	2011.01.01	340,000	○○지구 택지개발사업지구 내의 토지로 가공 송전선으로 인해 구분지상권이 설정되어 있음
		2013.01.01	420,000	
	일반 주거	2015.01.01	500,000	
다	자연 녹지	2011.01.01	300,000	○○지구 택지개발사업지구 밖의 토지로 가공 송전선으로 인해 구분지상권이 설정되어 있음
		2013.01.01	360,000	
		2015.01.01	500,000	

※ 도시계획시설 도로에 저촉하는 표준지의 경우 해당부분에 대해 20%의 감가율 을 적용하여 공시하였음

<자료 7> 시점수정 자료 : 경기도 A시 지가변동률

기 간	지가변동률(단위 : %)	
	주거지역	녹지지역
2010. 01. 01 ~ 2010. 12. 31(누계)	1.103	2.758
2011. 01. 01 ~ 2011. 12. 31(누계)	2.154	3.085
2012. 01. 01 ~ 2012. 12. 31(누계)	2.060	2.072
2013. 01. 01 ~ 2013. 12. 31(누계)	2.058	2.085
2014. 01. 01 ~ 2014. 12. 31(누계)	2.064	3.082
2015. 01. 01 ~ 2015. 07. 31(누계)	-0.130	-0.120
2015. 07. 01 ~ 2015. 07. 31(당월)	0.060	0.072

※ 2015년 8월 이후 지가변동률은 미고시 상태이며 2015년 7월 지가변동률과 동일하게 변동하는 것으로 추정함

<자료 8> 보상사례 자료

1. 보상물건 : 경기도 A시 B읍 D리 500번지[<자료 6>의 기호 '다' 토지임]의 구분지상권(구분지상권 설정일 : 2010. 03. 03)

2. 보상사유 : 도시개발사업(사업인정고시일 : 2013. 05. 01, 사업지구면적 : 100,000m²)에 편입되어 154 kV 가공 송전선로 철거

3. 보상액 : 37,400,000원

4. 보상액 감정평가시 기준시점 : 2015. 07. 31

5. 구분지상권의 범위 : 경기도 A시 B읍 D리 500번지 토지 상공 16m에서 30m까지의 공중공간(선하지면적 : 280m²)

6. 구분지상권의 존속기간 : 해당 송전선로 존속시까지

7. 특약사항 : 존속기간 동안 구분지상권 설정대가의 증감은 없음

8. 기타사항 : 송전선로가 필지의 중앙을 통과함

<자료 9> 구분지상권의 가치형성요인 비교 자료 등

1. 조사결과 가공 송전선로를 위한 구분지상권의 가치는 해당 부지의 지역요인 및 개별요인, 송전선로로 인한 입체이용저해율 및 추가보정률(쾌적성 저해요인, 시장성 저해요인, 기타 저해요인), 선하지면적에 영향을 받음
2. 조사결과 <자료 8>의 보상사례와 대상물건은 <자료 10> 및 <자료 11> 의 내용과 같이 비교치가 산정됨
3. 조사결과 구분지상권의 가치는 지가변동률과 동일하게 변동함

<자료 10> 지가형성요인 비교 자료

1. 지역요인 비교치 : 표준지와 비교한 B읍 C리 1번지의 비교치

표준지 '가'	표준지 '나'	표준지 '다'
1.00	1.00	1.10

※ 비교치는 표준지공시지가의 공시기준일이 상이해도 동일하게 적용함

2. 개별요인 비교치 : 표준지와 비교한 B읍 C리 1번지의 비교치

표준지 '가'	표준지 '나'	표준지 '다'
1.10	0.90	1.00

※ 비교치는 표준지공시지가의 공시기준일이 상이해도 동일하게 적용함

3. 그 밖의 요인 보정치

토지의 감정평가에 적용할 그 밖의 요인 보정치는 공시기준일에 상관없이 표준지 '가'~'다' 모두 1.30으로 적용함

<자료 11> 보정률 산정 자료

1. 건조물의 이격거리

건조물은 가공전선의 전압 35kV 이하는 3m, 35kV를 초과하는 경우에는 초과하는 10kV 또는 그 단수마다 15cm를 가산한 수치씩 이격하여야 함

2. 주택지대의 층별효용지수

1층 : 100, 2층 : 100

3. 입체이용률 배분표

구분	건물이용률(α)	지하이용률(β)	그 밖의 이용률(γ)	γ의상하 배분비율
주택지대·택지후보지지대	0.7	0.15	0.15	3:1
농지지대	0.8	0.1	0.1	4:1

4. 추가보정률 산정기준표

구분	추가보정률 적용범위		상·중·하 구분 기준
	주택지대·택지후보지 지대	농지지대	
쾌적성 저해 요인	상 : 10.0% 중 : 7.5% 하 : 5.0%	상 : 5.0% 중 : 4.0% 하 : 3.0%	송전선로의 높이를 기준으로 구분 적용 • 10m 이하 : 전압에 관계없이 '상' • 10m 초과 20m 이하 : 154kV 이하는 '중', 154kV 초과는 '상' • 20m 초과 : 754kV 이상은 '상', 345kV 이상은 '중', 154kV 이하는 '하'
시장성 저해 요인	상 : 10.0% 중 : 7.0% 하 : 4.0%	상 : 7.0% 중 : 5.0% 하 : 3.0%	선하지면적비율 또는 송전선로의 통과위치를 기준으로 구분 적용 • 선하지면적비율이 40%를 초과하거나 송전선로가 필지의 중앙을 통과하는 경우 : '상' • 선하지면적비율이 20%를 초과하거나 송전선로가 필지의 측면을 통과하는 경우 : '중' • 선하지면적비율이 20% 이하이거나 송전선로가 필지의 모서리를 통과하는 경우 : '하'
기 타 저해 요인	상 : 10.0% 중 : 6.0% 하 : 3.0%	상 : 8.0% 중 : 5.0% 하 : 3.0%	송전선로의 존속기간을 기준으로 구분 적용 • 존속기간이 30년을 초과하는 경우 : '상' • 존속기간이 10년을 초과하는 경우 : '중' • 존속기간이 10년 이하인 경우 : '하'
추가보정률 산정 기준 : 각 해당 항목을 가산하여 산정			

<자료 12> 기타 자료

1. 일시금운용이율(또는 환원율) : 연 5.0%

【문제 3】 감정평가사 김공정씨는 ○○ 택지개발사업지구로 지정고시된 지역의 보상에 대하여 중앙토지수용위원회로부터 이의재결 평가를 의뢰받았다. 관련법규를 참작하고 제시된 자료를 활용하여 다음의 물음에 답하시오. (20점)

물음(1) 토지의 보상액을 감정평가하시오. (10점)

물음(2-1) 관련법규에 의거 농업손실보상대상 여부를 검토하시오. (5점)
(2-2) 보상대상자별로 농업손실보상액을 산정하시오. (5점)

<자료 1> 사업의 개요

사업의 종류 및 명칭	사업시행자	사업 위치 및 면적
○○ 택지개발사업	한국 △△ 공사	K도 P시 A동 및 Y동 일원 245,050㎡

1. 사업추진일정

택지개발사업 주민등의 의견청취 공고일	2013. 06. 19
택지개발지구지정 · 고시일	2014. 01. 02
보상계획공고일	2015. 02. 05
재결일	2015. 08. 25
현장조사완료일	2015. 09. 19
이의재결일	2015. 10. 05

<자료 2> 의뢰물건 내용

1. 토지조서

기호	소재지 지번	지목	공부면적(㎡)	편입면적(㎡)	비고(소유자)
1	P시 A동 10	임	1,200	1,200	이대한

2. 물건조서

기호	소재지 지번	물건의 유형	물건의 종류	구조 및 규격	수량	단위
1-1	P시 A동 10	농업손실 보상	당근	-	1	식

<자료 3> 현장 조사내용

1. <자료 2>의 기호(1) 토지는 토지소유자 이대한씨가 산지전용허가를 받지 아니하고 형질변경하여 경작해오다 건강악화로 김민국과 임대차계약서를 작성하고, 2013년 2월부터 김민국씨가 당근을 재배하고 있음
2. 이대한씨와 김민국씨는 모두 해당지역에 거주하는 「농지법」에서 정하는 농민으로, 농업보상에 대한 협의가 성립되지 아니한 상태임
3. <자료 2>의 기호(1) 토지는 차량통행이 불가능한 노폭 약 2미터의 비포장도로에 접해 있고, 남서하향의 약 15도의 경사지에 위치한 부정형의 토지임. 한편, 용도지역은 계획관리지역임

<자료 4> 표준지 공시지가

기호	소재지	면적(㎡)	지목	이용상황	용도지역	도로교통	형상지세	공시지가(원/㎡)		
								2013.01.01	2014.01.01	2015.01.01
가	P시 A동 101	1,000	전	전	계획관리	세로(불)	세장형 평지	68,000	74,000	77,000
나	P시 Y동 15	1,000	임	자연림	계획관리	맹지	부정형 완경사	21,000	23,000	24,000
다	P시 A동 산 11	12,000	임	자연림	생산관리	맹지	부정형 급경사	15,000	17,000	18,000

<자료 5> 시점수정 자료

지가변동률(P시 계획관리지역, %)

구 분	변동률
2013 .01. 01～2013. 12. 31(누계)	4.213
2014. 01. 01～2014. 12. 31(누계)	2.765
2015. 01. 01～2015. 07. 31(누계)	1.175
2015. 07. 01～2015. 07. 31(당월)	0.167

※ 2015년 8월 이후 지가변동률은 미고시 상태이며 2015년 7월 지가변동률과 동일하게 변동하는 것으로 추정함

<자료 6> 표준지 공시지가 평균변동률(%)

구분	2013년~2014년	2014년~2015년	2013년~2015년
K도	1.54	1.69	3.26
P시	3.51	4.23	7.89

<자료 7> 지역요인 및 개별요인 비교자료

1. K도 P시 A동 및 Y동은 인근지역임
2. 도로접면 격차율

광대세각	광대한면	소로한면	세로가	세로(불)	맹지
1.00	0.95	0.86	0.81	0.75	0.72

3. 형상 격차율

정방형	장방형	사다리형	부정형
1.00	0.99	0.98	0.95

4. 지세 격차율

평지	완경사
1.00	0.97

<자료 8> 농업보상 자료

1. 통계청 농가경제조사 통계자료(도별 연간 농가평균 단위경작면적당 농작물 총수입)

(단위 : 원, ㎡)

행정구역	농작물 총수입(원)	경지면적 (㎡)	농작물총수입/ 경지면적(원/㎡)	2년분 농업손실보상액(원/㎡)
K도	18,855,086	11,086.12	1,701	3,402

2. 실제소득인정기준에서 정하는 기관(농협)에서 발급받은 거래실적 자료

출하주	출하처	품목	중량(kg)	평균판매단가 (원/kg)	판매금액(원)	발급 기관	비고
김민국	L마트 외 4개소	당근	6,521	1,050	6,847,050	농협	연평균

※ 김민국씨는 P시 A동 10번지 토지에서만 당근을 경작함

3. 농축산물소득자료집 중 작목별 평균소득

(기준 연1기작/1,000㎡)

	수량(kg)	단가(원)	금액(원)	비고
조수입	4,184	832	3,481,088	–
생산비	–	–	1,595,346	종자비, 비료비 등
소득	–	–	1,885,742	소득률 54.2%

<자료 9> 기타자료

1. <자료 4>의 기호(가)~(다)는 사업지구 내의 토지로서, 기호(가)~(다)의 평균변동률은 사업지구 내 표준지전체의 평균변동률과 동일함

2. 그밖의 요인 보정 : 대상토지의 인근지역 등의 정상적인 거래사례와 보상 사례를 참작한 결과 농경지는 40% 상향보정, 임야는 80% 상향보정, 대지는 20%의 상향보정을 요함

【문제 4】 감정평가사 김공정씨는 다음 물건에 대하여 ○○지방법원으로부터 경매 목적의 감정평가를 의뢰받았다. 기준시점을 2015.09.19로 하여 관련법규 및 이론을 참작하고 주어진 자료를 활용하여 감정평가하시오. (10점)

<자료 1> 법원감정평가 명령서 내용 요약 및 평가대상

1. 기호(1) : S시 S구 S동 1210번지, 대, 200m², 제2종일반주거지역

2. 기호(가) : S시 S구 S동 1210번지 지상 철근콘크리트조 및 벽돌조 슬래브 지붕 2층 주택(사용승인일 : 2009.12.05, 완공일 : 2008.05.05.)
   1층 : 철근콘크리트조 단독주택 100m²
   2층 : 벽돌조 단독주택 12m²(2012.02.03 증축)

3. 현장조사사항 : 기호(1) 토지 지상에는 <자료 2> 현황도와 같이 법원의 제시목록 외 기호㉠, ㉡이 소재함. 제시목록뿐 아니라 등기사항전부증명서 및 대장에도 등재되어 있지 아니하여 소유권에 대한 재확인이 필요함

4. 유의사항 : 제시 외 건물이 있는 경우에는 반드시 그 가액을 평가하고, 제시 외 건물이 경매대상에서 제외되어 그 대지가 소유권의 행사를 제한 받는 경우에는 그 제한을 반영하여 평가함

<자료 2> 현황도

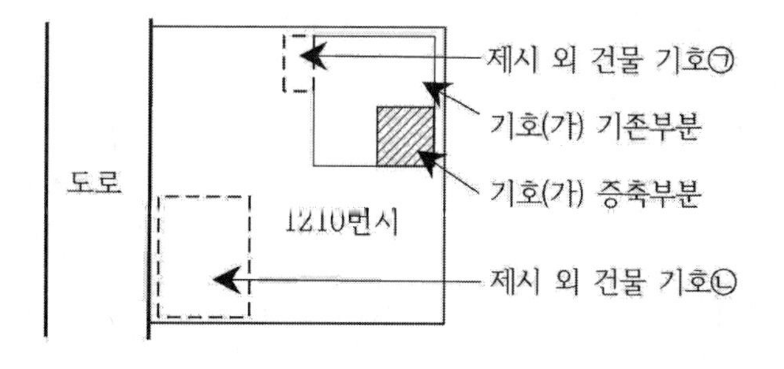

<자료 3> 건물평가자료

구분	구조	이용상황	재조달원가 (원/m^2)	면적 (m^2)	적용단가 (원/m^2)
기호(가)기존	철근콘크리트조 슬래브지붕	주택(방1, 거실, 주방, 화장실1)	750,000		
기호(가)증축	벽돌조 슬래브지붕	방1	600,000		
제시 외 건물 기호㉠	경량철골조 판넬지붕	보일러실	–	4	100,000
제시 외 건물 기호㉡	벽돌조 슬래브지붕	주택(방1, 주방1, 화장실1)	600,000	48	

※ 철근콘크리트조 내용년수 50년, 벽돌조 내용년수 45년, 잔가율 0%

※ 제시 외 건물 기호㉠은 신축연도가 불명확하여 관찰감가를 병용하여 적용단가 를 산정하였으며, 면적은 실측면적임

※ 제시 외 건물 기호㉡은 잔존내용년수가 20년으로 추정됨

<자료 4> 기타자료

1. 제시 외 건물이 토지에 미치는 영향을 고려하지 아니하고 공시지가 기준으로 평가한 금액은 6,530,000원/m^2임. 제시 외 건물이 토지에 미치는 영향이 있다고 판단될 경우에는 아래사항을 감안하여 평가하기 바람

	전체 토지에 미치는 영향
제시 외 건물 기호㉠	1%
제시 외 건물 기호㉡	12%

제27회 감정평가사 2차 국가자격시험문제

교 시	시 간	시 험 과 목
1교시	100분	① 감정평가실무

수험번호		성 명	

> ※ 공통유의사항
> 1. 각 문제는 해당 산정시 산식과 도출과정을 반드시 기재
> 2. 단가는 관련 규정에서 정하고 있는 사항을 제외하고 천원 미만은 절사, 그 밖의 요인 보정치는 소수점 셋째자리 이하 절사

【문제 1】 감정평가사 甲은 부동산투자자 乙로부터 대상부동산 투자에 관한 정보의 제공을 의뢰받고, 관련 자료를 수집·분석하여 乙에게 제공하려고 한다. 제시된 자료를 참조하여 다음 물음에 답하시오. (40점)

물음(1) 2016년 7월 1일 기준 대상부동산의 시장가치를 구하되, 비교방식, 수익방식, 건물을 원가법으로 하는 공시지가기준법에 의한 가격을 각각 제시하시오. (25점)

물음(2) 乙이 대상부동산을 2016년 7월 1일 매입하고 3년간 보유한 후 매각한다고 했을 때, 순현재가치(NPV)를 구하고, 乙의 투자계획에 대하여 전문가로서 제시할 의견을 기술하시오. (15점)

<자료 1> 대상부동산 현황

1. 토지현황
   1) 소 재 지 : S시 T구 W동 500번지, 501번지
   2) 용도지역 : 일반상업지역

3) 토지특성(2필 일단의 토지로서, 부정형의 평지이며, 소로한면에 접함)
- 500번지 : 대, 350㎡, 세로장방형, 평지, 소로한면
- 501번지 : 대, 450㎡, 사다리형, 평지, 소로한면

2. 건물현황
1) 구조 : 철근콘크리트조 슬래브지붕
2) 사용승인일자 : 2005년 5월 1일
3) 세부현황 : 500번지, 501번지 양 지상에 위치함

층 별	구 조	면적(㎡)	용 도	비 고
지하1층	철근콘크리트조	260	주차장, 기계실	-
지상1층	철근콘크리트조	520	사무실	P은행 임차
지상2층	철근콘크리트조	520	사무실	P은행 임차
지상3층	철근콘크리트조	520	사무실	R회사 임차
지상4층	철근콘크리트조	520	사무실	R회사 임차
지상5층	철근콘크리트조	400	사무실	공 실
계		2,740	-	

3. 기타현황
현재 대상부동산의 소유자는 丙과 丁이 공동소유(각각 50%)를 하고 있으며, 소유자 丙의 명의로 C은행에 근저당권 5억원이 설정되어 있음

<자료 2> 표준지 공시지가 현황(공시기준일 : 2016.01.01.)

기호	소재지 (지번)	면적 (㎡)	지목	용도 지역	이용 상황	주위 환경	도로 교통	형상 지세	공시지가 (원/㎡)
1	V동 130	(일단지) 535	대	일반 상업	주상용	후면 상가지대	소로 한면	사다리형 평지	2,700,000
2	V동 150	800	대	일반 상업	상업용	노선 상가지대	소로 한면	가장형 평지	3,400,000
3	W동 485	420	대	일반 상업	상업기타 주차건물	후면 상가지대	세로 (가)	사다리형 평지	2,100,000
4	W동 520	450	대	일반 상업	상업용	노선 상가지대	소로 한면	사다리형 평지	3,000,000

<자료 3> 평가선례(공시지가기준법 적용시 그 밖의 요인에 적용함)

구분	평가선례 #1	평가선례 #2	평가선례 #3
소재지(지번)	V동 143	W동 504	W동 522
토지현황	대, 450㎡ 소로한면, 부정형 평기, 일반상업지역	대, 780㎡ 소로한면, 사다리형 평지, 일반상업지역	대, 350㎡ 세로(가), 가장형, 평지, 일반상업지역
건물현황	철근콘크리트조 슬래브지붕, 상업용, 지하1층~지상5층, 연면적 3,300㎡	철근콘크리트조 슬래브지붕, 상업용, 지하2층~지상8층 연면적 5,200㎡	없음(상업나지)
토지단가	3,600,000원/㎡	3,400,000원/㎡	3,500,000원/㎡
기타사항	기준시점 2016.04.01. 일반거래목적의 정상적인 평가선례	기준시점 2016.01.01. 일반거래목적의 정상적인 평가선례	기준시점 2016.05.01. 담보목적의 정상적인 평가선례

<자료 4> 거래사례(거래사례비교법에 적용함)

구분	사례 #1	사례 #2	사례 #3
소재지(지번)	V동 135번지	W동 489번지	W동 515번지
토지현황	대, 900㎡ 소로한면, 부정형, 평지, 일반상업지역	대, 550㎡ 세로가, 사다리형, 평지, 일반상업지역	대, 750㎡ 소로한면, 가장형, 평지, 일반상업지역
건물현황	철근콘크리트조 슬래브지붕, 상업용, 지하1층~지상5층 연면적 3,200㎡, 2006.05.01 사용승인	없음(상업나지)	철근콘크리트조 슬래브지붕, 상업용, 지상2층, 연면적 800㎡ 1985.01.01. 사용승인
토지단가	5,600,000,000원	1,600,000,000원	2,850,000,000원
기타사항	노선상가지대 2016.01.01. 거래 정상거래사례 (토지건물가격비중 6:4)	후면상가지대 2016.04.01. 거래 정상적인 거래사례	노선상가지대 2016.05.01. 거래 철거전제의 정상거래 매수자의 철거비 부담 (30,000,000원)

<자료 5> 표준건축비 등

1. 인근지역 상업용건축물(철근콘크리트조 5층 이하)의 표준건축비(부대설비 포함, 지상·지하 건축물에 동일하게 적용)는 770,000원/m^2이며, 건물의 잔존가치는 10%임.

<자료 6> 대상부동산의 임대내역

구분	면적(m^2)	임차인	임대기간	임대료
지상 1층	520	P은행	2011.07.01.~2016.06.30	2015년 7월 1일부터 연간가능총소득(PGI) 120,000원/m^2 적용
지상 2층	520	P은행	2011.07.01.~2016.06.30	2015년 7월 1일부터 연간가능총소득(PGI) 95,000원/m^2 적용
지상 3층	520	R회사	2011.07.01.~2019.06.30	2015년 7월 1일부터 연간가능총소득(PGI) 80,000원/m^2 적용
지상 4층	520	R회사	2011.07.01.~2019.06.30	2015년 7월 1일부터 연간가능총소득(PGI) 80,000원/m^2 적용
지상 5층	400	공실	–	최근 1개월간 공실
계	2,480	–		

※ R회사는 회사 사정상 2016.06.30.에 이전할 계획이며, 현재 소유자도 중도 계약 해지에 동의하였고, 새로운 임차인을 시장임대료로 즉시 구할 수 있음

<자료 7> 최근 임대사례

1. 사례물건 : V동 138번지 소재 5층
   1) 토지현황 : 일반상업지역, 대, 950m^2, 소로한면, 사다리형, 평지
   2) 건물현황 : 철근콘크리트조, 지하1층~지상5층, 연면적 3,200m^2, 상업용

2. 임대상황
   1) 1~2층 임대사례 : G은행 2016.07.01부터 5년 계약
      연간가능총소득(PGI) 1층 160,000원/m^2, 2층 120,000원/m^2
   2) 3~5층 임대사례 : H회사 2016.07.01.부터 5년 계약
      연간가능총소득(PGI) 3~4층 100,000원/m^2, 5층 90,000원/m^2

<자료 8> 시점수정 등 관련자료(T구)

1. 지가변동률

구 분	일반상업지역
2016.01.01.~2016.05.31.(누계)	1.687
2016.04.01.~2016.05.31.(누계)	0.654
2016.05.01.~2016.05.31.(당월)	0.323

※ 2016년 6월부터 지가변동률 미고시, 2016년 6월 지가변동률은 직전월 자료를 적용하고, 변동률의 계산은 백분율을 기준으로 소수점 넷째자리에서 반올림함

2. 임대동향조사 중 소형부동산의 자본수익률

구 분	T구
2016.01.01.~2016.05.31.(누계)	2.113
2016.04.01.~2016.05.31.(누계)	0.895
2016.05.01.~2016.05.31.(당월)	0.356

3. 건축비지수 : 2015년 1월 1일 이후 보합세임

<자료 9> 지역요인, 개별요인 등 품등 비교자료

1. 지역요인 자료

V동과 W동은 S시 T구에 속하며, 간선도로(소로한면)을 두고 맞은편에 위치하고 있음. 최근 V동 남측에 종합유통센터가 개장함에 따라 V동 상권으로 유동인구가 증가하여 V동이 W동에 비해 지역요인이 3% 우세를 보이고 있음

2. 개별요인 자료

1) 도로접면 격차율

구 분	광대세각	광대한면	소로한면	세로(가)	세로(불)	맹지
광대세각	1.00	0.95	0.86	0.81	0.75	0.72
광대한면	1.05	1.00	0.91	0.86	0.78	0.75
소로한면	1.16	1.10	1.00	0.91	0.86	0.83
세로(가)	1.24	1.18	1.07	1.00	0.92	0.89
세로(불)	1.34	1.28	1.16	1.07	1.00	0.96
맹지	1.39	1.32	1.20	1.16	1.04	1.00

2) 형상 격차율

구 분	정방형	장방형	사다리형	부정형
정방형	1.00	0.99	0.98	0.95
장방형	1.01	1.00	0.99	0.96
사다리형	1.02	1.01	1.00	0.97
부정형	1.05	1.04	1.03	1.00

※ 가로장방형은 장방형을 적용

3) 환경조건 격차율

- 대상부동산은 표준지 기호1보다 5% 우세하며, 표준지 기호3보다 15% 우세함
- 대상부동산은 평가선례 #1보다 10% 열세하며, 거래사례 #2보다 15% 우세함

3. 임대사례(V동 138번지)와 대상부동산의 품등 격차율(지역요인과 개별요인 포함) : 임대사례가 대상부동산보다 총 10% 우세함

4. 거래사례 #1(V동 135번지)의 건축물과 대상부동산의 건축물은 동일한 등급 수준으로 신축되었음

<자료 10> 수익환원법 적용 자료 및 의뢰인 乙의 부동산 투자계획

1. 환원율 및 할인율

1) 현재시점 환원율 : 시장추출법에 의한 산정

구 분	사례 #1	사례 #2	사례 #3
매매가격(원)	3,500,000,000	2,200,000,000	2,400,000,000
순수익(원)	140,000,000	88,000,000	200,000,000
기타	최근사례, 정상거래	최근사례, 정상거래	최근사례, 사정개입

2) 재매도가치 산정을 위한 환원율

현재 환원율에 장기위험프리미엄 등을 고려하여 0.5% 가산함

3) 할인현금흐름 분석법에 사용할 할인율 : 투자자의 요구수익률

2. 수익환원법 적용
   1) 대상부동산의 시장가치산정을 위한 수익환원법은 1년차 순영업소득(NOI)을 직접 환원하는 직접환원법을 적용
   2) 수익환원법에 적용되는 수익과 비용은 연간 단위로 산정하고 연말에 인식하는 것을 가정하며, 연간가능총소득(PGI)에는 관리비 등 제반 내역이 합리적으로 포함되어 있다고 전제함
   3) 대상부동산의 수익환원법 적용시, 연간가능 총소득(PGI)은 최근 임대사례에서 산출하고, 공실손실상당액, 운영경비 등은 대상부동산을 기준으로 산정함
   4) 연간가능 총소득(PGI)은 매년 5% 상승하고, 공실률은 매년 5%로 예상되며, 운영경비는 각 층별 면적 기준으로 25,000원/㎡이 소요되며, 운영경비는 매년 4% 상승을 적용함

3. 乙의 투자계획
   1) 투자금액 : 4,200,000,000원
   2) 요구수익률 : 6%
   3) 투자기간 : 3년간 보유한 후 매각
   4) 보유기간말 매각시 매각비용 : 매각금액의 3%

4. 순현재가치(NPV)의 산정방법
   순현재가치(NPV)는 乙이 투자계획대로 대상부동산을 3년간 보유한 후 매각하는 것을 가정하며, 수익환원법 적용 자료와 같이 연간단위로 수익과 비용을 연말에 인식함

【문제 2】 감정평가사 甲은 임대에 제공되고 있는 상업용 부동산(집합건물)을 시장가치로 매수할 것을 제안받은 잠재적 매수인 乙로부터 상담을 의뢰받았는 바, 제시된 자료를 참조하여 다음 물음에 답하시오. (30점)

물음(1) 의뢰인 乙이 제안을 받아들일 경우, 乙의 투자수익률(거래비용은 고려하지 않음)과 乙의 요구수익률을 충족시키는 매매가격을 구하시오. (10점)

물음(2) 본건 부동산의 완전소유권에 기초한 수익률을 산출하여 직접환원법에 의한 수익가치를 구하시오. (10점)

물음(3) 「완전소유권의 가치＝임대권의 가치＋임차권의 가치」라는 등식이 성립하고, 의뢰인 乙의 요구수익률을 충족시키는 매매가격이 적정한 임대권의 가치라 가정한다. 이 경우, 내재된 임차권 수익률을 구하고, 임차권 수익률이 임대권 수익률보다 큰 이유를 설명하시오. (10점)

<자료 1> 기본적 사항

1. 의뢰일(기준시점) : 2016년 7월 1일
2. 대상부동산 내역

소재지 지번	층·호수	면적(㎡)	임대료(원)		임대차 계약기간
			보증금	지불임료/월	
S시 S구 S동 1000번지	지상2층 201호	100.0	100,000,000	1,500,000	2015.07.01.~2020.06.30

<자료 2> 의뢰인 면담 내용 요약

1. 무위험률에 1.20% 가산한 수익률을 요구하며, 이러한 조건은 과거 상업용 부동산(집합건물) 투자수익률과 무위험률의 격차(spread) 추세 및 인근지역의 전형적인 임대용 부동산 투자자의 요구 조건과도 부합함

2. 본건에 투자할 경우, 임대차 계약이 만료되는 시점에 재매도 예정임

<자료 3> 시장조사 자료

1. 시장임대료(의뢰일 현재) : 보증금 @1,100,000/㎡ 및 지불임료 @16,500원/㎡ 수준이고, 관리비는 별도로 임차인이 지불함

2. 매매사례

기호	소재지 지번	층·호수	면적(㎡)	계약일	매매금액(원)	비고
1	S시 S구 S동 986번지	지상2층 201호	30.0	2016.06.24	363,000,000	경사지에 위치한바, 주 도로기준 1층
2	S시 S구 S동 1021번지	지상2층 205호	210.0	2016.06.19	1,000,000,000	–
3	S시 S구 S동 1004번지	지상2층 207호	92.0	2016.06.20	540,000,000	–

※ 상기 매매사례 모두 최근의 것으로 별도의 시점수정은 불필요함

3. 개별요인

본건	매매사례 #1	매매사례 #2	매매사례 #3
1.00	0.50	0.85	1.03

4. 본건 부동산의 인근지역 내 상업용 부동산(집합건물)의 공급 증가로 본건 임대차 계약 만료 시에 5.00%의 시장가치 하락이 예상됨

<자료 4> 시장금리 등 자료

1. 국고채(3년) : 1.390%/년(최근 3개월 평균)

2. 회사채(장외 3년, AA-등급) : 1.943%/년(최근 3개월 평균)

3. 보증금 운용이율 : 2.00%/년

【문제 3】 감정평가사 甲은 국산 사출기 20대를 보유하고, 플라스틱 제품을 생산하여, 수출 중인 사업체(K사) 전체에 대한 적정한 시장가치의 산정을 의뢰받았다. 토지, 건물 및 구축물, 영업권 등의 무형자산에 대한 가치까지 산정한 후, 최종적으로 사업체의 주 생산설비인 국산 사출기 20대에 대하여 관련 규칙 및 기준에 의거하여 평가하고자 한다. 제시된 자료를 참조하여 평가방법을 결정하고, 다음 물음에 답하시오. (20점)

물음(1) '감정평가에 관한 규칙' 별지서식인 "감정평가액의 산출근거 및 결정의견"을 최대한 활용하여 제1라인의 적정가격을 제시하시오. (10점)

물음(2) '감정평가에 관한 규칙' 별지서식인 "감정평가액의 산출근거 및 결정의견"을 최대한 활용하여 제2라인의 적정가격을 제시하시오. (10점)

<자료 1> 기본사항

1. 의뢰인 및 사업체명 : 주식회사 K
2. 기준시점 : 2016년 7월 1일
3. 생산라인구성 : 제1라인과 제2라인으로 구성되어 있으며, 각 생산라인에 10대씩 설치되어 있으나, 제1라인의 사출기는 생산효율이 높지 아니하고 전용불가능한 과잉유휴설비로 전체를 철거하여 매각할 예정임

<자료 2> 기계에 관한 사항

1. 제1라인 : 2006년 7월 1일 10대 설치가동, 유지보수상태 보통 이하
2. 제2라인 : 2011년 7월 1일 10대 설치가동, 유지보수상태 양호

<자료 3> 라인별 취득가격 및 유지보수비 등

1. 라인별 취득가격

구 분	제1라인 단위당 취득가격(원)	제2라인 단위당 취득가격(원)
본체	50,000,000	80,000,000
부대설비	20,000,000	30,000,000
설치비	5,000,000	5,000,000
시험운전비	5,000,000	5,000,000
부가가치세	8,000,000	12,000,000

2. 제1라인의 경우, 설치이후 현재까지 단위당 유지보수 등을 위한 수익적 지출에 20,000,000원, 자본적 지출에 20,000,000원이 각각 소요됨

3. 제2라인의 경우, 설치이후 현재까지 단위당 유지보수 등을 위한 수익적 지출에 10,000,000원, 자본적 지출에 10,000,000원이 각각 소요됨

<자료 4> 내용연수 및 잔가율 등

1. 국내생산의 사출기는 물리적 내용연수가 12년, 경제적 내용연수는 10년 정도인 것으로 조사됨

2. 본 기계의 잔가율은 통상 10%로 조사되고, 감가수정은 관련 법령에서 제시한 원칙적 방법에 따를 예정임

3. 물가변동에 따른 기계가격 보정지수 : 취득가격에만 적용
   1) 제1라인은 기준시점까지 10% 상승
   2) 제2라인은 기준시점까지 변동사항이 없음

<자료 5> 기타자료

1. 제1라인의 유사사양 사출기는 생산효율의 저감으로, 해체 및 포장된 상태에서 동남아 등지에 기계를 수출하는 업자에게 매각가능하며, 단위당 매각 가능가격은 잔존가치와 유사한 것으로 조사됨

2. 제1라인의 해체 및 철거와 조립 및 포장 운반 등에 소요되는 단위당 관련 비용은 아래와 같이 조사됨
   1) 해체비 : 1,000,000원
   2) 철거비 : 1,000,000원
   3) 운반비 등 : 1,000,000원
   4) 설치비 : 5,000,000원

【문제 4】 감정평가사 甲은 S시장으로부터 '도시계획시설도로 개설사업'에 일부 편입되는 소규모 봉제공장에 대하여 '영업의 휴업손실'에 대한 보상평가를 의뢰받았다. 한편, 이 공장의 관계 법령에 의하면, 일부 편입에 따른 잔여시설 보수 후 재사용이 가능한 경우에 해당되는 바, 제시된 자료를 참조하여 영업장소를 이전하는 경우와 비교하여 보상평가액을 산정하시오. (10점)

<자료 1> 공통사항

1. 사업인정고시 의제일 : 2015년 7월 1일
2. 본 공장의 가동일 : 2010년 7월 1일 (적법한 허가취득)
3. 가격시점 : 2016년 7월 1일
4. 사업시행자 : S시장
5. 휴업기간 및 잔여시설 보수기간 : 4개월

<자료 2> 조사내용

1. 연간 영업이익 : 60,000,000원
2. 영업장소 이전 후 발생하는 영업이익 감소액 : 연간 영업이익의 10%
3. 월간 고정적 비용항목 : 2,000,000원
4. 전체 이전비 및 감손상당액 : 4,000,000원
5. 개업비 등의 부대비용 : 1,000,000원
6. 해당시설의 보수비 : 18,000,000원
7. 영업규모 축소에 따른 고정자산 등의 매각손실액 : 5,000,000원

제28회 감정평가사 2차 국가자격시험문제

교 시	시 간	시 험 과 목
1교시	100분	1 감정평가실무

수험번호		성 명	

※ 공통유의사항

1. 각 문제는 해답 산정시 산식과 도출과정을 반드시 기재
2. 단가는 관련 규정에서 정하고 있는 사항을 제외하고 천원미만은 절사, 그 밖의 요인 보정치는 소수점 셋째자리 이하 절사

【문제 1】 감정평가사 김○○은 W시 N구청장으로부터 도시계획시설(도로)사업과 관련하여 토지의 보상평가를 의뢰받았다. 관련 법규 및 이론을 참작하고 제시된 자료를 활용하여 다음 물음에 답하시오. (40점)

물음 1) 미지급용지의 개념 및 평가기준을 기술하고, 대상토지의 감정평가액을 구하시오. (15점)

물음 2) 사실상 사도의 개념 및 평가기준을 기술하고, 대상토지의 감정평가액을 구하시오. (15점)

물음 3) 예정공도의 개념 및 평가기준에 대해 기술하고, 대상토지의 감정평가액을 구하시오. (10점)

<공통 자료>

1. 사업의 개요
   1) 사업시행지 : W시 N구 M동 100-4번지 일원
   2) 사업의 종류 : 도시계획시설(도로)사업(소로2-60호선) 개설공사
   3) 사업시행자 : W시 N구청장
   4) 사업의 착수 예정일 및 준공예정일 : 인가일 ~ 2018.03.31.

2. 사업추진일정

구분	일정
• 도시계획시설(도로)결정일	2010.08.21
• 도시계획시설(도로)사업 실시계획인가고시일	2016.12.15
• 보상계획공고일	2017.03.31
• 현장조사완료일	2017.06.01

※ 보상의뢰서상 가격시점 요구일 : 2017.07.01

3. 대상토지의 개요(가격시점 현재)

기호	소재지	편입면적 (m^2)	지목	현실 이용상황	용도지역	비고(소유자)
1	W시 N구 M동 100-4번지	381	전	도로	준주거지역	홍길동

4. 표준지 공시지가 자료

기호	소재지	면적 (m^2)	지목	이용상황	용도지역	도로교통	형상지세	공시지가(원/m^2)	
								2016.01.01	2017.01.01
A	W시 N구 M동 105번지	400	대	주거나지	2종일주	세로(불)	가장형 평지	770,000	860,000
B	W시 N구 M동 103번지	420	대	다세대	준주거	세로(가)	정방형 평지	1,050,000	1,160,000
C	W시 N구 M동 101번지	450	대	주상용	준주거	소로한면	사다리 평지	1,100,000	1,210,000

5. 시점수정자료(W시 N구 주거지역)

구분	지가변동률(%)	비고
2016.01.01~2016.12.31	3.257	2016년 12월 누계
2017.01.01~2017.05.31	1.426	2017년 5월 누계
2017.05.01~2017.05.31	0.431	2017년 5월 변동률

※ 2017년 6월 이후의 지가변동률은 현재 미고시인 상태로 직전월인 2017년 5월 지가변동률을 연장적용 하기로 함

6. 개별요인 품등 비교자료

1) 형상

구분	정방형	가장형	세장형	사다리	부정형	자루형
정방형	1.00	1.02	1.00	0.99	0.94	0.89
가장형	0.98	1.00	0.98	0.97	0.92	0.87
세장형	1.00	1.02	1.00	0.99	0.94	0.89
사다리	1.01	1.03	1.01	1.00	0.95	0.90
부정형	1.06	1.09	1.06	1.05	1.00	0.94
자루형	1.12	1.15	1.12	1.11	1.06	1.00

※ 부정형 : 삼각형 포함

※ 자루형 : 역삼각형 포함

2) 도로접면

구분	중로한면	소로한면	세로(가)	세로(불)	맹지
중로한면	1.00	0.92	0.82	0.78	0.70
소로한면	1.09	1.00	0.89	0.85	0.79
세로(가)	1.22	1.12	1.00	0.95	0.88
세로(불)	1.28	1.18	1.05	1.00	0.93
맹지	1.43	1.27	1.13	1.07	1.00

7. 그 밖의 요인 보정치 산정을 위한 자료

1) 보상 평가사례

기호	소재지	면적 (m²)	지목	이용 상황	용도 지역	도로 교통	형상 지세	단가 (원/m²)	가격시점
ㄱ	W시 N구 M동 200번지	300	대	주거 나지	일반 상업	소로 한면	부정형 평지	2,500,000	2017.01.01
ㄴ	W시 N구 M동 250번지	350	대	다세대	준주거	세로 (가)	세장형 평지	1,500,000	2017.01.01
ㄷ	W시 N구 M동 300번지	380	대	주상용	준주거	소로 한면	사다리 평지	1,800,000	2017.01.01

2) 거래사례(토지만의 정상 거래사례임)

기호	소재지	면적 (m²)	지목	이용 상황	용도 지역	도로 교통	형상 지세	단가 (원/m²)	거래시점
ㄹ	W시 N구 M동 400번지	400	대	주상 나지	2종 일주	중로 한면	부정형 평지	1,600,000	2017.01.01
ㅁ	W시 N구 M동 420번지	380	대	상업 나지	준주거	중로 한면	세장형 평지	2,200,000	2017.01.01
ㅂ	W시 N구 M동 500번지	350	대	주거 나지	2종 일주	세로 (가)	사다리 평지	1,000,000	2017.01.01

8. 현장조사내용

1) 대상토지 주변은 도심지내 기존 주택지를 중심으로 형성된 소규모 점포주택과 단독주택 및 다세대주택 등이 혼재하는 지역으로 조사되었음

2) 비교표준지, 보상 평가사례 및 거래사례는 인근지역에 소재하며, 당해 도시계획시설(도로)사업에 따른 개발이익이 포함되어 있지 않은 것으로 조사되었음

9. 대상 토지 주변 지적현황(축척 없음)

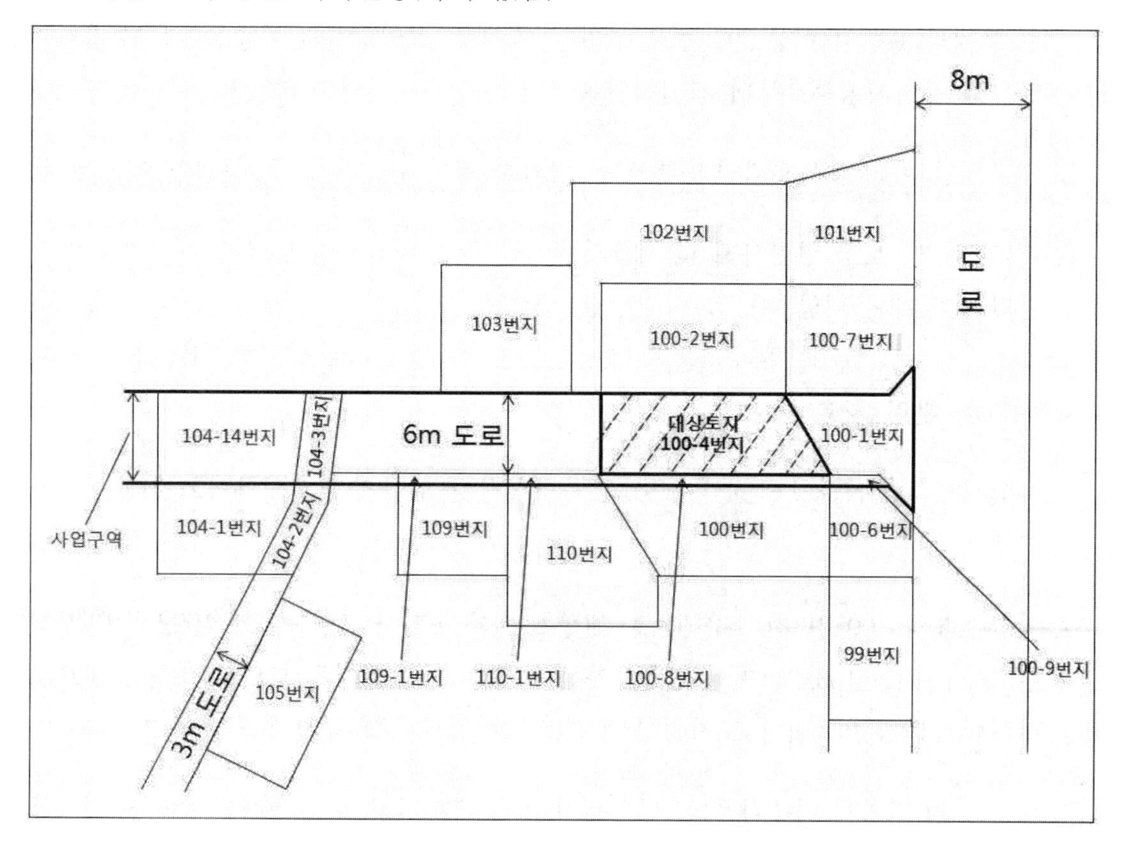

10. <공통 자료> 외에는 아래 각 물음의 자료를 활용하여 기술하되, 물음 1), 물음 2), 물음 3)은 각각 독립적인 사실관계임을 전제함

<물음 1) 관련 자료>

1. 사업시행자인 N구청장은 대상 토지가 미지급용지임을 보상평가의뢰서에 명기하였음

2. 본건 토지는 종전 공익사업의 시행으로 M동 100번지에서 분필된 토지로 현재 도로로 이용중인 사다리형 토지이나, 종전 편입당시에는 부정형, 맹지인 토지였음

3. 본건 토지는 종전 공익사업 시행이전에는 제2종일반주거지역 이었으나, 종전의 공익사업으로 인하여 준주거지역으로 변경되었음

4. 본건 토지의 지목은 종전의 공익사업에 편입되기 전에도 "전" 이었으나, 당시 주변 토지의 표준적 이용상황 등을 고려할 때 종전 편입당시의 이용상황은 주거나지였음을 사업시행자로부터 확인하였음

5. 개별요인 비교시 도로접면과 형상을 제외한 토지 특성은 모두 동일한 것으로 봄

6. 비교표준지, 보상 평가사례 및 거래사례에는 종전 공익사업에 따른 가치변동이 포함되어 있지 아니함.

<물음 2) 관련 자료>

1. 사업시행자인 N구청장은 대상 토지가 사실상 사도임을 보상평가의뢰서에 명기하였음

2. 인접한 M동 100-2번지 소유권자는 대상 토지와 동일한 홍길동이고, 1992년 8월부터 홍길동은 M동 100-2번지의 건축허가를 위하여 대상 토지를 도로로 개설한 것으로 확인이 되었는바, 대상 토지는 M동 100-2번지의 효용증진에 기여하고 있음

3. 대상 토지 평가시 기준이 되는 인근토지 및 인근토지의 토지 특성은 주어진 자료를 활용하여 판단할 것

4. 개별요인 비교시 도로접면과 형상을 제외한 토지 특성은 모두 동일한 것으로 봄

<물음 3) 관련 자료>

1. 사업시행자인 N구청장은 대상 토지가 예정공도임을 보상평가의뢰서에 명기하였음

2. 인접한 M동 100-2번지 소유권자는 대상 토지와 동일한 홍길동이며, 당해 도시계획시설사업 시행절차 등이 없는 상태에서 M동 100-2번지의 건축허가를 위하여 2012년 8월부터 도로로 개설한 후, 사실상 불특정 다수인의 통행에 이용 중임을 사업시행자로부터 확인하였음

3. 인근지역의 표준적인 이용상황은 주어진 자료를 활용하여 판단할 것

4. 개별요인 비교시 도로접면과 형상을 제외한 토지 특성은 모두 동일한 것으로 보며, 당해 도로의 개설로 인한 개발이익은 30%임

5. 주변토지 이용상황

구분	소재지	지목	이용상황	용도지역	비고
가	W시 N구 M동 104-1, 104-14번지	대	단독주택	2종일주	-
나	W시 N구 M동 104-2, 104-3번지	도	도로	2종일주	-
다	W시 N구 M동 109, 109-1번지	대	단독주택	준주거지역	-
라	W시 N구 M동 110, 110-1번지	대	단독주택	준주거지역	-
마	W시 N구 M동 102번지	대	단독주택	준주거지역	-
바	W시 N구 M동 100-2번지	대	다세대	준주거지역	-
사	W시 N구 M동 100, 100-8번지	대	다세대	준주거지역	-
아	W시 N구 M동 100-1번지	전	도로	준주거지역	-
자	W시 N구 M동 100-6, 100-9번지	전	주상나지	준주거지역	-
차	W시 N구 M동 100-7번지	대	주상용	준주거지역	-
카	W시 N구 M동 99번지	대	주상용	준주거지역	-

【문제 2】 감정평가사 김○○은 산업단지 내의 염색공장으로 사용되었던 오염토지에 대하여 시가참고 목적의 감정평가를 의뢰받았다. 관련 법규 및 이론을 참작하고 제시된 자료를 활용하여 다음 물음에 답하시오. (30점)

물음 1) 오염 전의 토지가액을 구하시오. (10점)

물음 2) 오염 후의 토지가액을 구하시오. (15점)

물음 3) 오염된 토지의 스티그마(Stigma) 감정평가 방법을 기술하시오. (5점)

<자료 1> 대상 토지의 개요

기호	소재지	지목	면적(m^2)	용도지역	도로교통	형상 지세
1	서울특별시 A구 가동 99	공장용지	9,999	준공업 지역	중로한면	사다리 평지

<자료 2> 기본적 사항

1. 감정평가 목적 : 시가참고
2. 기준시점 : 2017.07.01
3. 현장조사 : 2017.03.01~2017.07.01
4. 대상 토지는 2005년부터 산업단지 내에 공업용으로 사용되었고, 토양오염이 발견되어 최근 오염조사 및 정화전문업체가 시료채취를 하여 오염여부를 조사하였음. 대상 토지는 2010.07.01부터 오염이 시작된 것으로 보이며, 현 상황에서 오염정화에 필요한 기간은 2017.07.01부터 3년이 소요될 것으로 예상됨
   대상 토지가 속한 인근지역은 최근 주택 건축이 늘어나고 있으며, 대상 토지 역시 Y주택건설(주)이 주택부지로 분양하기 위하여 2015.07.01에 29,997,000,000원에 매입하였음(종전 건물의 철거비용 150,000,000원은 종전 소유자가 부담). Y주택건설(주)은 대상 토지를 주택부지로 분양하기 위하여 기초공사를 하던 중 2016.07.01에 토양이 오염된 것을 발견하였고 관련 조사가 진행 중임

<자료 3> 오염물질 조사사항

구분	오염요인	조사된 오염물질(단위 : mg/kg)
대상 토지 일부	공장운영에 따른 배관 부식과 오염물질 누출로 추정됨	트리클로로에틸렌(TCE) : 75 테트라클로로에틸렌(PCE) : 50 톨루엔 : 110 페놀 : 50 카드뮴 : 110 납 : 1,300 6가크롬 : 80 비소 : 400 수은 : 60
• 감정평가사 김○○은 오염조사 및 정화 전문업체의 조사 보고서를 검토한 결과, 대상 토지 일부가 「토양환경보전법 시행규칙」 제1조의5 관련 별표3 토양오염우려기준을 상당히 초과하였다고 판단함 • 향후 오염제거 및 정화공사가 필요하며 이는 합리적이라고 판단함 • 토양오염의 규모는 2,000m³로 조사됨		

<자료 4> 거래사례 자료

구분	사례1	사례2	사례3
소재지	서울특별시 A구 가동 97	서울특별시 B구 나동 100	서울특별시 C구 다동 101
지목	공장용지	공장용지	공장용지
면적(m²)	9,000	8,000	7,500
이용상황	공업용	공업용	공업용
도로교통	중로한면	중로한면	중로한면
형상지세	사다리 평지	사다리 평지	사다리 평지
거래시점	2016.09.23	2016.09.14	2016.11.06
거래금액(원)	15,500,000,000 (@1,722,000원/m²)	12,500,000,000 (@1,562,000원/m²)	35,000,000,000 (@4,666,000원/m²)
용도지역	준공업지역	준공업지역	준공업지역
오염여부	오염(TCE, PCE 등, 1,000m³ 정화필요)	오염(TCE, PCE 등, 500m³ 정화필요)	토양오염 없음

※ 사례3은 정상적인 거래라고 판단함

<자료 5> 시점수정 자료(지가변동률)

구분	A구 공업지역	B구 공업지역	C구 공업지역
2016년 9월	-0.041%	0.021%	1.081%
2016년 10월	-0.042%	1.085%	0.752%
2016년 11월	-0.040%	0.024%	0.020%
2016년 12월	-0.044%	1.083%	1.080%
2017년 1월	1.025%	-1.022%	1.500%
2017년 2월	1.124%	0.099%	1.670%
2017년 3월	2.013%	0.077%	1.080%
2017년 4월	-1.012%	-0.044%	1.020%
2017년 5월	0.051%	0.022%	0.750%

※ 2017년 6월 이후의 지가변동률은 현재 미고시인 상태로 직전 월인 2017년 5월 지가변동률을 연장적용 하기로 함

<자료 6> 기타 참고자료

1. 오염 전의 토지가액은 비교방식을 적용하고, 거래단가를 기준으로 산정함

2. 비교요인표

구분	본건	거래사례1	거래사례2	거래사례3
지역요인 비교	100	100	98	115
개별요인 비교	100	95	85	135

※ 요인 비교에서 본건과 사례의 가치형성요인 사항에는 오염에 대한 비교요인은 고려되지 않았음

3. 토양오염 조사비용 자료
토양오염의 규모는 2,000m^{3}로 조사되었고, 관련 토양오염 조사비용으로 토양이 오염된 규모를 기준으로 1,000,000원/m^{3}을 2017.07.01.에 지급함

4. 정화비용 자료
정화방법은 생물학적 처리, 화학적 처리 및 열처리를 복합적으로 적용할 예정이며, 정화기간은 3년이 소요될 것으로 추정되고 연간 정화비용은 600,000원/m^{3}이 소요

되며 매년 연말에 지급함

5. 정화공사 기간 중 토지이용제약에 따른 임대료손실 자료
   임대료 조사사항은 향후 4년 간 시장임대료를 기준으로 보증금 3,000,000,000원, 연간 임대료는 600,000,000원이며, 정화공사 기간 중 임대료손실이 예상되고, 임대와 관련된 지출비용은 미미함

6. 스티그마 자료(오염 전 토지가액을 기준으로 한 가치감소분)

감가율	오염 전	오염된 상태	정화공사 중	정화공사 후
오염조사 전문업체 보고서 기준	0%	-30%	-10%	-5%
시장조사 자료	0%	-20%	-15%	-10%

※ 정화공사 기간은 3년이며, 스티그마의 존속기간은 공사완료 후 1년까지 예상됨
※ 본건 스티그마 금액을 산정하는 경우에는 현재 '오염된 상태'의 보고서 및 시장조사 자료의 감가율을 기준으로 각각 산정한 후 평균금액을 적용

7. 이율 자료
   1) 보증금은 기간초 지급, 임대료 기간말 지급, 보증금 운용이율은 연 2% 적용함
   2) 시장이자율(할인율) 연 6%, 화폐의 시간가치 고려함
   3) 연복리표(이자율 6% 기준)

기간	일시불 내가계수	연금 내가계수	연금 현가계수
3년	1.191016	3.183600	2.673012
4년	1.262477	4.374616	3.465106

8. 기타
   1) 토양오염 이외의 악취 등 가치감소요인은 없는 것으로 봄
   2) Y주택건설(주) 대표 장○○은 대상 토지 오염으로 인하여 30,000,000원의 정신적 손실이 발생함
   3) 종전 소유자(매도인)의 책임사항은 논외로 함
   4) 토지단가는 천원 미만 절사, 물음 1), 물음 2)의 토지가액 및 비용산정 등 금액은 백만원 미만 절사함

【문제 3】 감정평가사 김○○은 A법원으로부터 소송 참고 용 토지 임대료 평가를 의뢰받고, 관련 법률 등을 검토한 결과 적산법을 적용하여 관련 토지의 임대료를 평가하기로 하였다. 관련 법규 및 이론을 참작하고 제시된 자료를 활용하여 다음 물음에 답하시오. (20점)

물음 1) 본건 토지의 기초가액을 구하시오. (10점)

물음 2) 기대이율 결정이유를 기술하고 본건 토지의 임대료를 구하시오. (10점)

<자료 1> 법원 감정신청 내용

1. 감정목적물 : A시 B구 C동 60-1 대 200m^2
2. 감정사항 : 2013.07.01부터 1년간 임대료 및 2017.07.01부터 1년간 임대료를 각각 감정평가 할 것
3. 기준시점 : 2013.07.01 및 2017.07.01.

<자료 2> 기본적 사항

1. 대상물건

소재지	지목	면적(m^2)	이용상황	용도지역
A시B구C동 60-1	대	200	단독주택	2종일주

2. 대상물건의 지목, 면적, 이용상황, 용도지역 내역은 2010.01.01~2017.07.01 현재까지 동일함

<자료 3> 토지 개황

1. 인근은 단독주택, 다세대 및 다가구 주택, 근린생활시설 등이 혼재되어 있음
2. 본건은 인접 토지 대비 등고 평탄한 세장형 토지임
3. 본건은 북측으로 약 6m의 포장도로에, 동측으로 약 6m의 포장도로에 접해 있음

4. 토지이용계획사항 등 : 도시지역, 제2종일반주거지역

5. 상기 1. ~ 4.의 내용은 2010.01.01 ~ 2017.07.01 현재까지 동일함

<자료 4> 표준지 자료

1. 인근지역내 표준지 내역(소재지 A시 B구 C동, 공시지가는 매년 1월 1일 기준)

기호	지번	지목	면적(m²)	이용상황	용도지역	도로교통	형상지세	주위환경	공시지가(원/m²)				
									2013년	2014년	2015년	2016년	2017년
가	10-1	대	170	단독주택	2종일주	세로(가)	세장형 평지	기존 주택지대	2,830,000	2,950,000	3,150,000	3,270,000	3,430,000
나	50-1	대	180	단독주택	2종일주	세로(가)	세장형 평지	주택 및 상가지대			2,440,000	2,560,000	2,920,000
다	85-1	대	160	주상용	2종일주	소로각지	사다리 평지	주택 및 상가지대	3,000,000	3,230,000	3,350,000	3,540,000	3,700,000
라	100	대	210	단독주택	2종일주	소로각지	세장형 평지	주택 및 상가지대	2,650,000	2,730,000			

2. 상기 1.에서 공시지가가 표시되지 않은 연도는 해당 토지가 표준지로 선정되지 않은 연도임

<자료 5> 시점수정자료[지가변동률(A시 B구 주거지역, %)]

구분	변동률
2013.01.01 ~ 2013.06.30(누계)	2.000
2013.07.01 ~ 2013.07.31(당월)	0.350
2017.01.01 ~ 2017.05.31(누계)	1.500
2017.05.01 ~ 2017.05.31(당월)	0.200

※ 2017년 6월 이후의 지가변동률은 현재 미고시인 상태로 직전 월인 2017년 5월 지가변동률을 연장적용 하기로 함

<자료 6> 인근지역내 토지거래사례(소재지 A시 B구 C동)

기호	지번	지목	면적 (m^2)	이용 상황	용도 지역	도로 교통	형상 지세	주위환경	토지단가 (원/m^2)	거래시점
1	20-1	대	157	주상용	2종 일주	중로 각지	가장형 평지	주택 및 상가지대	4,500,000	2013.07.01
2	30-1	대	250	단독 주택	2종 일주	세로 (가)	세장형 평지	주택 및 상가지대	4,000,000	2013.07.01
3	70-1	대	189	단독 주택	2종 일주	소로 한면	세장형 평지	기존 주택지대	5,100,000	2017.06.20
4	80-1	대	210	단독 주택	2종 일주	소로 각지	세장형 평지	주택 및 상가지대	5,400,000	2017.06.10

<자료 7> 개별요인 비교자료

1. 도로접면 격차율

구분	광대한면	중로한면	소로한면	세로(가)	세로(불)
격차율	1.00	0.90	0.88	0.85	0.70

※ 도로접면이 각지인 경우는 한면에 접하는 경우에 비해 1% 우세함

2. 형상 격차율

구분	정방형	가장형	세장형	사다리	부정형
격차율	1.00	0.99	0.99	0.98	0.90

<자료 8> 기대이율 관련 자료

1. 참고용 기대이율 적용기준율표 I (2016년 이후 기준)

대분류		소분류		실제이용상황	
				표준적이용	임시적이용
I	주거용	아파트	수도권 및 광역시	1.5%~3.5%	0.5%~2.5%
		연립·다세대		1.5%~5.0%	0.5%~3.0%
		다가구		2.0%~6.0%	1.0%~3.0%
		단독주택		1.0%~4.0%	0.5%~2.0%

2. 참고용 기대이율 적용기준율표 Ⅱ (2016년 이전 기준)

토지용도		실제이용상황		
		최유효이용	임시적이용	나지
주거용지	아파트, 연립주택, 다세대주택	4~7%	2~4%	1~2%
	다중주택, 다가구주택	3~6%	2~3%	1~2%
	일반단독주택	3~5%	1~3%	1~2%

3. 참고용 CD금리 기준 기대이율표 (모든 년도에 적용가능)

대분류		소분류		실제이용상황	
				표준적이용	임시적이용
Ⅰ	주거용	아파트	수도권 및 광역시	CD금리+-1.5%~0.5%	CD금리+ -2.5%~-0.5%
		연립·다세대		CD금리+-1.5%~2.0%	CD금리+ -2.5%~ 0.0%
		다가구		CD금리+-1.0%~3.0%	CD금리+ -2.0%~ 0.0%
		단독주택		CD금리+-2.0%~1.0%	CD금리+ -2.5%~-1.0%

4. 각종 금리 변동상황

구분	국고채수익률(%)	CD유통수익률(%)
2013.07.01	3.10	3.00
2014.07.01	2.70	2.60
2015.07.01	2.30	2.20
2016.07.01	2.10	2.10
2017.07.01	2.00	2.00

5. 기대이율은 국고채수익률 및 CD유통수익률과 밀접한 관계가 있는 것으로 조사됨
6. 상기 1. ~ 3.에서 제시하는 기대이율범위에서 각각의 중간값 중 하나를 기대이율로 선정하되, 선정된 기대이율은 2%를 초과해야함

<자료 9> 기타자료

1. 토지임대료와 관련된 필요제경비는 미미하여 고려하지 않음

2. 표준지 공시지가를 기준으로 토지를 평가하는 경우 그 밖의 요인 보정이 필요한 것으로 판단됨
3. 토지거래사례는 그 밖의 요인 보정치 산정에만 활용할 것
4. 토지거래사례는 모두 정상적인 사례로 판단됨
5. A시는 수도권에 위치해 있음

【문제 4】 감정평가사 김○○은 다음 물건에 대하여 A기업으로부터 일반거래 시가참고용 감정평가를 의뢰받았다. 기준시점을 2017.07.01로 하여 관련 법규 및 이론을 참작하고 제시된 자료를 활용하여 감정평가하시오. (10점)

<자료 1> 대상물건 개요

<table>
<tr><td>소재지</td><td colspan="4">A시 B구 C동 100외 2필지</td></tr>
<tr><td>건물명, 층, 호수</td><td colspan="4">"D타운" 제10동 제17층 제1706호</td></tr>
<tr><td>용도</td><td colspan="2">아파트</td><td>사용승인일</td><td>2010.10.10</td></tr>
<tr><td rowspan="2">면적</td><td>전유면적(m²)</td><td>공용면적(m²)</td><td>분양면적(m²)</td><td>대지권면적(m²)</td></tr>
<tr><td>85</td><td>25</td><td>110</td><td>28.5</td></tr>
</table>

<자료 2> 현장조사내용

1. 본건 인근은 아파트, 다세대 및 다가구주택, 상가, 공장 등이 혼재하는 지역임
2. 본건까지 차량출입 가능하고 인근에 노선버스정류장이 위치해 있음
3. 본건은 현재 방 3개, 주방, 거실, 화장실 2개, 발코니로 구성되어 있으며, 위생 및 급·배수설비, 난방설비, 승강기설비, 소화전설비 등이 되어 있음
4. 본건은 발코니가 합법적으로 확장되어 있으며 확장면적은 $10m^2$임
5. 본건의 관리상태를 상, 중, 하로 나타낼 경우 '하'에 해당함
6. 대상물건이 위치한 동일 아파트단지 내의 거래사례를 분석한 결과, 거래시점, 발코니 확장정도, 관리상태, 층, 향, 동에 따라 가격차이가 존재함

<자료 3> 인근 아파트 거래사례(정상적인 거래로 판단됨)

기호	소재지, 지번, 명칭	동	층	호수	전유면적 (m^2)	거래금액(원)	거래시점	관리 상태
1	A시 B구 C동 100외 2필지 D타운	제10동	4	406	85	338,750,000	2016.06.10	하
2		제10동	18	1803	85	335,000,000	2016.12.10	하
3		제10동	16	1605	85	350,000,000	2017.03.25	중
4		제15동	8	802	85	338,000,000	2017.07.01	상
5		제15동	8	801	85	345,000,000	2017.07.01	중

<자료 4> A시 월별 아파트 매매가격지수

2016년						2017년						
7월	8월	9월	10월	11월	12월	1월	2월	3월	4월	5월	6월	7월
103.4	103.6	103.8	104	104.4	104.4	104.4	104.4	104.5	104.6	104.7	105.0	105.1

<자료 5> 기타자료

1. 거래사례 중 기호5는 발코니가 합법적으로 $10m^2$ 확장된 것으로 조사되었고 나머지는 확장되지 않은 것으로 조사됨
2. 본건과 거래사례는 방배치 등 기타 구조 측면에서 모두 동일함
3. 관리상태에 따른 가격격차 정도는 다음과 같음(D타운 전체 적용가능)

하	중	상
100	101	102

4. 층에 따른 가격격차 정도는 다음과 같음(D타운 전체 적용가능)

1층 ~ 3층	4층 ~ 10층	11층 ~ 20층
100	105	108

5. 본건 아파트의 1호 ~ 3호는 남동향이며, 4호 ~ 6호는 남향임

제29회 감정평가사 2차 국가자격시험문제

교 시	시 간	시 험 과 목
1교시	100분	① 감정평가실무

수험번호		성 명	

※ 공통유의사항

1. 각 문제는 해답 산정시 산식과 도출과정을 반드시 기재
2. 단가는 관련 규정에서 정하고 있는 사항을 제외하고 천원미만은 절사, 그 밖의 요인 보정치는 소수점 셋째자리 이하 절사

【문제 1】 감정평가사 甲은 철도건설사업과 관련하여 지하공간 사용에 따른 보상목적의 감정평가를 의뢰받았다. 관련 법규 및 감정평가이론을 참작하고 제시된 자료를 활용하여 다음의 물음에 답하시오. (40점)

물음 1) 감정평가사 甲은 대상토지의 지역요인을 분석하여 인근지역, 동일수급권, 유사지역의 범위를 판정하려고 한다. 인근지역의 개념과 판정기준에 대해 설명하고, 제시된 자료를 활용하여 표준지 기호 1과 기호 2, 보상선례 토지에 대해 각각 대상토지와 인근지역의 여부를 판정하시오. (10점)

물음 2) 지하공간 사용에 대한 보상금을 산정하기 위한 대상토지의 적정가격을 감정평가 하시오. (15점)

물음 3) 대상토지의 지하공간 사용에 대한 보상금을 산정하시오. (10점)

물음 4) 관련 법규상 지하공간 사용에 대한 보상금을 감정평가하는 기준의 문제점에 대해 설명하시오. (5점)

<자료 1> 공익사업에 관한 사항

1. 사업명 : ○○ ~ ○○간 철도건설사업
2. 사업시행자 : ○○공단
3. 사업추진일정
   1) 기본계획의 수립 · 고시일 : 2017. 02. 02.
   2) 보상계획 공고일 : 2017. 08. 08.
   3) 실시계획승인 · 고시일 : 2018. 06. 06.
4. 권원확보방법 : 구분지상권 설정

<자료 2> 감정평가의 기본적 사항

1. 대상물건 : 경기도 B시 C동 산1번지의 지하터널 사용부분
2. 구분지상권 설정(예정)면적 : 1,200 m^2
3. 감정평가목적 : 협의보상
4. 가격시점(기준시점) : 2018. 06. 01.

<자료 3> 대상토지에 관한 사항

1. 소재지 : 경기도 B시 C동 산1번지
2. 면적 : 12,000 m^2, 지목 : 임야, 실제 이용상황 : 자연림
3. 토지이용계획 : 자연녹지지역, 도시 · 군계획시설 공원 저촉(100 %)
4. 등기사항증명서의 확인사항 : 구분지상권이 설정됨
   1) 구분지상권자 : ○○전력공사
   2) 목적 : 154 kV 가공 송전선로 건설
   3) 범위 : 동측 토지 상공 30 m에서 60 m까지의 공중공간
   4) 구분지상권 설정면적 : 1,800 m^2, 존속기간 : 해당 송전선로 존속시까지
   5) 구분지상권 설정일 : 2010. 09. 09.

<자료 4> 지하공간 사용에 관한 사항

1. 지하시설물의 유형 : 지하터널
2. 지하시설물의 크기 : 높이 3 m, 너비 8 m
3. 토피 : 대상토지가 완경사로서 위치마다 토피가 다르며, 최소 15 m ~ 최대 22 m임
   (사업시행자에게 질의한 결과 평균 토피는 18 m 임)
4. 지하시설물 사용기간 : 지하터널 존속시까지

<자료 5> 표준지공시지가 자료

기호	소재지	면적 (m^2)	지목	이용 상황	용도 지역	도로 접면	형상 지세	공시지가(원/m^2)	
								2017년	2018년
1	경기도 B시 C동 산11	10,000	임야	자연림	자연녹지	맹지	부정형 완경사	62,000	66,000
2	경기도 E시 F동 산20	12,500	임야	자연림	자연녹지	세로 (불)	세장형 완경사	58,000	60,000

※ 표준지 기호 1은 도시·군계획시설 공원에 100 % 저촉함
※ 표준지 기호 2는 도시자연공원구역에 100 % 저촉함
※ 도시·군계획시설 공원 또는 도시자연공원구역에 저촉하는 표준지의 경우 해당부분에 대해 공시지가의 감정평가시 40 %의 감가율을 적용함
※ 표준지 기호 1과 표준지 기호 2에는 154 kV 가공 송전선로 건설로 인한 구분지상권이 설정되어 있음

<자료 6> 지가변동률 자료

1. 경기도 B시

구분		지가변동률(단위 : %)		
		2017년 (누계)	2018년 (1월 ~ 4월 누계)	2018년 4월 (당월)
용도지역별	자연녹지	2.010	0.890	-0.005
이용상황별	임야	2.110	0.990	-0.003

※ 2018년 5월 이후 지가변동률은 미고시상태임

2. 경기도 E시

구분		지가변동률(단위 : %)		
		2017년 (누계)	2018년 (1월 ~ 4월 누계)	2018년 4월 (당월)
용도지역별	자연녹지	2.120	1.008	0.002
이용상황별	임야	2.450	0.990	-0.002

※ 2018년 5월 이후 지가변동률은 미고시상태임

<자료 7> 보상선례 자료

1. 소재지 : 경기도 E시 F동 산50번지
2. 공익사업의 종류 : 송전선로 건설사업(철탑부지)
3. 권원확보방법 : 소유권 취득
4. 보상액 : 80,000원/m^2
5. 가격시점(기준시점) : 2018. 05. 01.
6. 면적 : 15,000 m^2, 지목 : 임야, 실제 이용상황 : 자연림
7. 토지이용계획 : 자연녹지지역, 도시자연공원구역(100 %)
8. 도시자연공원구역에 저촉하는 토지는 보상목적의 감정평가시 40 %의 감가율을 적용함

<자료 8> 토지의 지역요인에 관한 자료

1. 경기도 B시 C동과 E시 F동은 서로 지리적으로 접하고 있음
2. 대상토지, 표준지 기호 1과 기호 2, 보상선례 토지는 서로 대체·경쟁관계가 성립하고 가격(가치)형성에 서로 영향을 미치고 있음
3. 대상토지, 표준지 기호 1과 기호 2, 보상선례 토지는 모두 완경사의 국도주변 야산지대에 속하고, 소나무와 활잡목이 혼재한 자연림지대로서 가격(가치)형성요인 중 지역요인이 같거나 유사하며 가격(가치)수준이 동일함
4. 대상토지와 표준지 기호 1이 속한 B시 C동과 표준지 기호 2와 보상선례 토지가 속한 E시 F동 사이에는 중앙분리대가 있는 왕복 4차선의 국도가 개설되어 있음

<자료 9> 토지의 위치도

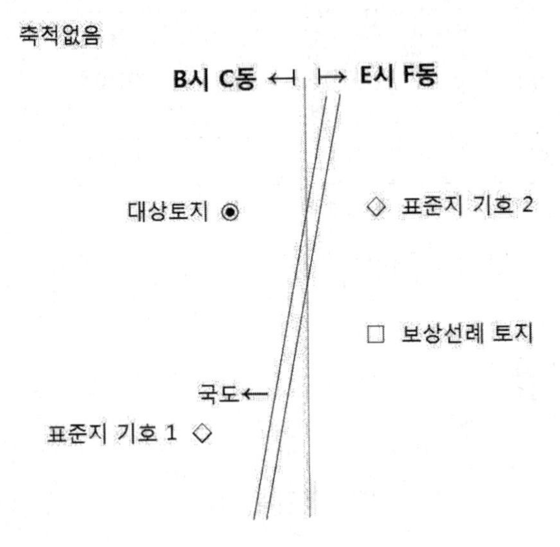

<자료 10> 토지의 개별요인에 관한 자료

각 토지의 개별요인에 관한 자료는 다음의 표와 같으며, 세항목별 격차율은 감정평가사가 판단할 사항임

구분	대상토지	표준지 기호 1	표준지 기호 2	보상선례 토지
면적	12,000 m^2	10,000 m^2	12,500 m^2	15,000 m^2
취락과의 거리	500 m	750 m	750 m	750 m
도로의 상태	폭 3 m	맹지	폭 3 m	맹지
방위	동향	남향	동향	동향
경사도	14°	10°	10°	14°
형상	세장형	부정형	세장형	부정형
용도지역	자연녹지지역	자연녹지지역	자연녹지지역	자연녹지지역
도시·군 계획시설	공원(100 %)	공원(100 %)	없음	없음
도시자연 공원구역	없음	없음	저촉(100 %)	저촉(100 %)
구분지상권 (설정면적)	설정(1,800 m^2)	설정(1,500 m^2)	설정(2,500 m^2)	없음

<자료 11> 구분지상권의 감가율

154 kV 가공 송전선으로 인한 구분지상권이 설정된 임야(임지)는 주변의 시장조사 결과 필지별로 선하지의 면적비율에 따라 다음과 같이 토지가 감가되는 것으로 조사됨

구 분	선하지 면적비율		
	10 % 미만	10 % ~ 20 % 미만	20 % ~ 30 % 미만
토지 감가율	15 %	20 %	25 %

<자료 12> 입체이용률 배분표

구분	저층시가지	주택지	농지 · 임지
건물 등 이용률(α)	0.75	0.70	0.80
지하부분 이용률(β)	0.10	0.15	0.10
그 밖의 이용률(γ)	0.15	0.15	0.10
(γ)의 상하배분비율	1:1 ~ 3:1	1:1 ~ 3:1	1:1 ~ 4:1

※ 이용저해심도가 높은 터널 토피 20 m 이하의 경우에는 (γ)의 상하배분비율을 최고치를 적용함

<자료 13> 심도별 지하이용저해율 표

한계심도	30 m		20 m	
체감율(%) / 토피심도(m)	p	β × p	p	β × p
		0.15 × p		0.10 × p
0 ~ 5 미만	1.000	0.150	1.000	0.100
5 ~ 10 미만	0.833	0.125	0.750	0.075
10 ~ 15 미만	0.667	0.100	0.500	0.050
15 ~ 20 미만	0.500	0.075	0.250	0.025
20 ~ 25 미만	0.333	0.050	-	-

※ p는 심도별 지하이용효율

<자료 14> 한계심도에 관한 사항

1. 한계심도는 주택지는 30 m, 농지 및 임지는 20 m임
2. 한계심도를 초과하는 경우 보상율은 1.0 % 이하임

【문제 2】 감정평가사 甲은 ○○공사로부터 소유건축물의 일부(1층 101호)에 대해 2018. 07. 01. 기준시점의 임대료감정평가를 의뢰받았다. 관련 법규와 감정평가이론을 참작하고, 제시된 자료를 활용하여 다음의 물음에 답하시오. (30점)

물음 1) 적산법에 의한 임대료를 산정하시오. (20점)

물음 2) 임대사례비교법에 의한 임대료를 산정하고, 적산법에 의한 임대료와 시산가액조정을 통해 임대료를 결정하시오. (10점)

<자료 1> 대상물건의 토지 내역

1. 소재지 : A광역시 S구 S동 118번지
2. 용도지역 : 근린상업지역
3. 대상토지 현황 : 대, 350 m^2, 광대한면, 부정형, 평지
4. 주위환경 : 대로변을 따라 5층 ~ 10층 규모의 금융회사, 사무실 등 상업용 또는 업무용건물이 밀집하여 위치함. 후면은 소로를 따라 저층규모의 주상용건물, 일부 단독주택 등이 혼재하고 있음

<자료 2> 대상물건의 건물 내역

1. 건물 현황 : 건축면적 250 m^2, 연면적 1,740 m^2
2. 건물구조 등 : 철근콘크리트조 슬래브지붕 지하 1층, 지상 6층
3. 사용승인일 : 2000. 05. 08.

4. 층별 현황(집합건축물대장)

(단위 : m^2)

층별	용도	바닥면적	전유면적	공유면적	비고
지하1층	업무시설	300	220	80	
1층	업무시설, 소매점	250	188	62	3개 호실
2층	업무시설	250	188	62	
3층	업무시설	240	180	60	
4층	업무시설	240	180	60	
5층	업무시설	240	180	60	
6층	업무시설	220	165	55	

5. 1층 호별 현황(집합건축물대장)

(단위 : m^2)

1층	101호	102호	103호
전유면적	60	55	73

<자료 3> 표준지공시지가 현황(공시기준일 : 2018. 01. 01.)

기호	소재지	지목	면적(m^2)	이용상황	용도지역	도로교통	형상지세	공시지가(원/m^2)	비고
1	S구 S동 9	대	588.0	상업용	근린상업	광대한면	세장형평지	4,300,000	계획도로 20 % 저촉
2	S구 S동 40	대	388.0	주상용	근린상업	중로한면	사다리평지	3,600,000	
3	S구 S동 261	대	550.0	업무용	3종일주	광대소각	가장형평지	4,000,000	

<자료 4> 평가사례

기호	소재지	지목	면적(m^2)	이용상황	용도지역	도로교통	형상지세	토지단가(원/m^2)	기준시점	평가목적
a	S구 S동 249	대	530.0	상업용	근린상업	광대한면	부정형평지	6,400,000	2018. 05. 01.	담보
b	S구 S동 253	대	492.0	상업용	근린상업	광대한면	사다리평지	7,000,000	2017. 01. 01.	일반거래
c	S구 S동 261	대	550.0	업무용	3종일주	광대소각	가장형평지	6,500,000	2018. 01. 01.	일반거래

※ 사례는 토지의 그 밖의 요인 산정시 적용하되, 사례 중 담보목적의 평가는 안전성, 환가성 등이 고려된 단가임

※ 그 밖의 요인 보정방법은 표준지 기준 산정방식(비율법)을 적용함

<자료 5> 임대사례

소재지	임대면적 (m^2)	임대보증금 (원)	월임대료 (원)	임대계약 일자
S구 S동 185-28 1층 102호	70	30,000,000	2,750,000 (부가세 10 % 포함)	2017. 02. 02.

※ 보증금운용이율은 연 4 %로 조사되어 이를 적용함
※ 부가가치세(부가세)는 임차인이 환급받을 수 있음

<자료 6> 시점수정 자료

1. 지가변동률(A광역시 S구)

기간	지가변동률(%)		비고
	상업지역	주거지역	
2017. 01. 01 ~ 2017. 12. 31	1.112	1.238	
2018. 01. 01 ~ 2018. 05. 31	1.396	1.574	2018. 05.까지 누계
2018. 05. 01 ~ 2018. 05. 31	0.227	0.235	2018. 05. 당월

※ 2018. 06. 이후 지가변동률은 기준시점 현재 고시되지 않아 2018. 05. 지가변동률을 연장 추정하여 적용하되, 소수점 넷째자리에서 반올림하여 셋째자리까지 표시함

2. 자본수익률(A광역시)

기간	상업용부동산 자본수익률(%)	비고
2017. 01. 01 ~ 2017. 12. 31	2.930	2017년(365일) 누계
2018. 01. 01 ~ 2018. 03. 31	0.731	2018년 1분기

※ 자본수익률은 2018년도 2분기 자료가 기준시점 현재 고시되지 않아 2018년도 1분기(90일) 자본수익률을 연장 추정하여 적용하되, 소수점 넷째자리에서 반올림하여 셋째자리까지 표시함

<자료 7> 가치형성요인 비교자료

1. 접근의 편리성

대상물건의 토지는 표준지 기호 1) 대비 3%, 표준지 기호 2) 대비 25%, 표준지 기호 3) 대비 5% 각각 우세함

2. 격차율 자료

1) 토지이용상황

구분	주거용	상업업무용	주상복합용
주거용	1.00	1.30	1.11
상업업무용	0.77	1.00	0.85
주상복합용	0.90	1.17	1.00

2) 형상

구분	정방형	가장형	세장형	사다리형	부정형	자루형
정방형	1.00	1.05	0.99	0.98	0.95	0.90
가장형	0.95	1.00	0.94	0.93	0.90	0.86
세장형	1.01	1.06	1.00	0.99	0.96	0.91
사다리형	1.02	1.07	1.01	1.00	0.97	0.92
부정형	1.05	1.11	1.04	1.03	1.00	0.95
자루형	1.11	1.17	1.10	1.09	1.06	1.00

3) 도시・군계획시설

구분	일반	도로	공원
일반	1.00	0.85	0.60
도로	1.18	1.00	0.71
공원	1.67	1.42	1.00

3. 임대사례 개별요인 비교자료

대상물건의 건물 중 1층 101호는 임대사례 대비 외부요인 25% 열세, 건물요인 10% 열세, 호별요인 9% 열세, 기타요인은 동일함

4. 대상물건, 표준지, 평가사례, 임대사례 등은 모두 지역요인이 같거나 유사하고, 상기 제시자료 외의 개별요인은 모두 대등한 것으로 판단됨

<자료 8> 재조달원가 자료

1. 투자자 乙은 대상물건의 인근토지에 신축을 통한 투자를 계획하고 있음

2. 건축구조 등 : 철근콘크리트조 슬래브지붕 지하 1층, 지상 7층 상업용 건물

3. 건물면적 : 지하 1층 300 m^2, 지상 1층 180 m^2, 지상 2층~7층 각각 250 m^2

4. 건축기간 : 1년(건축설계 및 허가 2개월, 공사기간 10개월)

5. 공사비 등 투자계획
   1) 기준시점일(2018. 07. 01.) 현재 도급계약금액은 20억원임
   2) 기준시점에 5억원을 지급하고, 건물준공시점에 건물을 담보로 은행에서 잔액을 대출받아 지급함. 대출조건은 대출기간 10년, 대출이자율 연 4%, 매년 원리금 균등분할상환임
   3) 乙은 건물준공시 5년간 임대예정이고, 5년 임대기간이 종료되는 시점에 임차인에게 해당 건물을 처분하면서 대출잔금을 일시상환하려고 함
   4) 시장이자율은 연 5%임

6. 대상물건 중 건물의 재조달원가는 상기조건을 고려한 건축비의 현가를 산정하여 적용하고, 내용연수는 50년, 감가수정은 정액법을 적용함

7. 자본환원표
   1) 이자율 연 4%

기간(년)	일시불 내가계수	연금 내가계수	감채기금 계수	일시불 현가계수	연금 현가계수	저당상수
1	1.040000	1.000000	1.000000	0.961538	0.961538	1.040000
5	1.216653	5.416323	0.184627	0.821927	4.451822	0.224627
10	1.480244	12.006107	0.083291	0.675564	8.110896	0.123291

2) 이자율 연 5%

기간 (년)	일시불 내가계수	연금 내가계수	감채기금 계수	일시불 현가계수	연금 현가계수	저당상수
1	1.050000	1.000000	1.000000	0.952381	0.952381	1.050000
5	1.276282	5.525631	0.180975	0.783526	4.329477	0.230975
10	1.628895	12.577893	0.079505	0.613913	7.721735	0.129505

<자료 9> 효용지수자료

1. 층별효용지수

층별	지하 1층	1층	2층	3층	4층	5층 이상
	45	100	52	46	44	42

※ 대상물건의 전유면적 기준 층별효용적수의 합계는 69,166임

2. 호별효용지수

호별	101호	102호	103호
	100	95	90

※ 대상물건의 전유면적 기준 1층 호별효용적수의 합계는 17,795임

<자료 10> 기타 사항

1. 대상물건은 최유효이용으로 판단됨
2. 임대사례의 임대료는 신규계약된 정상임대료로 판단되며, 감정평가 대상인 1층 101호의 임대료도 연간실질임대료로 산정함
3. 1층 101호의 기초가액은 층별·호별효용비율에 의한 배분방법을 적용하여 산정함
4. 적산법에 적용되는 기대이율은 5%, 필요제경비는 순임대료(기대수익)의 7%임
5. 요인비교치는 소수점 셋째자리에서 반올림하여 둘째자리까지 표시함
6. 효용비율은 소수점 넷째자리에서 반올림하여 셋째자리까지 표시함

【문제 3】 베트남 북동해역에서 석유시추용으로 운용되던 플랜트(선박)인 '스타호'는 경제성 저하 및 노후화로 '비운영 폐선'으로의 매각을 추진 중이며, 현재 싱가포르 외항에 정박 중이다. 소유자인 코리아석유공사는 2018. 06. 30. 기준의 유리한 매각방식을 결정하기 위한 자문을 감정평가사 甲에게 구하였다. 관련 법규 및 감정평가이론을 참작하고 제시된 자료를 활용하여 다음의 물음에 답하시오. (20점)

물음 1) 해체처분가격의 성격을 약술하고, 전체를 해체처분가격으로 평가할 경우, 산출가능한 시산가액을 매각처 별로 산정하시오. (10점)

물음 2) 재사용이 가능한 기관 및 저장품은 분리하여 매각할 경우의 전체 시산가액을 산정한 후, 물음 1)과 비교하여 가장 유리한 매각방식을 결정하시오. (10점)

<자료 1> '스타호'의 개요

1. 종류 : 부선
2. 선질 : 강
3. 조선자 : 울산조선(주)
4. 진수일 : 1990. 06. 30.
5. 길이 : 75미터
6. 너비 : 60미터
7. 깊이 : 8미터
8. 총톤수 : 10,000톤
9. 재화중량(dead weight) : 13,000톤
10. 경하중량(light weight) : 15,000톤
11. 기관 : 디젤엔진(2,000hp) 2대 탑재되어 있고, 중량은 총 100톤으로 조사됨
12. 저장품 : 선박에 탑재된 수리용 신품의 부속장비로 중량은 총 900톤으로 조사됨

<자료 2> 가격조사 사항

1. 통상 선박의 해체처분은 정상운영 장비가 포함된 경하중량을 기준으로 거래되는 관행이며, 대형 선박 또는 플랜트의 해체 조선소는 파키스탄 및 한국에 소재함

2. 기준시점 현재 현지 인도조건의 scrap(고철) 매입단가는 파키스탄의 경우 톤당 260,000원 수준이고, 한국의 경우 톤당 240,000원 수준인 것으로 조사됨

3. 한편, 싱가포르 소재 대형선박 및 플랜트 관련 에이전트는 톤당 200,000원 수준에서 즉시 매입의사를 밝히고 있음

4. 본건은 자력항행이 불가능한 부선으로 현지 인도조건에 따른 운송비(보험료 포함)는 파키스탄의 경우 9억원, 한국의 경우 6억원이 소요되는 것으로 조사되고, 싱가포르 현지매각의 경우 매수자가 모든 부대비용을 부담하는 조건임

5. 재사용 가능 부분의 분리매각의 경우, 원매자 탐색 및 분리작업 기간에 4개월이 소요되고, 이에 따른 매월 정박료 및 대기비용으로 월간 2억원의 부담이 예상되나, 분리에 따른 작업 직접비용은 매수자 부담이며, 잔여 scrap(고철)은 싱가포르 현지에서 매각 예정임

<자료 3> 재조달원가

1. 기준시점에서 기관의 재조달원가는 마력(hp)당 300,000원인 것으로 조사됨

2. 저장품은 미사용품으로 취득가격은 50억원이며, 이를 재조달원가로 할 수 있음

3. 선체 및 의장품은 노후화로 본래용도로의 재사용은 불가능할 것으로 판단함

<자료 4> 내용연수 및 잔존가치율 등

1. 기관의 내용연수는 20년이고, 잔존가치율은 10%이나, 매년 정기적 유지보수로 경제적 측면의 잔존내용연수가 5년 정도 남아있는 것으로 조사되며, 정률법에 의한 감가수정을 함

2. 저장품의 내용연수는 10년이고, 잔존가치율은 20%이며, 미사용 신품이지만 원매자가 제한되어 있어 잔존가치 정도에서 거래가 가능함

<자료 5> 정률법에 의한 잔존가치율 표

구분	잔존가치율(10 %)	
내용연수 / 경과연수	15년	20년
1	14/0.858	19/0.891
2	13/0.736	18/0.794
3	12/0.631	17/0.708
4	11/0.541	16/0.631
5	10/0.464	15/0.562
6	9/0.398	14/0.501
7	8/0.341	13/0.447
8	7/0.293	12/0.398
9	6/0.251	11/0.355
10	5/0.215	10/0.316
11	4/0.185	9/0.282
12	3/0.158	8/0.251
13	2/0.136	7/0.224
14	1/0.117	6/0.200
15	0.100	5/0.178
16		4/0.158
17		3/0.141
18		2/0.126
19		1/0.112
20		0.100

【문제 4】 투자자 甲은 1동의 건물 전체를 주거용으로 임대 중인 '단지형 연립주택' 대하여 아래의 <자료 1>과 <자료 2>를 참고하여, <자료 3>과 같이 대상부동산의 가치를 산정하였다. 관련 법규 및 감정평가이론을 참작하고, 제시된 자료를 활용하여 다음의 물음에 답하시오. (10점)

물음 1) <자료 3>과 같은 甲의 가치산정과정과 결과에 대하여 '조소득승수(gross income multiplier)'를 활용하여 점검하되, 최종 조소득승수는 매매사례 (a)와 (b)를 평균하여 산정하시오. (5점)

물음 2) 甲의 가치산정 논리에 대하여, 물음 1)의 결과에 기초한 평가 검토의견을 작성하시오. (5점)

<자료 1> 대상부동산의 개요

1. 총 20개호인 각호의 구조는 2개의 룸으로 구획되어 있고 모두 동일함
2. 보증금 없이 각호 당 월 50만원에 전체를 공실없이 임대중임

<자료 2> 인근의 부동산 매매사례 등

1. 매매사례 (a) : 총 20개호인 각호의 구조는 3개의 룸으로 구획되어 있고 모두 동일하며, 보증금 없이 각호 당 월 70만원에 전체를 공실없이 임대중이며, 최근 12억원에 거래되었음
2. 매매사례 (b) : 총 20개호인 각호의 구조는 4개의 룸으로 구획되어 있고 모두 동일하며, 보증금 없이 각호 당 월 90만원에 전체를 공실없이 임대중이며, 최근 16억원에 거래되었음

<자료 3> 甲의 가치산정과정 및 결과

1. 매매사례 (a) : 12억원 전체 룸의 수 60개
2. 매매사례 (b) : 16억원 전체 룸의 수 80개
3. 룸 당 평균단가 : (12억원+16억원) / (60룸+80룸)=2,000만원
4. 대상부동산의 시산가치 : 2,000만원×(2룸×20개호)=8억원

제30회 감정평가사 2차 국가자격시험문제

교 시	시 간	시 험 과 목
1교시	100분	① 감정평가실무

수험번호		성 명	

※ 공통유의사항

1. 각 문제는 해답 산정시 산식과 도출과정을 반드시 기재
2. 단가는 관련 규정에서 정하고 있는 사항을 제외하고 천원미만은 절사, 그 밖의 요인 보정치는 소수점 셋째자리 이하 절사

【문제 1】 감정평가사 甲은 식료품 제조업을 영위하는 (주)A로부터 일반거래(시가참고) 목적의 감정평가를 의뢰받았다. 관련법규 및 이론을 참작하고 제시된 자료를 활용하여 다음의 물음에 답하시오.(단, 기준시점은 2020. 01. 01임) (40점)

물음 1) (주)A의 기업가치를 평가하시오. (25점)

물음 2) (주)A의 특허권의 유효 잔존수명을 산출하고, 특허권 가치를 평가하시오. (10점)

물음 3) (주)A의 영업권 가치를 평가하시오. (5점)

<자료 1> 대상 기업 및 특허권 개요

1. 대상 기업 현황

상호	(주)A
대표자	이○○
설립일자	2012. 06. 17
사업자번호	514-87-*****
주요제품	과자류

※ 대상 기업은 식료품 제조업을 영위함

2. 특허권 개요

명칭	나선형 ** 코팅 장치
등록번호	10-13*****
출원일	2013. 05. 26
특허권자	(주)A
존속기간 만료일	2033. 05. 26

<자료 2> 주요가정

1. 추정기간이란 할인현금수지분석법 적용에 있어 현금흐름을 직접 추정하는 기간으로 대상 기업의 특성 및 시장상황 등을 고려하여 5년(1기~5기)으로 가정함

2. 추정기간이 지난 6기부터는 성장율 0%를 적용하며, 5기의 현금흐름이 지속되는 것으로 가정함

3. 대상 기업의 결산일은 매년 말일이며, 현금흐름은 편의상 기말에 발생하는 것으로 가정함

4. 대상 기업의 현금흐름 추정시 비영업용 자산에 의한 수익, 비용은 제외된 것으로 가정함

<자료 3> 재무상태표 및 손익계산서 일부 발췌 (2019. 12. 31. 현재)

1. 재무상태표(일부 발췌)

계정과목	금액(원)
자산	
Ⅰ. 유동자산	
1. 당좌자산	
(1) 단기금융상품	700,000,000
(2) 그 외	500,000,000
2. 재고자산 등	600,000,000
Ⅱ. 비유동자산	
1. 투자자산	
(1) 장기투자자산	300,000,000
2. 유형자산	
(1) 토지	2,500,000,000
(2) 건물	1,000,000,000
(3) 기계	800,000,000
부채	
Ⅰ. 유동부채	1,100,000,000
Ⅱ. 비유동부채	
1. 장기차입금	2,500,000,000

※ 대상 기업의 무형자산은 영업권과 특허권만 존재함

※ 대상 기업의 비영업용 항목은 단기금융상품, 장기투자자산임

2. 손익계산서(일부 발췌)

(단위 : 원)

구분	2017년	2018년	2019년
매출액	2,000,000,000	2,100,000,000	2,205,000,000
매출원가	1,000,000,000	1,050,000,000	1,102,500,000
매출총이익	1,000,000,000	1,050,000,000	1,102,500,000
판매비와 관리비	200,000,000	210,000,000	220,500,000
영업이익	800,000,000	840,000,000	882,000,000

<자료 4> 재무제표 관련 추가 자료

1. 추정기간 동안 매출액은 다음에서 산출한 증가율과 동일한 비율로 증가할 것으로 판단됨
   1) 매출액 증가율 결정 방법 : 대상 기업의 과거 매출액 평균 증가율(2017년~2019년)과 동종 및 유사업종 매출액 평균 증가율의 산술 평균으로 결정함
   2) 동종 및 유사업종 매출액 증가율

항목	단위	2017년	2018년	2019년
매출액 증가율	%	4.92	4.82	5.24

2. 매출원가는 과거와 동일한 매출원가율을 적용함
3. 판매비와 관리비는 향후에도 과거와 동일하게 매출액의 일정 비율만큼 발생할 것으로 봄
4. 감가상각비는 2019년에는 110,000,000원이며 추정기간 동안 매년 5,000,000원씩 증가됨
5. 향후 예상되는 자본적 지출액은 매출액의 3%가 소요될 것임
6. 순운전자본 증감
   1) 대상 기업의 경우 추정 매출액 증감액에 운전자본 소요율을 곱하여 산출함
   $(\text{추정매출액}_{t} - \text{추정매출액}_{t-1}) \times \text{운전자본 소요율}$
   2) 운전자본 소요율은 한국은행 공시 재무정보를 이용한 회전율 등을 고려하여 대상 회사의 자료 등을 기준으로 산출하며, 추정기간 동안 동일하게 적용함

$$\text{운전자본 소요율} = \frac{1}{\text{매출채권회전율}} + \frac{1}{\text{재고자산회전율}} - \frac{1}{\text{매입채무회전율}}$$

구분	매출채권회전율	재고자산회전율	매입채무회전율
회	8	10	20

7. 법인세 산정시 세율은 22%를 적용함

<자료 5> **자기자본비용 관련**

1. 본 기업의 자본구조는 자기자본비율 40%, 타인자본비율 60%임
2. 자기자본의 기회비용은 자본자산가격평가모델(CAPM법 : Capital Asset Pricing Model)에 의함
3. 무위험자산의 수익률(Rf)은 평균 5년 만기 국고채 수익률 등을 고려하여 3.5%, 시장의 기대수익률(E(Rm))은 12%로 가정함
4. β계수는 최근 3년 유사업종에 속한 기업들의 β계수의 산술평균으로 함

(식료품 제조업)

기준년도	기업베타(β)
2017년	0.9654
2018년	0.9885
2019년	0.9763

<자료 6> **타인자본비용 관련**

대상 기업의 재정상태 및 금융상환 가능성 등을 종합적으로 고려하여 대상 기업의 차입이자율을 7%로 결정함

<자료 7> **특허권 평가 자료**

1. 특허권의 유효 잔존수명은 경제적 수명 잔존기간과 법적 잔존기간을 비교하여 결정하며, 산출된 유효 잔존수명은 연단위로 절사함
2. 특허권의 경제적 수명 잔존기간은 아래의 자료로 산출함
   1) 경제적 수명기간 산출방법 : 특허인용수명 × (1 + 영향요인 평점 합계 / 20)

2) 특허인용수명

IPC	기술명	Q1	Q2(중앙값)	Q3
A23G	과자 등	5	9	13

※ 대상 특허의 특성 및 시장상황 등을 종합적으로 고려하여 대상 특허의 경제적 수명기간 산출에 적용할 특허인용수명은 중앙값으로 결정함

3) 기술수명 영향요인 평가표

구분	세부요인	평점				
		-2	-1	0	1	2
기술 요인	대체기술 출현가능성				v	
	기술적 우월성				v	
	유사·경쟁기술의 존재(수)			v		
	모방 난이도				v	
	권리 강도			v		
시장 요인	시장 집중도 (주도기업 존재)				v	
	시장경쟁의 변화			v		
	시장경쟁강도			v		
	예상 시장점유율				v	
	신제품 출현빈도				v	

3. 특허권은 물음 1에서의 "기업의 영업가치"에 해당 특허권의 기술기여도를 곱하는 방식으로 평가함

<자료 8> 기술기여도 산출 관련 자료

1. 결정방법 : 기술기여도는 산업 특성을 반영하는 산업기술요소와 개별기술의 특성을 평가하는 개별기술강도의 곱으로 결정함
2. 산업기술요소

표준산업분류코드		최대무형자산가치 비율(%)	기술자산비율 (%)	산업기술요소 (%)
C10	식료품 제조업	67.5	76.0	51.3
C28	전기장비제조업	90.4	75.3	68.1

※ 산업기술요소(%)=최대무형자산가치비율(%) × 기술자산비율(%)

3. 개별기술강도

1) 기술성

구분	평가지표	평점				
		1	2	3	4	5
기술성	혁신성				v	
	파급성				v	
	활용성			v		
	전망성			v		
	차별성(독창성)				v	
	대체성				v	
	모방용이성			v		
	진부화가능성(기술수명)			v		
	권리범위				v	
	권리 안정성				v	

2) 사업성

구분	평가지표	평점				
		1	2	3	4	5
사업성	수요성				v	
	시장진입성				v	
	생산용이성			v		
	시장점유율 영향			v		
	경제적 수명				v	
	매출 성장성			v		
	파생적 매출			v		
	상용화 요구시간			v		
	상용화 소요자본			v		
	영업 이익성				v	

3) 개별기술강도

개별기술강도(%)=(기술성 점수 합산+사업성 점수 합산) / 100

<자료 9> 영업권 평가 자료

1. 영업권은 물음 1에서의 “기업의 영업가치(영업관련 기업가치)”에서 영업투하자본을 차감하는 방법으로 평가하되, 물음 2에서 평가된 특허권도 차감함
2. 제시된 재무상태표를 기준으로 영업투하자본을 산출함

<자료 10> 기타

1. 기업가치는 “기업의 영업가치”와 비영업용자산으로 구성됨
2. 연도별 매출액과 “기업의 영업가치”, 특허권 평가액, 영업권 평가액은 십만단위에서 반올림함
3. 매출액 증가율을 제외한 모든 율은 백분율로 소수점 이하 셋째자리에서 반올림하여 백분율로 소수점 이하 둘째자리까지 표시함

【문제 2】 A감정평가법인에 근무 중인 감정평가사 甲은 B도 C시장으로부터 보상목적의 감정평가를 의뢰받아 사전조사 및 현장조사를 마쳤는바, 관련법규 및 이론을 참작하고 제시된 자료를 활용하여 감정평가액을 산출 및 결정하시오. (30점)

<자료 1> 감정평가 의뢰 내역(요약)

1. 의뢰인 : B도 C시장
2. 의뢰일자 : 2019. 05. 10
3. 가격시점 : 2019. 06. 29
4. 공익사업의 명칭 : OOO공원 조성사업
5. 의뢰목록(일부 발췌)

일련번호	소재지	지번	지목(실제)	면적(m^2)	용도지역	비고
1	B도 C시 D동	148	전(전)	1,235.0	자연녹지	공원 100%

<자료 2> 사업개요

1. 사업계획의 개요
   1) 사업명칭 : OOO공원 조성사업
   2) 사업시행자 : B도 C시장
   3) 위치 : B도 C시 D동 100번지 일원
   4) 사업면적 : 1,028,520 m^2(1단계 462,800 m^2, 2단계 565,720 m^2 중 1단계 사업)
   5) 사업기간 : 2018. 10. 01~2020. 12. 31

2. 사업추진 주요 경과
   1) 2018. 01. 10 : OOO공원 조성계획 결정(변경) 공람공고
   2) 2018. 05. 30 : OOO공원 조성계획 결정(변경) 및 지형도면 고시
   3) 2018. 10. 01 : 보상계획 열람 공고
   4) 2018. 12. 10 : 공익사업 준비를 위한 토지 출입 허가 공고
   5) 2019. 05. 10 : 감정평가 의뢰

<자료 3> 공시지가 표준지, 매매사례 및 평가사례

1. 사업구역 및 인근의 공시지가 표준지 내역

기호	소재지	면적(m^2)	지목	이용상황	용도지역	도로교통	형상지세	공시기준일	공시지가(원/m^2)	비고
①	D동 121	1,452.0	전	전	자연녹지	맹지	부정형 완경사	2018.01.01	156,000	사업 구역 내 (공원 100%)
								2019.01.01	160,000	
②	D동 214-1	2,564.0	과수원	과수원	자연녹지	세로(불)	부정형 완경사	2018.01.01	166,000	사업 구역 내 (공원 100%)
								2019.01.01	171,000	
③	D동 산72-4	4,028.0	임야	자연림	자연녹지	맹지	부정형 완경사	2018.01.01	28,000	사업 구역 내 (공원 100%)
								2019.01.01	29,000	
④	D동 457	1,321.0	잡종지	전기타	자연녹지	세로(불)	부정형 완경사	2018.01.01	260,000	사업 구역 외
								2019.01.01	290,000	

※ 본 사업구역 내에 소재하는 공시지가 표준지는 모두 3개로, 표준지 기호 ①과 ③은 1단계 사업지 내에 그리고 기호 ②는 2단계 사업지 내에 각각 소재함

※ 2018. 01. 01~2019. 01. 01 기간 중 B도 C시의 표준지 공시지가 평균변동률은 7.216 %임

2. 매매사례

기호	소재지	거래일자	지목	용도 지역	면적 (m²)	이용 상황	거래가액 (원/m²)	비고
가	D동 137	2018. 09. 01	전	자연녹지	1,208.0	전	280,000	*
나	D동 648	2018. 01. 06	전	자연녹지	1,532.0	전기타	360,000	**

* 기호 가 : 사업구역 내(공원 100 %) 토지로, 본건 토지보다 제반 개별요인 우세함
** 기호 나 : 사업구역 외 토지로, 인근의 매매가격 수준 및 평가사례 등에 비추어 정상적인 매매로서 당해 사업으로 인한 영향을 받지 아니한 것으로 판단됨

3. 평가사례

기호	소재지	기준시점	평가목적 (사업명칭)	지목	면적 (m²)	용도 지역	평가액 (원/m²)	비고
ㄱ	A동 1207	2019. 02. 01	보상(△△테마공원 주차장조성사업)	전	2,004.0	자연 녹지	320,000	*
ㄴ	E동 36	2018. 04. 08	보상(중로 3-XX호 개설공사)	전	1,082.0	자연 녹지	380,000	**

* 기호 ㄱ : 전체 65필지 중 협의체결률은 약 45 %로서, 가격조사일 현재 나머지 필지는 수용재결 절차에 있는 것으로 조사됨
** 기호 ㄴ : 본 사업구역이 소재하는 D동과 인근의 E동을 남북으로 연결하는 도로사업임

<자료 4> 지가변동률 등

기간	변동률(%)		비고
	평균	녹지	
2018. 01. 01 ~ 2019. 06. 29	4.108	4.202	C시
2019. 01. 01 ~ 2019. 06. 29	1.403	1.470	C시
2018. 10. 01 ~ 2019. 06. 29	2.567	2.718	C시
2018. 10. 01 ~ 2019. 06. 29	2.479	2.692	B도
2018. 01. 06 ~ 2019. 06. 29	3.549	3.892	C시
2018. 04. 08 ~ 2019. 06. 29	3.002	3.112	C시
2018. 09. 01 ~ 2019. 06. 29	2.651	2.847	C시
2019. 02. 01 ~ 2019. 06. 29	1.082	1.236	C시

※ 생산자물가상승률은 인근지역의 적정한 지가변동을 반영하고 있지 아니하다고 판단하여 검토 생략

<자료 5> 요인비교 자료

1. 지역요인 : 본건 및 공시지가 표준지, 매매사례 및 평가사례는 모두 인근지역에 소재하여 지역요인 대등함
2. 개별요인

(공시지가 표준지 : 1.00)

공시지가 표준지	본건 (연번 1)	매매사례		평가사례	
		가	나	ㄱ	ㄴ
①	1.00	1.04	1.08	1.00	1.12
②	0.95	0.98	0.95	0.95	0.95
③	4.00	4.10	4.05	4.00	4.00
④	0.90	0.92	0.97	0.90	1.00

※ 상기 개별요인 비교 자료는 도시계획시설 공원 저촉에 따른 제한을 반영하지 않은 수치이며 인근지역에 대한 매매사례 기타 평가사례 등에 대한 조사 결과, 도시계획시설 공원에 저촉된 것에 비해 저촉되지 아니한 상태로의 가치 상승률은 20 %(임야) ~ 80 %(대) 수준을 나타내고 있는바, 필요 시 공원 저촉 여부에 따른 추가 요인비교를 행함

【문제 3】 감정평가사 甲은 부동산개발업자 乙로부터 개발계획의 타당성 검토를 의뢰받았다. 관련법규 및 이론을 참작하고 제시된 자료를 활용하여 개발계획의 타당성을 분석하시오. (20점)

<자료 1> 개발계획

1. 부동산개발업자 乙은 K구 M동에 소재하는 노후된 상업용 부동산을 매수한 후 기존 건물을 철거하고 업무용건물을 신축하여 일정기간 임대한 후 처분할 계획임
2. 매수 대상 부동산은 적정한 가격으로 매수 가능한 상태이며, 매수 대상 토지와 건물 중 기준시점 현재 건물의 잔존가치는 150,000,000원으로 판단됨

3. 업무용건물의 신축공사 기간은 기준시점으로부터 1년이고, 1년 후 준공과 동시에 임대를 개시하며, 임대개시 5년 후 처분할 계획임
4. 기준시점 : 2019. 08. 01

<자료 2> 매수 대상 부동산

1. 소재지 : K구 M동 300번지
2. 토지 : 대, 530 m^2, 상업용, 소로한면, 가장형, 평지
3. 건물 : 위 지상 벽돌조 슬라브지붕 지상 2층, 상업용, 건축연면적 630 m^2
4 용도지역 : 준주거지역

<자료 3> 표준지 공시지가 (공시기준일 : 2019. 01. 01.)

기호	소재지	면적 (m^2)	지목	이용 상황	용도 지역	도로 접면	형상 지세	공시지가 (원/m^2)
1	K구 M동 293	400	대	상업용	준주거지역	세로가	가장형 평지	1,760,000
2	K구 M동 307	520	대	상업용	준주거지역	소로한면	가장형 평지	1,870,000

<자료 4> 거래사례 자료

1. 소재지 : K구 M동 315번지
2. 토지 : 대, 490m^2, 상업나지, 소로한면, 가장형, 평지
3. 건물 : 없음(토지만의 거래사례임)
4. 용도지역 : 준주거지역
5. 거래금액 : 1,150,000,000원
6. 거래시점 : 2019. 05. 01
7. 기타사항 : 대상지역의 거래관행은 거래시점에 매매대금을 모두 일시에 지급하는 것이나, 본건 거래사례의 경우 매매대금의 70 %를 거래시점에 지급하고 나머지 30 %는 1년 후에 지급하는 조건인 것으로 확인되었으며, 그 외의 거래내역은 정상적임

<자료 5> 시점수정, 지역요인, 개별요인, 그 밖의 요인 자료

1. 시점수정치(지가변동률)
   1) 2019. 01. 01 ~ 2019. 08. 01 : 1.01752
   2) 2019. 05. 01 ~ 2019. 08. 01 : 1.00697
2. 지역요인 비교치 : 대상 부동산, 표준지, 거래사례 모두 인근지역 내에 소재하여 지역요인은 동일함
3. 개별요인 비교치 : 개별요인 비교항목을 검토한 결과 대상 토지는 표준지 기호 1 대비 5 % 우세하고, 표준지 기호 2 대비 1 % 열세하며, 거래사례 대비 2 % 우세한 것으로 격차율이 산정되었음
4. 그 밖의 요인 보정치 : 1.25를 적용함

<자료 6> 건물 신축 관련 자료

1. 구조 및 용도 등 : 철근콘크리트조 슬라브지붕, 지하 2층 · 지상 7층, 업무용
2. 면적 : 건축면적 300 m^2, 건축연면적 2,700 m^2
3. 신축공사기간 : 기준시점에 착공하여 1년 후 준공
4. 건축공사비 : 900,000 원/m^2(건축공사비에는 기존 건물의 철거비 및 기타 제반 부대비용 등이 포함되어 있으며, 착공시점에 30 %, 준공시점에 70 %를 지급함)

<자료 7> 임대수익 관련 자료

1. 임대가능면적 : 건축연면적의 70 %임
2. 순영업소득 : 연간 순영업소득은 145,000 원/m^2이며, 보유기간 동안 변동 없이 유지될 것으로 판단됨

<자료 8> 대출조건 및 기타 자료

1. 대출조건 : 대출비율 60 %, 이자율 7 %, 만기 20년임(매월 원리금 균등상환)
2. 자기자본수익률 : 10 %

3. 할인율 : 8%
4. 임대개시 5년 후 처분할 계획이며, 부동산가치는 임대개시(준공) 이후 매년 2% 상승할 것으로 판단됨
5. 수익환원은 직접환원법에 의함
6. 환원율 계산시 소수점 이하 다섯째자리에서 반올림하여 소수점 이하 넷째자리까지 표시함
7. 각 단계의 가격산정시 천원미만은 절사함

【문제 4】 1년 전 임대차계약이 체결되어 있는 오피스텔에 대하여 동 임대차계약을 인수하는 조건으로 매매가 이루어졌다. 매매가는 시장의 전형적인 수익률 5.0%를 기준으로 산출되는 임대권의 가치를 기준으로 결정되었다. 임대차계약 내용은, 계약기간 5년으로 연간 순임대료(순영업소득)는 2,200만원이고 계약기간 중 임대차조건의 변경이 없다는 내용으로 이루어졌다. 매매계약일 현재 동 오피스텔의 시장 순임대료(순영업소득)는 연간 3,000만원이고, 임대차계약 만료시 재매도 가치는 65,000만원으로 예상되고 있다. 제시된 자료를 활용하여 다음의 물음에 답하시오. (10점)

물음 1) 이 매매사례를 평가에 채택할 경우 사정보정률(백분율로 표시하되, 소수점 이하에서 반올림)을 산출하시오. (5점)

물음 2) 시장가치가 동일할 경우, 계약임대료(순영업소득)에 기한 환원율과 시장임대료(순영업소득)에 기한 환원율과의 차이를 산출하고 이 차이가 의미하는 바가 무엇인지 약술하시오. (5점)

제31회 감정평가사 2차 국가자격시험문제

교시	시간	시험과목
1교시	100분	① 감정평가실무

수험번호		성 명	

※ 공통유의사항

1. 각 문제는 해답 산정시 산식과 도출과정을 반드시 기재
2. 단가는 관련 규정에서 정하고 있는 사항을 제외하고 천원미만은 절사, 그 밖의 요인 보정치는 소수점 셋째자리 이하 절사

【문제 1】 주식회사A는 주식회사B를 인수합병하는 프로젝트에서 주식회사B의 영업권 가치를 파악하기 위해 감정평가사 甲 에게 감정평가를 의뢰하였다. 관련 법규 및 이론을 참작하고 제시된 자료를 활용하여 다음의 물음에 답하시오. (단, 기준시점은 2020. 09. 19임) (40점)

물음 1) 주식회사B 소유 부동산의 공정가치를 3방식을 적용하여 감정평가하고, 시산가액 조정을 통해 결정하시오. (30점)

물음 2) 감정평가에 관한 규칙, 감정평가 실무기준에 의거하여 영업권 가치를 감정평가하시오. (10점)

<자료 1> 공통사항

1. 단가는 유효숫자 셋째자리까지 표시하되, 넷째자리 이하는 절사함

2. 시산가액과 총액은 백만원 단위까지 표시하되, 십만원 단위이하는 절사함

<자료 2> 주식회사B 소유 부동산 현황

1. 평가대상(집합건물) 물건

소재지		S시 K구 J동 100-1번지 (S시 K구 OO로 5)			
층	호수	용도	전유면적(m^2)	공용면적(m^2)	계약면적(m^2)
지하1층	B101	근린생활시설	1,200	630	1,830
지상1층	101	근린생활시설	950	500	1,450
지상2층	201	업무시설	1,200	630	1,830
지상3층	301	업무시설	1,200	630	1,830
지상4층	401	업무시설	1,200	630	1,830
지상5층	501	업무시설	1,000	520	1,520

2. 대상 토지 현황

위치 및 주위환경	본 건은 S시 K구 J동 소재 S시청 동측 인근에 위치하고 S시 도심지역에 속하며, 본 건 주위는 각종 업무용 빌딩, 근린생활시설, 공공청사 등이 소재하는 업무지대임
교통상황	본 건까지 차량 진출입 가능하고, 인근에 시내버스 정류장이 소재하며, 지하철 1호선 "○○역, 2호선 "○○역"이 소재하여 제반 교통상황은 양호함
지목 / 면적	대 / 1,800m^2
형상, 지세 및 이용상황	인접지와 이용중임 등고 평탄한 가장형 토지로서, 업무용 건부지로 이용중임
접면도로	서측으로 폭 약 40m, 남측으로 폭 약 10m 포장도로에 각각 접함
토지이용계획 및 공법상 제한사항	일반상업지역

3. 대상 건물 현황

건물명	B빌딩
주용도	업무시설, 근린생활시설
건축규모	지하2층 / 지상5층
연면적	10,290m^2
호수 / 사용승인일	6개호 / 2000.12.31
구조 및 지붕	철골철근콘크리트조 슬래브지붕
마감재	외벽: 화강석 및 복합판넬 마감 등 내벽: 몰탈 위 페인팅, 타일붙임 및 내부 인테리어 마감 등 창호: 강화 유리창 마감 등
층별 용도 (임대현황 등)	지하2층(1,695m^2): 주차장, 기계실 지하1층(1,695m^2): 근린생활시설(임대: 음식점), 주차장 지상1층(1,150m^2): 근린생활시설(임대: 카페) 지상2층(1,500m^2): 업무시설(임대: W법무법인) 지상3층(1,500m^2): 업무시설(자가사용: 주식회사B) 지상4층(1,500m^2): 업무시설(자가사용: 주식회사B) 지상5층(1,250m^2): 업무시설(자가사용: 주식회사B)

<자료 3> 비교방식 참고자료

1. 인근지역 집합건물 거래사례(소재지: S시 K구 J동)

기호	지번	층	호수	용도	전유면적(m^2)	거래가격(천원)	거래시점	용도지역	사용승인일
1	50	3	301	업무시설	1,000	5,000,000	2020.02.15	준주거	2005.10.31
2	70	1	101	근린생활시설	750	9,750,000	2020.03.20	일반상업	2000.09.15
3	90	2	205	근린생활시설	100	900,000	2019.08.20	일반상업	2003.06.10
4	95	6	601	업무시설	1,050	6,825,000	2020.01.20	일반상업	2002.10.20

※ 상기 거래사례는 정상적인 거래임

2. 지역별 자본수익률

(1) 집합상가(S시 도심지역)

(단위: %)

구분	1분기	2분기	3분기	4분기
2019년	0.42	0.75	0.92	0.78
2020년	0.35	0.32	-	-

(2) 오피스(S시 도심지역)

(단위: %)

구분	1분기	2분기	3분기	4분기
2019년	0.57	0.92	1.13	0.93
2020년	0.54	0.48	-	-

(3) 2020년 3분기 이후 자본수익률은 기준시점 현재 발표되지 않아 2020년 2분기 자본수익률을 연장 추정하여 적용하되, 소수점 넷째자리에서 반올림하여 셋째 자리까지 표시함

3. 가치형성요인 비교 참고자료

(1) 선정된 거래사례와 대상 물건은 층별효용을 제외한 가치형성요인은 동일함

(2) 인근지역 내 대상 물건과 이용상황이 유사한 부동산의 임대료 수준, 평가사례 등을 종합적으로 고려한 결과 다음과 같은 층별효용비를 도출하였음(3방식 공통 적용)

층	용도	효용비
지하1층	근린생활시설	35
지상1층	근린생활시설	100
지상2층~최상층	업무시설	50

<자료 4> 원가방식 참고자료

1. 표준지 공시지가(공시기준일: 2020. 01. 01)

기호	소재지	면적 (m^2)	지목	이용상황	용도지역	도로접면	형상지세	공시지가 (원/m^2)	비고
A	S시 K구 J동 97-1	1,332	대	상업용	일반상업	광대세각	가장형 평지	14,500,000	도로 15%저촉
B	S시 K구 J동 98-1	1,665	대	업무용	준주거	중로한면	가장형 평지	10,200,000	-

※ 표준지 기호A의 도시계획시설(도로)은 장기미집행 도시계획시설로서 2020년 7월 1일자로 해제되었음

2. 인근지역 거래사례(소재지: S시 K구 J동)

<table>
<tr><th rowspan="2">기호</th><th rowspan="2">지번</th><th rowspan="2">용도지역</th><th rowspan="2">지목
이용상황</th><th rowspan="2">형상
도로조건</th><th>토지면적 (m^2)</th><th rowspan="2">거래가격 (천원)</th><th rowspan="2">거래시점</th><th rowspan="2">사용승인일</th></tr>
<tr><th>건물면적 (m^2)</th></tr>
<tr><td rowspan="3">a</td><td rowspan="2">90-1</td><td rowspan="2">일반상업</td><td rowspan="2">대
상업용</td><td rowspan="2">세장형
광대소각</td><td>215</td><td rowspan="2">4,100,000</td><td rowspan="2">2020.3.31.</td><td rowspan="2">-</td></tr>
<tr><td>-</td></tr>
<tr><td colspan="8">매매계약서상 특약사항: 위 매매대금 중 200,000,000원은 지상에 소재하는 무허가 건축물의 거래대금인 것으로 양자 합의함</td></tr>
<tr><td rowspan="3">b</td><td rowspan="2">93-2</td><td rowspan="2">일반상업</td><td rowspan="2">대
상업용</td><td rowspan="2">가장형
광대한면</td><td>520</td><td rowspan="2">12,500,000</td><td rowspan="2">2019.03.31.</td><td rowspan="2">1995.06.20</td></tr>
<tr><td>3,250</td></tr>
<tr><td colspan="8">기준시점 건물 재조달원가: 1,350,000원/m^2
거래시점 건물 재조달원가: 1,300,000원/m^2
구조 및 내용년수: 철골철근콘크리트구조 슬래브지붕, 55년</td></tr>
</table>

※ 기타 거래조건은 통상적인 것으로 전제함

3. 인근지역 평가사례(소재지: S시 K구 J동)

기호	지번	지목	면적 (m^2)	이용 상황	용도 지역	도로 교통	형상 지세	토지단가 (원/m^2)	기준시점	평가목적
ㄱ	101	대	320	상업용	일반 상업	중로 한면	가장형 평지	15,500,000	2020.08.01	일반거래
ㄴ	102	대	1,500	업무용	일반 상업	광대 소각	정방형 평지	19,800,000	2020.01.01	자산 재평가
ㄷ	103	대	1,750	업무용	일반 상업	광대 소각	가장형 평지	21,500,000	2020.05.01	담보

4. 지가변동률(S시 K구)

기간	지가변동률(%)		비고
	상업지역	주거지역	
2019.03.31.~2019.12.31	1.745	2.345	누계치
2020.01.01.~2020.08.31	1.323	1.565	누계치
2020.08.01~2020.08.31	0.254	0.367	2020.08. 당월

※ 2020.09. 이후 지가변동률은 기준시점 현재 고시되지 않아 2020.08. 지가변동률 연장 추정하여 적용하되, 소수점 넷째자리에서 반올림하여 셋째자리까지 표시함

5. 지역요인 비교: 대상 부동산, 표준지, 거래사례, 평가전례 모두 인근지역 내에 소재하여 지역요인은 동일함

6. 개별요인 비교 참고자료

(1) 가로조건

구분	광대한면	중로한면	소로한면	세로(가)	세로(불)
격차율	1.00	0.85	0.80	0.75	0.65

(2) 획지조건

1) 형상

구분	정방형	가장형	세장형	사다리	부정형
격차율	1.00	1.02	0.97	0.95	0.90

2) 접면도로상태

구분	한면	세각	소각
격차율	1.00	1.03	1.05

(3) 행정적조건

1) 용도지역

구분	일반상업	준주거
격차율	1.00	0.85

2) 도시계획시설

구분	일반	도로
격차율	1.00	0.85

(4) 상기에서 제시되지 않은 개별요인은 대상 부동산, 표준지, 거래사례, 평가전례 모두 동일함

(5) 항목, 세항목간 및 조건단위 격차율은 상승식으로 산정하되, 조건단위 비교치는 소수점 셋째자리에서 반올림하여 둘째자리까지 표시함

7. 그 밖의 요인 보정: 평가사례 중 가장 적정하다고 판단되는 하나를 선택하되, 그 밖의 요인 보정방법은 표준지 기준 산정방식을 적용함

8. 재조달원가(기준시점)

용도	구조	급수	단가(원/m²)	내용 년수
근린생활시설	철골철근콘크리트조 슬래브지붕 (6층이하)	1급	1,300,000	55 (50-60)
사무실	철골철근콘크리트조 슬래브지붕 (6층이하)	1급	1,500,000	55 (50-60)

※ 상기 자료는 지상층 기준 단가이고, 지하층은 용도와 상관없이 지상1층 단가의 70%를 적용함

9. 기타사항
   (1) 토지는 공시지가기준법과 거래사례비교법에 의한 시산가액을 산정하여 시산가액 조정함
   (2) 공시지가기준법과 거래사례비교법에서 비교표준지 및 사례선정 시 가장 적정하다고 판단되는 하나를 선정하되 그 사유를 적시할 것
   (3) 요인비교치는 소수점 넷째자리에서 반올림하여 셋째자리까지 표시함
   (4) 층별효용비율은 백분율 기준 소수점 둘째자리에서 반올림하여 첫째자리까지 표시함

<자료 5> 수익방식 참고자료

1. 대상 부동산의 현황 임대료

호수	용도	보증금(원/m^2)	월임대료(원/m^2)	월관리비(원/m^2)
B101	근린생활시설	150,000	15,000	3,000
101	근린생활시설	450,000	45,000	5,000
201	업무시설	190,000	19,000	5,000
301~501	업무시설	자가사용		

※ 상기 임대내역은 계약면적 기준임
※ 현황 임대료는 인근지역 내 평균적인 임대료 수준과 유사한 것으로 조사됨

2. 인근지역 유사 부동산의 표준적 공실 및 대손충당금 비율은 가능총소득(PGI)의 10%임

3. 영업경비: 연간관리비의 75%(감가상각비 미포함)

4. 감정평가사甲은 최근 부동산시장의 동향을 분석한 결과 오피스 대비 상가의 수요가 하락추세이고, 배달문화와 비대면문화의 확산으로 오피스보다 상가의 대출금리가 높게 책정된 상황임. 이러한 상황을 고려하여 시장추출법으로 종합환원율을 결정함

구분	사례1	사례2	사례3
사례 집합건물	X빌딩 101호	Y빌딩 301호	Z빌딩 101호
용도	근린생활시설	업무시설	근린생활시설
계약면적(원/m^2)	1,500	1,800	1,200
연간 순영업소득(NOI)(원)	750,000,000	600,000,000	660,000,000
거래가격(원)	15,000,000,000	12,000,000,000	11,000,000,000
거래시점	2020.03.15	2020.03.25	2020.03.30

※ 사례는 대상 부동산의 인근지역 내 소재함

5. 보증금운용이율: 연 2.0%

<자료 6> 영업권평가 참고자료

1. 재무상태표

과목	2019.12.31 현재	2020.09.19 현재
	금액(원)	금액(원)
자산		
Ⅰ. 유동자산	40,000,000,000	35,000,000,000
Ⅱ. 비유동자산		
1. 투자자산	22,000,000,000	21,500,000,000
2. 유형자산	20,000,000,000	19,500,000,000
자산총계	82,000,000,000	76,000,000,000
부채		
Ⅰ. 유동부채		
1. 외상매입금	20,000,000,000	20,000,000,000
2. 단기차입금	5,000,000,000	0
Ⅱ. 비유동부채		
1. 장기차입금	25,000,000,000	25,000,000,000
부채총계	50,000,000,000	45,000,000,000
자본총계	32,000,000,000	31,000,000,000
부채 및 자본총계	82,000,000,000	76,000,000,000

※ 2019년 12월 31일 기준 재무상태표상 자산, 부채, 자본의 규모는 과거 5개년 평균과 유사한 수준임

※ 2020년 9월 19일 기준 재무상태표는 비유동 자산을 제외하고 공정가치로 조정되었음

※ 2020년 9월 15일 단기차입금(5,000,000,000원)을 현금으로 상환하였으나, 회사의 통상적인 영업경비 충당을 위해 2020년 9월 30일에 재차입예정임

2. 비영업용자산이 포함된 주식회사B의 기업가치는 70,000,000,000원으로 평가하였음

3. 주식회사 B소유 부동산 중 자가사용 외의 집합건물은 임대수익을 얻기 위해 보유하고 있음

4. 비유동자산은 주식회사B 소유 부동산 외에 다른 자산은 없다고 가정함

5. 대상 기업의 무형자산은 영업권만 존재한다고 가정함.

【문제 2】 감정평가사甲은 A자산운용사로부터 부동산 펀드에 새로이 편입되는 Z마트(대형할인점) 3개 점포의 금융기관 담보제공 목적 감정평가를 의뢰받았다. 관련 법규 및 이론을 참작하고, 제시된 자료 및 전제조건을 활용하여 다음의 물음에 답하시오. (단, 기준시점은 2020. 09. 19임) (30점)

물음 1) 대상물건 각 점포에 적용되어야 하는 실무적·이론적으로 타당한 할인율과 재매도환원율을 결정하고, 그 사유를 서술하시오.(단, 할인율과 재매도환원율은 백분율 기준 소수점 둘째자리에서 반올림함) (15점)

물음 2) 결정된 할인율과재매도환원율을 적용하여 대상물건의 수익환원법 시산가액을 산정한 후 원가법에 의한 시산가액과 비교·검토하고, 각 점포별 시산가액의 균형에 대해 서술하시오. (15점)

<자료 1> 대상물건 내역 및 원가법 시산가액

해당 자산	소재 지역	규모	용도 지역	사용승인일	원가법 시산가액 (단위: 백만원)
Z마트 a점포	A	대지면적: 3,866m² 연면적: 18,500m²	준주거	2006.05.31	토지: 57,990 (79.8%) 건물: 14,652 (20.2%) 합계: 72,642 (100.0%)
Z마트 b점포	B	대지면적: 6,520m² 연면적: 28,000m²	유통 상업	2011.12.10	토지: 37,816 (59.4%) 건물: 25,872 (40.6%) 합계: 63,688 (100.0%)
Z마트 c점포	C	대지면적: 12,630m² 연면적: 43,000m²	유통 상업	2015.11.15	토지: 17,682 (30.8%) 건물: 39,732 (69.2%) 합계: 57,414 (100.0%)

※ 각 점포의 건물은 관련 법규에서 정하여진 허용 용적률을 전부 사용하여 건축되었음. 원가법 시산가액은 대·중소기업 상생협력 촉진에 관한 법률에 의한 사업조정비용 등 무형적 비용을 제외한 금액임

<자료 2> 전제조건 등

1. 대형할인점 운영기업은 유동성 확보 차원에서 최근 10년간 주요 대형할인점 점포를 매각후 재임차(Sales and Lease Back) 하였으며, 매각후 재임차된 점포는 수익 환원법 가치를 바탕으로 자산운용사에 매매되는 관행이 성립되었음. 자산운용사 및 기타 시장참여자(재무적 투자자 등)는 위험회피자임

2. 해당펀드는 5년 후 청산을 목적으로 하는 펀드로서, 펀드에 대해 투자하는 금융기관은 펀드 만기에 대상물건 각 점포별 재매도 가치를 중요하게 생각하는 바, 의뢰인 A자산운용사는 5년 후 재매도 가치가 할인현금수지에 명확히 포함되는 평가모형을 사용하여 줄 것을 감정평가사甲에게 요청하였음

3. 감정평가사甲은 시장관행에따라순영업소득(NOI)을 기초로 할인현금수지법(DCF Method)을 적용하기로 하되, 재매도 가치는 내부추세법을 사용하기로 하였음

4. 감정평가사甲이 소속된 D감정평가법인의 심사위원회는 감정평가사甲에게 "Z마트의 경우 재무적 상황이 악화되어 임차계약 연장이 불투명하고, 의뢰인의 목표수익률도 자산별로 상이하므로, 해당 자산이 소속된 지역의 부동산 상황·자산별 특성및 판매시설 운용추이 등을 종합적으로 검토하여 자산별로 할인율과 재매도환원율을 달리 사용할 것"을 권고하였음

5. 해당 부동산의 임대차 내역: 대상 물건은 Z마트 a, b, c 점포로서, 다음은 매도인 Z마트(임차인)와 매수인 A자산운용사가 설립한 특수목적법인 A사모부동산투자신탁 제1호(임대인) 간에 체결된 임대차 내역을 요약한 표임

해당자산	소재지역	연간 임대료(원)	비고
Z마트 a점포	A	3,800,000,000	임대 기간: 2020.09.19~2030.09.18 기타 임대 조건: ① 대상 물건에 대한 운영경비는 임차인이 전부 부담하는 순임대차임 ② 연간 임대료는 1년 단위 임대기간 말 후취 조건임 ③ 연간 임대료는 매년 1.5%씩 인상함
Z마트 b점포	B	3,600,000,000	
Z마트 c점포	C	3,500,000,000	

6. 보증금과 임대차기간 동안의 공실 및 기타수입은 없는 것으로 간주하며, 연간 임대료는 순영업소득과 일치함

7. 할인율 및 재매도환원율을 공공기관 통계를 기초로 결정하는 경우 최근의 경제상황을 고려하여 최근 1년 평균치와 최근 5년 평균치의 중앙값을 순영업소득 및 재매도 가치에 적용하며, 자산운용사 제시 자료를 기초로 할인율 및 재매도 환원율을 결정하는 경우 타인자본 차입비율(L/V: 65%)을 고려한 가중평균수익률(종합할인율)을 순영업소득 및 재매도 가치에 적용함

8. 해당 부동산 펀드는 유보 없이 배당가능금액 전부를 배당하며, 편의상 부동산 영업경비를 제외한 펀드 운용비용 등은 없는 것을 전제로 함

<자료 3> 취득 자료 및 조사사항

1. 공공기관에서 발표한 대형 상업용 부동산 수익률 통계는 다음과 같음. 소득수익률 통계는 각 지역에서 여러 개의 표본에 대해 최근 1년 및 5년의 원본가치 대비 순영업소득 비율을 취합한 결과로서, 원본가치는 토지 및 건물을 각각 산정하여 합산하였음

구분	소득수익률 (최근 1년 평균)	투자수익률 (최근 1년 평균)	자본이득률 (최근 1년 평균)
A지역	5.00%	6.50%	1.50%
B지역	4.80%	5.80%	1.00%
C지역	4.70%	5.20%	0.50%

구분	소득수익률 (최근 5년 평균)	투자수익률 (최근 5년 평균)	자본이득률 (최근 5년 평균)
A지역	6.20%	7.70%	1.50%
B지역	6.00%	7.10%	1.10%
C지역	5.60%	6.00%	0.40%

2. A자산운용사가 제시한 해당펀드의 목표 배당수익률 및 금융기관 대출금리는 다음 표와 같음. 대출금리는 5년간 고정금리이며, 펀드설정기간 동안 원금상환은 없음. 감정평가사甲이 수집한 자료를 통해 검증해 본 결과 해당 자산운용사의 목표수익률은 유사지역 동종 부동산 펀드 목표수익률과 유사한 수준이며, 실현가능성이 매우 높은 것으로 판단됨

구분	초기(초년도) 목표배당수익률 (매각차익 배당 제외)	장기 목표배당수익률 (매각차익 배당 포함)	금융기관 대출금리
Z마트 a점포	6.80%	8.00%	3.50%
Z마트 b점포	7.50%	8.30%	3.50%
Z마트 c점포	7.80%	8.60%	3.50%

3. 감정평가사甲이 분석한 해당 점포 소재지역의 지역분석 내용은 다음과 같음

구분	지역분석 내용
A지역	A지역은 S시의 남쪽에 위치하며, 해당 지역의 배후지는 S시 내에서 상대 적으로 고소득 계층이 거주하는 지역으로서, 판매시설의 매출은 상대적으로 견고한 추이를 보이고 있음. A지역의 상업용 부동산 임대료는 과거 타 지역에 비해 상대적으로 낮은 변동성을 보이고 있으며, 장래 이자율·환율·GDP 상승률 등 거시경제지표 변동과 상관계수가 낮을 것으로 예상됨
B지역	B지역은 S시의 서남쪽에 위치하며, 해당 지역의 배후지는 S시 내에서 상대적으로 저소득 계층이 거주하는 지역으로서, 판매시설의 매출은 인근 경공업 경기에 비교적 민감하게 반응하고 있음. B지역의 과거 상업용 부동산 임대료의 변동성은 A지역에 비해 상대적으로 높고 C지역에 비해 상대적으로 낮으며, 장래 B지역 임대료의 이자율 · 환율 · GDP 상승률 등 거시경제지표와의 상관계수도 A지역에 비해 상대적으로 높고 C지역에 비해 상대적으로 낮을 것으로 예상됨
C지역	C지역은 K도 남부에 위치하며, 해당 지역의 배후지는 과거 K도 최고수준 소득 계층이 거주하는 지역이었으나, 최근 조선업의 불황으로 인구변동이 활발히 일어나고 있음. C지역 판매시설의 매출은 인근 조선업 경기에 매우 민감하게 반응하고 있음. C지역 상업용 부동산 임대료는 과거 B지역에 비해 상대적으로 높은 변동성을 보이고 있으며, 장래 이자율·환율·GDP 상승률 등 거시경제지표 변동과 상관계수도 B지역에 비해 상대적으로 높을 것으로 예상됨

<자료 4> 기타사항

1. 할인현금흐름수지표는 십만원 단위에서 반올림하여, 백만원 단위로 작성할 것

2. 재매도 비용은 매각자문비용 등으로서, 재매도 가치의 1.3%를 적용함

3. 현시점의 기입환원율(Going-in Cap-rate)과 펀드 자산 매각시기의 재매도환원율은 동일한 것으로 간주할 것

4. 할인현금흐름수지표는 회계기간을 고려하지 않고, 기준시점부터 1년 단위로 작성하되, 현재가치율은 백분율 기준 소수점 첫째자리까지 계산하고 표기할 것

5. 각 점포에 대해 체결된 임대계약은 시장임대료 및 해당 점포 소재지 판매시설 부동산 시장 상황을 적절히 반영하고 있음

6. A자산운용사는 대형할인점 운영기업의 경우 최근 소셜커머스 기업의 대형화로 인해 성장이 둔화된 상황이므로, 향후 건물가치가 하락할 수 있다는 점을 고려하여 부동산 매입을 결정하였음. 지역별 할인율을 결정할때, 건물가치의 운용기간 중 회수율을 고려하여 자산별 적용 할인율의 균형을 검토하여야 함

7. 상기 제시된 모든 수익률은 감가상각비를 비용으로 고려하지 않은 상각전 수익에 대한 원본가치 대비 수익률임

8. 해당펀드는 대상 점포별로 다른 금융기관의 대출을 이용하고자 하는바, 각 점포별 담보가치의 균형에 유의하여야 함

9. 수익률 산정 및 수익환원법 시산가액 산정에 있어 세금효과는 배제함

10. 물음 2)의 할인현금수지표에는 기간별 순영업소득,재매도 가액에서 재매도 비용을 공제한 순재매도 가액, 이자지급전현금흐름, 현재가치율, 할인현금흐름이 포함되어야 함

11. 평가개요 작성은 생략할 것

【문제 3】 감정평가사甲은 A지방법원 판사 乙로부터 도시철도사업과 관련한 토지의 감정평가를 의뢰받았다. 감정평가사甲은 본 소송 과정에서 원고와 피고의 이해관계가 첨예하게 대립하고 있는 점을 확인하고 각자의 입장에서 대상 토지를 사전분석해 보기로 하였다. 관련 법규 및 이론을 참작하고 제시된 자료를 활용하여 다음의 물음에 답하시오. (20점)

물음 1) 피고(사업시행자이자 매수인) 입장에서 주장할것으로 판단되는 대상토지의 이용상황을 관련 법규 등을 근거로 검토한 후, 해당 이용상황에 따른 대상 토지를 감정평가 하시오. (10점)

물음 2) 원고(피수용자이자 매도인) 입장에서 주장할것으로 판단되는 대상토지의 이용상황을 관련 법규 등을 근거로 검토한 후, 해당 이용상황에 따른 대상토지를 감정평가 하시오. (10점)

<자료 1> 사건 개요

1. 평가의뢰인 : A지방법원 판사乙

2. 사건번호 : 2020구합 ○○○○ 손실보상금

3. 원고 : 丙

4. 피고 : A시

<자료 2> 기본적 사항

1. 감정평가목적: 소송(감정목적물에 대한 수용 당시의 적정한 보상금 산정)

2. 감정목적물: A시 B구 C동 10-3번지

3. 감정할 사항: 감정목적물에 대한 2019. 05. 19을 가격시점으로 한 적정한 시가(보상액)

4. 토지 변동내역
   (1) B동 10번지
      1) 2014. 05. 24: 건축허가 득함
      2) 2014. 12. 05: 분할되어 본번에 -1을 부함
      3) 2014. 12. 12: 건축물 사용승인 득함
      4) 2018. 05. 19: 분할되어 본번에 -2를 부함
   (2) B동 10-1번지
      1) 2014. 12. 05: B동 10번지에서 분할
      2) 2014. 12. 05: 지목변경
      3) 2018. 05. 19: 분할되어 본번에 -3을 부함

5. 대로1류(폭20 M~ 25M) 변동내역
   (1) 2008. 02. 15 : A시 도시계획시설(도로) 결정 및 지형도면고시
   (2) 2016. 06. 09 : A시 도시계획시설(도로) 결정(변경) 및 지형도면고시
   (3) 2016. 07. 15 : 보상계획공고
   (4) 2016. 09. 30 : 도시계획시설(도로) 실시계획인가고시
   (5) 2017. 10. 31 : 사업준공완료

6. 도시철도사업관련
   (1) 2018. 05. 24 : 도시철도 A선 사업계획승인(「도시철도법」 제7조 제1항)

7. 감정평가 관련자료
   (1) 대상토지의 개요

소재지	편입면적(㎡)	지목	이용상황	공법상 제한사항
A시 B구 C동 10-3번지	19	도	도로	준주거지역, 도시철도

   (2) 표준지 공시지가

기호	소재지	면적(㎡)	지목	이용상황	용도지역	도로교통	형상/지세	2016.01.01.(원/㎡)	2018.01.01.(원/㎡)
A	B구 C동 7번지	500	대	단독주택	준주거	세로(가)	사다리/평지	630,000	750,000
B	B구 C동 10번지	550	대	상업용	준주거	광대한면	세장평/평지	1,250,000	1,500,000

※ 2018.01.01.자 표준지 기호B는 도시계획시설(도시철도)에 30% 저촉됨

   (3) 시점수정치
      1) 2018. 01. 01~ 2019. 05. 19: 1.09268
      2) 2016. 01. 01~ 2019. 05. 19: 1.15069

(4) 개별요인 비교치

1) 도로접면

구분	광대한면	중로한면	소로한면	세로(가)	세로(불)
광대한면	1.00	0.91	0.85	0.80	0.72
중로한면	1.10	1.00	0.93	0.88	0.80
소로한면	1.18	1.07	1.00	0.94	0.86
세로(가)	1.25	1.14	1.06	1.00	0.91
세로(불)	1.38	1.25	1.17	1.10	1.00

2) 형상

구분	정방형	가장형	세장형	사다리
정방형	1.00	1.02	1.00	0.99
가장형	0.98	1.00	0.98	0.97
세장형	1.00	1.02	1.00	0.99
사다리	1.01	1.03	1.01	1.00

3) 도시계획시설

구분	일반	도로	도시철도
일반	1.00	0.93	0.85
도로	1.08	1.00	0.92
도시철도	1.18	1.09	1.00

(5) 그 밖의 요인 보정치

1) 표준지 기호A

① 2018. 01. 01 표준지 공시지가: 1.35

② 2016. 01. 01 표준지 공시지가: 1.45

2) 표준지 기호B

① 2018. 01. 01 표준지 공시지가: 1.50

② 2016. 01. 01 표준지 공시지가: 1.65

(6) 시계열 도면 자료(소재지 : A시 B구 C동 10번지 일원)

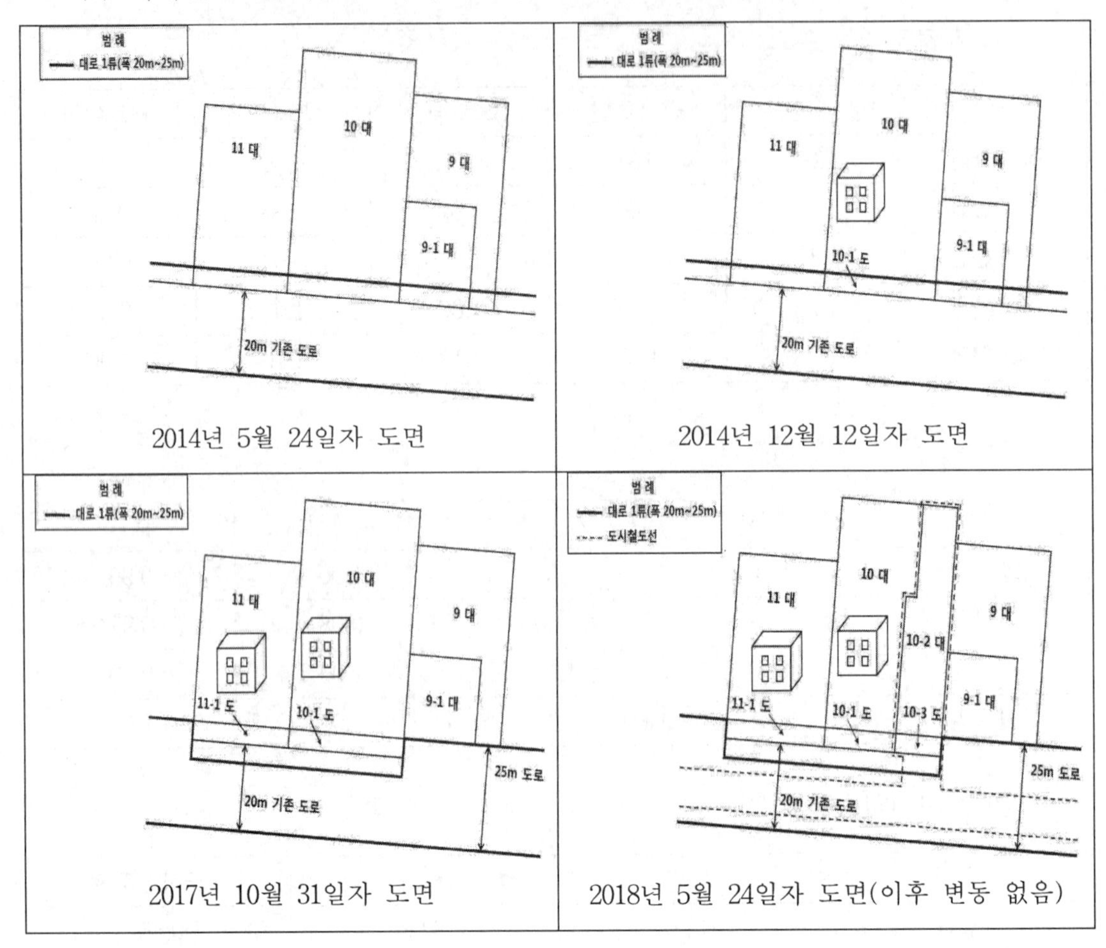

2014년 5월 24일자 도면

2014년 12월 12일자 도면

2017년 10월 31일자 도면

2018년 5월 24일자 도면(이후 변동 없음)

8. 기타 참고자료

(1) 「도시철도법」 제10조 제2항: 동법 제7조 제1항에 따른 사업계획의 승인과 같은 조 제6항에 따른 고시는 「공익사업을 위한 토지 등의 취득 및 보상에 관한 법률(이하 "토지보상법")」 제20조 제1항 및 제22조에 따른 사업인정 및 사업인정 고시로 봄

(2) 대상 토지는 C동 10번지 건축허가 이전까지 상업나지 상태였으며, 건축허가를 득하는 과정에서 분필되어 현재까지 도로로 이용 중임

(3) 대상 토지의 수용재결 평가액은 15,390,000원(2개 법인 평균), 이의재결 평가액은 15,770,000원(2개 법인 평균)임

(4) C동 10번지, C동 10-1번지, C동 10-2번지, C동 10-3번지는 모두 丙 소유임
(5) 공시지가기준법으로 평가한 대상 토지의 평가액은 인근 거래사례의 가격수준과 적정한 균형을 이루고 있고, 그 합리성이 인정되는 것으로 봄
(6) 본 사업은 도시철도 사업으로서 「토지보상법」제70조 제5항, 동법 시행령 제38조의2 및 동법 시행령 제37조의 검토는 불필요함
(7) 토지 평가단가는 천원미만은 절사할 것
(8) 개별요인은 조건 간 상승식으로 산정하되, 각 조건별 비교치는 소수점 셋째자리에서 반올림하여 둘째자리까지 표시하고, 개별요인 비교치는 소수점 넷째자리에서 반올림하여 셋째자리까지 표시함

【문제 4】 감정평가사甲은 A시 B구에서 시행하는 도시계획시설 도로 사업에 편입되는 주식회사K의 영업보상(휴업)에 대한 협의를 위한 감정평가를 의뢰받았다. 관련 법규 및 이론을 참작하고 제시된 자료를 활용하여 영업손실 보상액을 감정평가 하시오. (10점)

<자료 1> 사업의 개요

1. 사업시행지 : A시 B구 C동 5-19번지 일원
2. 사업의 종류 : 도시계획시설(도로)사업(중로5-24호선) 개설공사
3. 사업시행자 : B구청장
4. 사업인정고시일 : 2020. 01. 24
5. 가격시점 : 2020. 09. 19

<자료 2> 사업 토지 및 영업장 개황

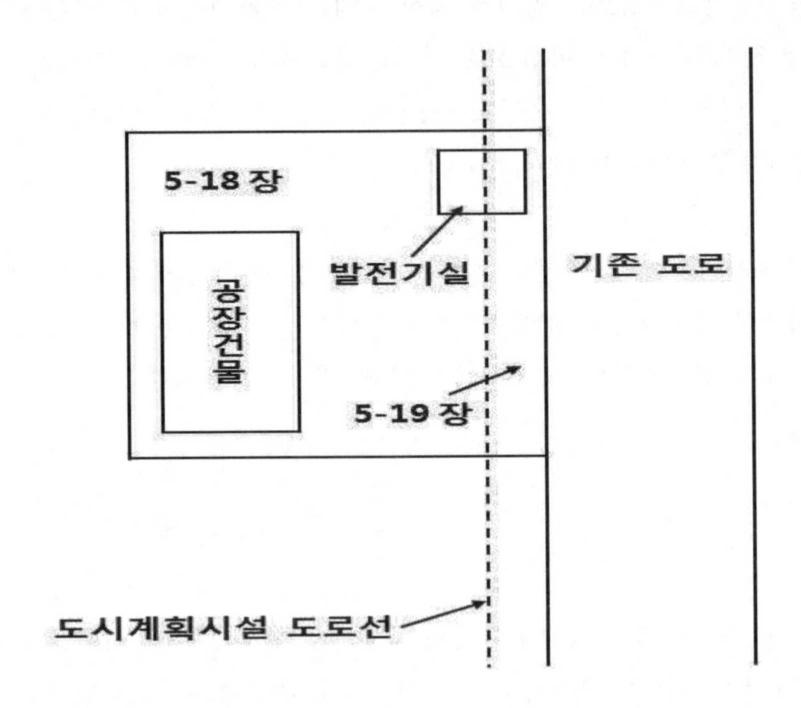

<자료 3> 관련자료

1. 주식회사K는 2012년 6월경 개업하였으며, 최근 3년의 월평균 영업이익은 다음과 같음

구분	2017년	2018년	2019년
월평균 영업이익	3,650,000원	3,950,000원	4,250,000원

2. 발전기실
   (1) 구조 : 벽돌조 슬래브지붕
   (2) 연면적 : 9㎡
   (3) 사용승인일 : 2012. 05. 24.

<자료 4> 기타 참고사항

1. 주식회사K는 공익사업을 위한 토지등의 취득 및 보상에 관한 법률(이하 '토지보상법')시행규칙 제45조의 영업손실의 보상대상요건을 갖추었음

2. 주식회사K는 발전기실 철거 후 재설치까지 공장가동이 불가능한 상태이며, 발전기실을 동일규모로 새로이 건축하고, 내부에 소재하는 발전기 및 그 부대설비를 이전 재설치 하는데 1개월이 소요될 예정임

3. 벽돌조 슬래브지붕의 발전기실을 신축하는데 통상 1,300,000원/m^2가 소요됨

4. 발전기실 내발전기 및 그 부대설비를 이전 재설치 하는데 3,500,000원이 소요되며, 시운전 비용 500,000원이 추가 소요됨

5. 도시근로자가구 월평균 가계지출비(3인가구): 4,233,829원

6. 영업규모 축소에 따른 영업용 고정자산, 원재료, 제품 및 상품 등의 매각에 따른 손실은 없음

7. 발전기실은 지장물 조서 목록에 별도로 조사되어 있음

8. 본 영업장의 이전에 따른 휴업보상액(토지보상법제47조제1항)은 25,000,000원임

제32회 감정평가사 2차 국가자격시험문제

교시	시간	시험과목
1교시	100분	① 감정평가실무

수험번호		성 명	

※ 공통유의사항

1. 각 문제는 해답 산정시 산식과 도출과정을 반드시 기재
2. 단가는 개별 문제에서 제시하는 바에 따름
3. 그 밖의 요인 보정치는 소수점 셋째자리 이하 절사

【문제 1】 감정평가사 甲은 S시에 소재하는 대상 부동산에 대하여 일반거래(시가참고) 목적의 감정평가를 의뢰받았다. 관련법규 및 이론을 참작하고 제시된 자료를 활용하여 다음 각 물음에 답하시오. (40점)

물음 1) 토지는 공시지가기준법, 거래사례비교법을 적용하고, 건물은 원가법을 적용하여 대상 부동산의 시산가액을 산정하시오. (18점)

물음 2) 일괄 거래사례비교법에 의한 시산가액을 산정하시오. (7점)

물음 3) 일괄 수익환원법에 의한 시산가액을 산정하시오. (12점)

물음 4) 시산가액 조정을 통하여 감정평가액을 산정하시오. (3점)

<자료 1> 기본적 사항

1. 기준가치: 시장가치

2. 기준시점: 2021년 8월 7일

3. 대상물건의 개황

1) 토지

소재지 지번	지목	면적 (m²)	용도 지역	이용 상황	도로 접면	형상 지세	주위환경
J구 M동 120	대	1,500	일반상업	업무용	광대 세각	가장형 평지	일반 업무지대

2) 건물

(1) 건물 개황

소재지 지번	구조	층수	면적 (㎡)	용도	급수	비고
J구 M동 120	철근 콘크리트조	지하4층 지상10층	13,800	업무용	3	허가일: 2015. 07. 15. 사용승인일: 2016. 07. 15. (지상9~10층 증축: 2018. 07. 15.)

(2) 건물 세부 내역

구분	면적(㎡)	이용상황	부대설비 내역
지하1층~지하4층	각 950	주차장, 기계실	전기설비, 소방설비, 승강기설비
지상1층~지상10층	각 1,000	업무시설	전기설비, 소방설비, 위생설비, 냉난방설비, 승강기설비

<자료 2> 공시지가표준지

(공시기준일: 2021.01.01.)

기호	소재지 지번	지목	면적 (m^2)	용도지역	이용상황	도로접면	형상지세	주위환경	공시지가 (원/m^2)
1	J구 M동 60	대	450	3종일주	상업용	중로한면	세장형 평지	후면 상가지대	22,000,000
2	J구 M동 110	대	1,400	일반상업	업무용	광대한면	세장형 평지	일반 업무지대	41,000,000
3	J구 M동 210	대	1,050	일반상업	업무용	소로한면	가장형 평지	후면 상가지대	30,000,000

<자료 3> 인근지역 평가사례 및 거래사례

1. 평가사례

기호	소재지 지번	지목	면적 (m^2)	용도지역	이용상황	도로접면	형상지세	기준시점	토지단가 (원/m^2)	평가목적
가	J구 M동 75	대	570	3종일주	상업용	중로한면	정방형 평지	2021.02.01.	38,500,000	담보
나	J구 M동 105	대	1,300	일반상업	업무용	광대한면	세장형 평지	2021.03.01.	62,000,000	시가참고
다	J구 M동 115	대	1,200	일반상업	업무용	광대한면	가장형 평지	2018.06.01.	58,000,000	시가참고
라	J구 M동 125	대	1,400	일반상업	업무용	광대한면	가장형 평지	2021.07.01.	61,000,000	자산재평가
마	J구 M동 195	대	1,360	일반상업	업무용	소로한면	가장형 평지	2021.01.01.	42,000,000	담보

– 평가사례 기호 가, 마는 후면 상가지대, 가호 나 ~ 라는 일반 업무지대에 위치함

2. 거래사례

(1) 거래사례 #1

- 소재지: J구 M동 109
- 총 거래가격: 67,050,000,000원
- 거래시점: 2021년 3월 1일
- 토지: 일반상업, 주상용, 900㎡, 광대한면, 세장형, 평지
- 건물

구조	급수	연면적 (㎡)	허가일 / 사용승인일	부대설비 내역
철근콘크리트조	4	12,500	2017. 02. 23. / 2018. 02. 20.	전기설비, 소방설비, 위생설비, 냉난방설비, 승강기설비

- 기타사항: 일반 업무지대에 위치하며, 정상 거래사례임.

(2) 거래사례 #2

- 소재지: J구 M동 129
- 총 거래가격: 98,400,000,000원
- 거래시점: 2021년 2월 1일
- 토지: 일반상업, 업무용, 1,600㎡, 광대세각, 세장형, 평지
- 건물

구조	급수	연면적 (㎡)	허가일 / 사용승인일	부대설비 내역
철근콘크리트조	3	5,000	1980. 01. 20. / 1981. 01. 25.	전기설비, 소방설비, 위생설비, 냉난방설비

- 기타사항: 일반 업무지대에 위치하는 정상적인 거래사례로, 매수자는 대상 부동산을 매입하여 지하4층, 지상10층 규모의 업무시설을 신축할 예정임(철거비는 감안하지 않는 것으로 함)

(3) 거래사례 #3

- 소재지: J구 M동 139
- 총 거래가격: 99,636,000,000원
- 거래시점: 2021년 3월 1일
- 토지: 일반상업, 업무용, 1,500㎡, 광대한면, 가장형, 평지
- 건물

구조	급수	연면적 (㎡)	허가일 / 사용승인일	부대설비 내역
철근콘크리트조	3	13,600	2015. 02. 16. / 2016. 02. 19.	전기설비, 소방설비, 위생설비, 냉난방설비, 승강기설비

- 기타사항: 일반 업무지대에 위치하며, 매도자의 사정으로 인해 급매된 사례임

(4) 거래사례 #4

- 소재지: J구 M동 209
- 총 거래가격: 81,940,000,000원
- 거래시점: 2021년 4월 1일
- 토지: 일반상업, 업무용, 1,470㎡, 소로한면, 가장형, 평지
- 건물

구조	급수	연면적 (㎡)	허가일 / 사용승인일	부대설비 내역
철근콘크리트조	3	11,000	2018. 03. 17. / 2019. 03. 29.	전기설비, 소방설비, 위생설비, 냉난방설비, 승강기설비

- 기타사항: 후면 상가지대에 위치하며, K사의 펀드운용을 위한 투자목적으로 거래된 정상 거래사례임

(5) 거래사례 #5
- 소재지: J구 M동 153
- 총 거래가격: 111,573,000,000원
- 거래시점: 2020년 10월 1일
- 토지: 일반상업, 업무용, 1,600㎡, 광대한면, 가장형, 평지
- 건물

구조	급수	연면적 (㎡)	허가일 / 사용승인일	부대설비 내역
철근콘크리트조	3	14,700	2015. 08. 20. / 2016. 09. 20.	전기설비, 소방설비, 위생설비, 냉난방설비, 승강기설비

- 기타사항: 일반 업무지대에 위치하는 정상 거래사례임

(6) 거래사례 #6
- 소재지: J구 M동 163
- 총 거래가격: 102,900,000,000원
- 거래시점: 2020년 9월 1일
- 토지: 일반상업, 업무용, 1,500㎡, 광대한면, 가장형, 평지
- 건물

구조	급수	연면적 (㎡)	허가일 / 사용승인일	부대설비 내역
철근콘크리트조	3	14,000	2014. 07. 16. / 2015. 08. 19.	전기설비, 소방설비, 위생설비, 냉난방설비, 승강기설비

- 기타사항: 일반 업무지대에 위치하며, 대상 부동산은 구분소유건물로서 매수 후 개별분양 예정임

(7) 거래사례 #7

- 소재지: J구 M동 173
- 총 거래가격: 62,300,000,000원
- 거래시점: 2020년 11월 1일
- 토지: 일반상업, 업무용, 1,800㎡, 광대한면, 가장형, 평지
- 건물

구조	급수	연면적 (㎡)	허가일 / 사용승인일	부대설비 내역
철근콘크리트조	4	10,000	2001. 09. 22. / 2002. 11. 01.	전기설비, 소방설비, 위생설비, 냉난방설비, 승강기설비

- 기타사항: 일반 업무지대에 위치하며, 인근 중개업소에 탐문조사한 결과 거래에 따른 양도소득세는 매수자가 부담하는 것으로 조사되었음

<자료 4> 재조달원가 및 감가수정 관련 자료

1. 표준단가

용도	구조	급수	표준단가(원/㎡)	내용연수
업무시설	철근콘크리트조 (6층~15층 이하)	1	1,400,000	50
업무시설	철근콘크리트조 (6층~15층 이하)	2	1,300,000	50
업무시설	철근콘크리트조 (6층~15층 이하)	3	1,200,000	50
업무시설	철근콘크리트조 (6층~15층 이하)	4	1,100,000	50
업무시설	철근콘크리트조 (6층~15층 이하)	5	1,000,000	50

- 지상·지하 구분 없이 적용 가능함

2. 부대시설 보정단가

구분	보정단가(원/㎡)
전기설비	10,000
소방설비	10,000
위생설비	50,000
냉난방설비	140,000
승강기설비	30,000

3. 건물 잔가율은 0%임

4. 건물의 감가수정은 정액법(만년감가)를 적용함

<자료 5> 시점수정 자료

1. 지가변동률(S시 J구)

구분	주거지역	상업지역
2018. 06. 01～2021. 06. 30.(누계)	12.825	12.846
2020. 09. 01～2021. 06. 30.(누계)	4.057	4.036
2020. 10. 01～2021. 06. 30.(누계)	3.715	3.694
2020. 11. 01～2021. 06. 30.(누계)	3.376	3.355
2020. 12. 01～2021. 06. 30.(누계)	3.018	2.997
2021. 01. 01～2021. 06. 30.(누계)	2.624	2.645
2021. 02. 01～2021. 06. 30.(누계)	2.265	2.285
2021. 03. 01～2021. 06. 30.(누계)	1.827	1.845
2021. 04. 01～2021. 06. 30.(누계)	1.278	1.293
2021. 05. 01～2021. 06. 30.(누계)	0.795	0.806
2021. 06. 01～2021. 06. 30.	0.414	0.420

- 2021년 7월 이후 지가변동률은 미고시 되었음

2. 오피스빌딩 자본수익률(S시 J구)

구분	2020. 3분기	2020. 4분기	2021. 1분기	2021. 2분기
자본수익률(%)	0.42	0.46	0.50	0.54

3. 건축비지수는 동일하다고 가정함

<자료 6> 지역요인

대상과 공시지가표준지 및 사례는 인근지역에 소재하여 지역요인은 유사함

<자료 7> 토지 개별요인

1. 가로조건(각지인 경우 가로조건에서 반영하기로 함)

구분	광대한면	광대소각	광대세각	중로한면	중로각지	소로한면	소로각지
광대한면	1.00	1.09	1.05	0.95	0.99	0.85	0.89
광대소각	0.92	1.00	0.96	0.87	0.91	0.78	0.82
광대세각	0.95	1.04	1.00	0.90	0.94	0.81	0.85
중로한면	1.05	1.15	1.11	1.00	1.04	0.89	0.94
중로각지	1.01	1.10	1.06	0.96	1.00	0.86	0.90
소로한면	1.18	1.28	1.24	1.12	1.16	1.00	1.05
소로각지	1.12	1.22	1.18	1.07	1.11	0.96	1.00

2. 접근조건

구분	대상	표준지	평가사례 가	평가사례 나	평가사례 다	평가사례 라	평가사례 마
평점	95	100	93	100	93	100	95

구분	거래사례 #1	거래사례 #2	거래사례 #3	거래사례 #4	거래사례 #5	거래사례 #6	거래사례 #7
평점	93	95	93	100	90	95	93

– 상기의 접근조건 비교치 산정시 소수점 셋째자리에서 반올림하여 소수점 둘째 자리까지 산정함

3. 획지조건

구분	정방형	가장형	세장형	사다리형	부정형
정방형	1.00	1.00	0.98	0.95	0.92
가장형	1.00	1.00	0.98	0.95	0.92
세장형	1.02	1.02	1.00	0.97	0.94
사다리형	1.05	1.05	1.03	1.00	0.97
부정형	1.09	1.09	1.07	1.03	1.00

4. 제시된 조건 외의 조건은 동일함

<자료 8> 토지, 건물 일괄 개별요인

1. 개별요인

(1) 대상물건/거래사례 #1

구분	입지적 특성	기능적 특성	물리적 특성
대상물건	102	103	102
거래사례 #1	100	100	100

(2) 대상물건/거래사례 #2

구분	입지적 특성	기능적 특성	물리적 특성
대상물건	100	105	105
거래사례 #2	100	100	100

(3) 대상물건/거래사례 #3

구분	입지적 특성	기능적 특성	물리적 특성
대상물건	102	103	102
거래사례 #3	100	100	100

(4) 대상물건/거래사례 #4

구분	입지적 특성	기능적 특성	물리적 특성
대상물건	95	103	102
거래사례 #4	100	100	100

(5) 대상물건/거래사례 #5

구분	입지적 특성	기능적 특성	물리적 특성
대상물건	105	102	100
거래사례 #5	100	100	100

(6) 대상물건/거래사례 #6

구분	입지적 특성	기능적 특성	물리적 특성
대상물건	100	102	100
거래사례 #6	100	100	100

(7) 대상물건/거래사례 #7

구분	입지적 특성	기능적 특성	물리적 특성
대상물건	102	103	102
거래사례 #7	100	100	100

2. 상기의 개별요인은 상승식으로 계산하며, 제시된 특성 외의 특성은 동일함

<자료 9> 대상부동산 및 인근지역 임대 현황

1. 대상부동산 임대현황

구분	임대면적 (㎡)	월임대료 (원/㎡)	보증금 (원/㎡)	월관리비 (원/㎡)
지상1층	1,000	47,000	470,000	12,000
지상2층	1,000	공실		
지상3층~지상5층	3,000	25,000	250,000	12,000
지상6층~지상7층	2,000	35,000	350,000	12,000
지상8층~지상9층	2,000	27,000	270,000	12,000
지상10층	1,000	35,000	350,000	12,000

- 지상3~5층과 지상8~9층은 각각 특수관계회사가 저가로 임차하고 있음

2. 인근지역의 표준적 임대 현황(최근 자료)

구분	월임대료(원/㎡)	보증금(원/㎡)	월관리비(원/㎡)
지상1층	47,000	470,000	14,000
지상2층~지상10층(각)	35,000	350,000	14,000

<자료 10> 수익환원법 적용 자료

1. 인근지역 시장조사 결과 월임대료는 보증금의 10% 수준으로 조사됨
2. 보증금 운용이율은 연 2%임
3. 인근지역 건물의 전형적인 공실률은 5%임
4. 인근지역의 전형적인 운영경비는 관리비수입의 65%임
5. 인근지역에서 매년 1개월의 랜트프리(Rent Free)가 계약조건에 포함되는 것이 일반적인 시장관행임
6. 인근지역 업무시설의 임대료는 전형적인 수준이 형성되어 있으며, 공실률 감소를 위한 유인책으로 임대계약시 랜트프리(Rent Free)를 적극적으로 활용하고 있음

<자료 11> 환원이율 관련 자료

1. 인근지역 유사부동산 자료

(1) 사례 #101

- 총 거래가격: 151,120,000,000원
- 토지면적(용도지역): 1,960㎡(일반상업지역)
- 임대면적: 13,000㎡
- 임대현황

보증금	관리비	랜트프리 (Rent Free)	가능조소득 (Potential Gross Income)
340,000원/㎡	13,000원/㎡	1개월	7,420,400,000원

- 기타사항: 경매낙찰사례로, 최초 법사가격은 180,000,000,000원이며, 유치권 행사중임

(2) 사례 #102

- 총 거래가격: 125,346,000,000원
- 토지면적(용도지역): 1,887㎡(일반상업지역)
- 임대면적: 11,000㎡
- 임대현황

보증금	관리비	랜트프리 (Rent Free)	가능조소득 (Potential Gross Income)
320,000원/㎡	13,000원/㎡	1개월	6,010,400,000원

- 기타사항: 장기임차인의 임대재계약으로 저가 임대 중 거래된 사례임

(3) 사례 #103

- 총 거래가격: 132,960,000,000원
- 토지면적(용도지역): 1,695㎡(일반상업지역)
- 임대면적: 12,000㎡
- 임대현황

보증금	관리비	랜트프리 (Rent Free)	가능조소득 (Potential Gross Income)
350,000원/㎡	14,000원/㎡	1개월	7,140,000,000원

- 기타사항: 2인이 공유지분으로 소유권이전등기 된 사례임

(4) 사례 #104

- 총 거래가격: 102,250,000,000원
- 토지면적(용도지역): 2,070㎡(일반상업지역, 제3종일반주거지역)
- 임대면적: 10,000㎡
- 임대현황

보증금	관리비	랜트프리 (Rent Free)	가능조소득 (Potential Gross Income)
300,000원/㎡	14,000원/㎡	1개월	5,340,000,000원

- 기타사항: 정상 거래된 사례임

2. 환원이율은 백분율로 소수점 둘째자리에서 반올림하여 백분율로 소수점 첫째자리까지 표시함

3. 상기 각 사례의 보증금은 층별 임대면적을 가중평균하여 산정한 금액임

<자료 13> 기타사항

1. 공시지가표준지 및 사례 선정시 선정 및 제외 사유를 반드시 기재할 것

2. <자료 5>을 이용한 시점수정치는 소수점 여섯째자리에서 반올림하여 소수점 다섯째자리까지 표시함

3. 개별요인은 조건간 상승식으로 산정하되, 소수점 넷째자리에서 반올림하여 소수점 셋째자리까지 표시함

4. 그 밖의 요인 보정치를 산정하는 경우 비교표준지를 기준으로 하는 방식을 적용함

5. 공시지가기준법 및 거래사례비교법에 의한 토지 단가와 일괄 거래사례비교법에 의한 건물 면적당 단가는 반올림하여 각각 유효숫자 셋째자리까지 표시하며, 각 평가방법별 시산가액은 천만원 단위에서 반올림하여 억원 단위까지 표시함

6. 일괄 거래사례비교법 적용시 건물 연면적을 기준으로 함

【문제 2】 소송감정인인 감정평가사 甲은 부당이득반환청구와 관련된 소송에서 토지에 대한 임대료의 감정평가를 의뢰받았다. 본 사건에서 토지 임대료에 대한 감정평가는 이미 다른 감정인에 의하여 완료되어 해당 재판부에 제출된 상황인데, 감정평가 결과에 대하여 피고는 부당함을 주장하였고 이것이 받아들여져 재의뢰가 된 사안이다. 제시된 자료를 활용하여 각 물음에 답하시오. (30점)

물음 1) 감정평가 관련 법령 및 이론에 비추어 피고가 제기한 주장의 타당성 여부 및 그 근거를 약술하시오. (5점)

물음 2) <자료 3> 실지조사, 자료수집 및 검토내용에 따라 시장가치에 기초한 기초가격에 적용할 기대이율(필요제경비 불포함)을 산출하시오. (15점)

물음 3) 위 물음 2)에서 산출된 기대이율(시장가치 기준)을 기초로 본건의 연도별 적산임료를 구하시오. (5점)

물음 4) 적산법의 장·단점 및 적용상 유의사항에 대하여 약술하시오. (5점)

<자료 1> 종전 감정평가 내역(요약)

1. 감정사항: 경기도 K시 H동 104-2 토지(전) 1,652㎡에 대한 2018년 5월 1일부터 2021년 4월 30일까지의 임료

2. 대상물건의 개요
   가. 소재지: 경기도 K시 H동 104-2
   나. 지목 및 이용상황: 전 / 전
   다. 면적: 1,652㎡
   라. 토지이용계획사항: 자연녹지지역, 개발제한구역
   마. 인근환경: 본건 토지는 서울특별시 북서측에 소재하는 경기도 K시 도심 남동측에 위치하는 근교농경지대에 소재하며, 부근 일대는 대부분 개발제한구역으로 원예농업을 위한 농경지로 이용중임

3. 감정평가액의 산출

가. 감정평가방식의 적용: 토지에 대한 임대사례가 희박하여 적산법을 적용하되 다른 방식에 의한 검토는 생략함

나. 기초가격(공시지가기준법 적용)

기간	단가(원/m²)	면적(m²)	기초가격(원)
2018. 5. 1.~2019. 4. 30.	900,000	1,652	1,486,800,000
2019. 5. 1.~2020. 4. 30.	956,000	1,652	1,579,312,000
2020. 5. 1.~2021. 4. 30.	1,016,000	1,652	1,678,432,000

다. 기대이율: 1.0%/연(기대이율 적용기준표 참작)

* 기대이율 적용기준율표(일부 발췌) - 감정평가 실무매뉴얼(임대료 감정평가편)

대분류		소분류	실제이용상황
II	농지	도시근교농지	1.0% 이내
		기타농지	1.0%~3.0%

라. 필요제경비: 보유세(재산세 등) 금액이 미미하고 기타 필요제경비가 필요하지 아니한 것으로 판단하여 기대이율에 포함하였음

마. 감정평가액(보증금 없는 상태 기준)

기간	기초가격(원)	기대이율(%)	적산임료(원)
2018. 5. 1.~2019. 4. 30.	1,486,800,000	1.0	14,868,000
2019. 5. 1.~2020. 4. 30.	1,579,312,000	1.0	15,793,120
2020. 5. 1.~2021. 4. 30.	1,678,432,000	1.0	16,784,320
합계	-	-	47,445,440

<자료 2> 감정평가 결과에 대한 피고의 이의제기 내역

1. 이의제기 요약

감정평가에 의한 연간 임대료 약 1,582만원(3년 평균)은 인근의 유사한 토지들에 대한 실제 임대료 수준에 비추어 상당히 고가로서 정상적인 수준에서 크게 벗어나 감정평가 결과를 신뢰할 수 없으므로 다른 감정인에 의한 재감정평가를 신청

2. 재감정 신청 증빙자료

가. 임대차계약서 사본

ㄱ) 소재지: 경기도 K시 H동 78

ㄴ) 지목 및 이용상황: 전 / 전

ㄷ) 면적: 1,998㎡

ㄹ) 토지이용계획사항: 자연녹지지역, 개발제한구역

ㅁ) 주요 계약 내용

계약기간	2018. 3. 10. ~ 2021. 3. 9.
임대료	9,000,000원/연(보증금 없는 상태 기준)
특약사항	임대차 계약기간 중 상호 합의되는 경우를 제외하고는 계약조건의 변경은 없는 것으로 하고, 임대료는 계약기간 중 매년 초일에 연간임대료 지급

나. 공인중개사의 사실확인서 사본: 2018년 기준 본건 및 임대차사례 토지가 소재한 지역의 연간 임대료(보증금이 없는 상태 기준)는 토지면적 약 660㎡ 기준 300만원 수준이고, 최근에는 350만원 내외의 수준임을 확인함

<자료 3> 실지조사, 자료수집 및 검토내용(요약)

가. 본건 토지는 수도권 도시 근교 개발제한구역 내에 소재하며, 원예농업에 할당된 농지로 대부분 이용중임

나. 원예농업에 할당된 획지 규모는 일반적으로 약 1,600㎡ ~ 3,300㎡임

다. 2018년 초 기준 인근 원예농업을 위한 농지 임대차에 있어 전형적인 임대차조건은, 계약기간 3년에 연간 임대료(보증금 없는 상태 기준, 계약기간 중 매년도 초일에 연간임대료 지불)는 @4,500원/㎡ 수준이었고 이후 도시화에 따른 지가 상승 등의 영향으로 지속적으로 상승하여 2021년 5월 이후에는 @5,400원/㎡ 수준을 나타내고 있으며, 이와 같은 인근지역의 임대차시장 상황은 당분간 지속될 것으로 판단됨

라. 본건 및 임대차사례 토지가 속한 지역은 지속적인 도시화의 영향으로 2018년 5월 이후 2021년 4월까지 토지가격은 약 20% 상승하였고 이러한 추세는 향후 지속될 것으로 판단됨

마. 당초 감정평가서 상의 연도별 기초가격은 시장가치에 부합하는 적정한 것으로 판단됨

바. 본건 토지 개별공시지가

공시기준일	개별공시지가(원/㎡)
2018. 1. 1.	360,000
2019. 1. 1.	382,000
2020. 1. 1.	406,000
2021. 1. 1.	431,000

사. 농지의 재산세율은 0.07%이고 과세표준액은 시가표준액(개별공시지가)의 70%이며, 재산세 부과 시 20%의 지방교육세가 부가됨

아. 본건 및 임대사례토지의 개별요인은 유사하며 공히 인근지역의 일반적·평균적인 수준을 나타내고 있음

【문제 3】 감정평가사 甲은 중앙토지수용위원회로부터 이의재결평가를 의뢰받았다. 관련 법규 및 이론을 참작하고 제시된 자료를 활용하여 적정보상액을 산정하시오. (20점)

<자료 1> 사업개요

1. 사업명: ○○민자고속화도로사업

2. 사업시행자: ○○민자고속화도로 주식회사

3. 사업인정고시(의제)일: 2020년 10월 2일

4. 수용재결일: 2021년 4월 1일

5. 의뢰일: 2021년 8월 6일

<자료 2> 의뢰목록

1. 토지 목록

일련번호	소재지	지번	지목	이용상황	용도지역	편입면적(㎡)	피수용자
1	A군 B읍 C리	산1	임야	전	자연녹지지역	3,000	A군
2	A군 B읍 C리	산2	임야	자연림	자연녹지지역 보전녹지지역	5,000 × 1/2	乙

2. 지장물 목록

일련번호	소재지	지번	물건종류	규격	수량	피수용자
3	A군 B읍 C리	산1	개간비	개간면적(3,000㎡)	1식	丙

<자료 3> 인근지역 공시지가표준지 (공시기준일 : 2020년 1월 1일)

기호	소재지	지번	면적 (m^2)	지목	이용 상황	용도 지역	도로 접면	형상 지세	공시지가 (원/m^2)
A	A군 B읍 C리	10	1,820	전	대	자연녹지 지역	세로(가)	세장형 완경사	350,000
B	A군 B읍 C리	20	950	답	전	자연녹지 지역	세로(불)	부정형 완경사	120,000
C	A군 B읍 C리	45	8,452	임야	조림	자연녹지 지역	세로(불)	부정형 완경사	60,000
D	A군 B읍 C리	산10-1	5,526	임야	자연림	보전녹지 지역	맹지	부정형 완경사	35,000
E	A군 B읍 C리	산15	2,570	임야	자연림	자연녹지 지역	맹지	부정형 급경사	15,000

<자료 4> 인근 평가사례 및 매매사례

1. 평가사례(ㄱ)
   - 지목, 이용상황, 면적: 전, 전, 2,570㎡
   - 용도지역: 자연녹지지역
   - 평가목적: 담보
   - 기준시점: 2020년 8월 1일
   - 평가단가: 220,000원/㎡
   - 기타사항: 임야지대 내 적법하게 개간된 전으로 이용 중인 사례임

2. 평가사례(ㄴ)
   - 지목, 이용상황, 면적: 전, 답, 416㎡
   - 용도지역: 자연녹지지역
   - 평가목적: 협의보상
   - 가격시점: 2020년 12월 1일
   - 평가단가: 270,000원/㎡
   - 기타사항: 대상 공익사업에 포함된 협의완료된 사례임

3. 평가사례(ㄷ)
   - 지목, 이용상황, 면적: 임야, 자연림, 5,470㎡
   - 용도지역: 자연녹지지역
   - 평가목적: 체납처분
   - 기준시점: 2021년 3월 1일
   - 평가단가: 130,000원/㎡
   - 기타사항: 유찰사례로 처분절차 진행중인 사례임

4. 평가사례(ㄹ)
   - 지목, 이용상황, 면적: 임야, 자연림, 1,320㎡
   - 용도지역: 보전녹지지역
   - 평가목적: 협의보상
   - 가격시점: 2020년 9월 1일
   - 평가단가: 75,000원/㎡
   - 기타사항: 임지상에 소재하는 잡목을 포함한 일괄 평가사례임

5. 거래사례(ㅁ)
   - 지목, 이용상황, 면적: 전, 전, 1,560㎡
   - 용도지역: 자연녹지지역
   - 거래시점: 2020년 7월 31일
   - 총 거래가격: 399,360,000원
   - 기타사항: 개인과 법인간의 거래사례임

6. 거래사례(ㅂ)
   - 지목, 이용상황, 면적: 전, 전, 1,906㎡
   - 용도지역: 자연녹지지역
   - 거래시점: 2020년 2월 1일
   - 총 거래가격: 590,860,000원
   - 기타사항: 친족간의 지분거래사례임

7. 거래사례(ㅅ)
   - 지목, 이용상황, 면적: 임야, 자연림, 3,750㎡
   - 용도지역: 자연녹지지역
   - 거래시점: 2020년 7월 1일
   - 총 거래가격: 562,500,000원
   - 기타사항: 임지상에 소재하는 잣나무(300그루)를 포함한 일괄 거래사례임

8. 거래사례(ㅇ)
   - 지목, 이용상황, 면적: 임야, 자연림, 1,670㎡
   - 용도지역: 보전녹지지역
   - 거래시점: 2021년 3월 1일
   - 총 거래가격: 158,650,000원
   - 기타사항: 최근 지가상승이 반영된 정상거래사례임

<자료 5> **지가변동률(A군, 녹지지역)**

2020년	1월	2월	3월	4월	5월	6월	7월	8월	9월	10월	11월	12월	누계액
변동률	0.092	0.313	0.223	0.252	0.252	0.170	0.363	0.230	0.280	0.223	0.223	0.312	2.972

2021년	1월	2월	3월	4월	5월	6월	7월	8월	9월	10월	11월	12월
변동률	0.282	0.221	0.235	0.310	0.289	0.287	미고시	미고시	미고시	미고시	미고시	미고시

<자료 6> 요인 격차율

1. 지역요인: 대상과 사례는 인근지역에 소재하여 지역요인은 유사함

2. 개별요인

구분	일련번호 1	일련번호 2
공시지가표준지 A	0.90	0.65
공시지가표준지 B	1.05	0.75
공시지가표준지 C	1.02	1.03
공시지가표준지 D	1.50	1.08
공시지가표준지 E	1.15	1.10

구분	공시지가 표준지 A	공시지가 표준지 B	공시지가 표준지 C	공시지가 표준지 D	공시지가 표준지 E
평가사례(ㄱ)	0.85	0.90	0.55	0.35	0.40
평가사례(ㄴ)	0.90	0.95	0.60	0.40	0.45
평가사례(ㄷ)	0.65	0.70	0.95	0.65	0.70
평가사례(ㄹ)	0.50	0.55	1.30	0.90	0.80
거래사례(ㅁ)	0.88	0.85	0.58	0.38	0.50
거래사례(ㅂ)	0.80	0.78	0.50	0.30	0.43
거래사례(ㅅ)	0.67	0.75	1.25	0.60	0.65
거래사례(ㅇ)	0.55	0.60	1.15	0.88	0.68

<자료 7> 기타자료

1. 대상은 20만㎡ 미만 공익사업으로 협의와 수용재결 절차가 완료된 상태로 일부 피수용자에 대한 이의재결이 진행중임

2. 일련번호(1), (2)의 지세는 완경사지임
3. 丙은 일련번호(1)을 2018년 10월 2일부터 관계법령에 따라 적법하게 개간하여 현재까지 적법하게 점유하고 있으며, 개간소요비용은 개간당시 250,000,000원이, 가격시점 기준 300,000,000원이 소요됨

4. 일련번호(2)의 자연녹지지역 비율은 전체의 60%임

5. 인근지역은 잣나무만의 거래가 일반적이며, 1그루당 500,000원에 거래됨

6. 토지단가 산출시 백 원 단위에서 반올림 할 것

【문제 4】 감정평가사 甲은 공익사업에 편입되는 물건에 대한 협의평가를 의뢰받았다. 관련 법규 및 이론을 참작하고 제시된 자료를 활용하여 적정보상액을 산정하시오. (10점)

<자료 1> 사업개요

1. 사업종류: ○○도시계획도로사업
2. 사업명칭: ○○~△△ 도로 확·포장공사
3. 사업기간: 실시계획인가고시일로부터 2년 이내
4. 실시계획인가고시일: 2020년 11월 30일

<자료 2> 감정평가 의뢰내역

1. 가격시점: 2021년 8월 7일
2. 지장물 의뢰목록

일련 번호	소재지 지번	물건종류	규격	수량	비고
1	○○동 151-6	조적조 (1, 2층건물/상가)	일부편입	6㎡	보수비 포함평가

<자료 3> 대상물건 현황

소재지 지번	구조	주용도	층별내역	사용승인일	비고
○○동 151-6	조적조	상가	1층: 100㎡ 2층: 100㎡	2005. 11. 1.	일부편입으로 인한 벽체보수 면적: 23.79㎡

<자료 4> 재조달원가 관련 자료 등

1. 표준단가

분류번호	용도	구조	급수	표준단가 (원/㎡)	내용연수
4-1-4-3	점포 및 상가	조적조	3	1,060,000	45

2. 부대설비 보정단가

항목	단가	비고
화재탐지설비	20,000원/㎡	연면적 기준
TV공시청설비	3,000원/㎡	연면적 기준
위생·급배수시설, 급탕설비	50,000원/㎡	연면적 기준, 급탕설비 미설치시 80% 적용
소화설비(옥내소화전)	6,000,000원/개	-

3. 보수공사비

항목	시장조사 내역	소유자 제시 내역
벽돌쌓기	800,000원/㎡	15,000,000원
테두리 보수공사	1,300,000원	1,500,000원
보일러 보수공사	1,000,000원	2,000,000원
시설개선비	3,000,000원	3,500,000원
기타비용	제비용의 20%	제비용의 20%

<자료 5> 기타사항

1. 건물의 일부편입으로 인한 철거 시 시공하중에 대한 구조 안정성은 양호한 것으로 조사됨

2. 대상건물은 위생·급배수시설, 화재탐지설비, 옥내소화전(2개)이 설치되어 있음

3. 전체 건물 중 1층(창고) 및 2층(보일러실) 일부가 편입됨

4. 편입면적이 과소하여 보수 후 잔여건축물의 가격감소는 없음

5. 소유자는 건물보수공사 기술자로 소유자 제시 보수공사비 내역은 직접공사할 경우 공사비임

6. 건물의 감가수정은 정액법(만년감가)을 적용하며, 적용단가 산정 시 백 원 단위에서 반올림함

▌저자약력▌

• 김 사 왕

· 제일감정평가법인 본사 이사
· 한국감정평가사협회 감정평가기준위원회 간사
· 국방부 국유재산자문 위원
· 국토교통부 부동산조사평가협의회 위원
· 국토교통부 중앙토지수용위원회 검토평가사
· 국토교통부 중앙토지수용위원회아카데미 강사
· SH공사 보상자문 위원
· 하우패스감정평가사학원 실무강사

〈편저〉
· 플러스 감정평가실무연습 입문·중급
· 감정평가실무 분석

• 김 승 연

· 하나감정평가법인 이사
· 한국감정평가사협회 미래위원회 위원
· 하우패스감정평가사학원 실무강사

• 황 현 아

· 제31회 감정평가사
· 성균관대학교 한문교육학과
· 하우패스감정평가사학원 실무강사

[제5판]
PLUS 기출 감정평가실무연습 I (기출문제편)

2009년 7월 14일 초판 발행
2012년 2월 9일 2판 발행
2016년 10월 18일 3판 발행
2019년 11월 6일 4판 발행
2021년 11월 18일 5판 1쇄 발행

저 자 / 김사왕 · 김승연 · 황현아
발행인 / 이 진 근
발행처 / **회 경 사**
서울시 구로구 디지털로33길 11, 1008호
(구로동 에이스테크노타워 8차)
전 화 / (02)2025-7840, 7841 FAX/(02) 2025-7842
등 록 / 1993년 8월 17일 제16-447호
홈페이지 http://www.macc.co.kr
e-mail/macc7@macc.co.kr

세트가 41,000원

ISBN 978-89-6044-236-8 14320
ISBN 978-89-6044-235-1 14320(전2권)